Les hommes cruels
ne courent pas
les rues

Du même auteur

AUX MÊMES ÉDITIONS

Moi d'abord
roman, 1979
coll. « Points Roman » n° 19

La Barbare
roman, 1981
coll. « Points Roman » n° 80

Scarlett, si possible
roman, 1985
coll. « Points Roman » n° 273

Katherine Pancol

Les hommes cruels
ne courent pas
les rues

roman

Éditions du Seuil
27, rue Jacob, Paris VIᵉ

ISBN 2-02-011539-5

au petit Pico

Ça m'a prise un soir, comme ça. Un soir de misère. J'étais assise sur mon grand lit américain. Face au miroir que j'ai posé là exprès. Pour inspirer licence et perversité. Ça n'a jamais marché.

C'est en apercevant la fille dans la glace que j'ai compris. Elle avait l'air mal en point. Elle écoutait l'autobus 80 freiner sous ses fenêtres, s'ouvrir les portes automatiques pom-pschiitt et se réenclencher la première. C'est tout ce qu'elle semblait pouvoir faire. J'en ai marre, je lui ai dit. Marre de radoter mon chagrin. Marre qu'on m'écoute. Marre qu'on me console. Il faut que je parte.

Il n'est plus là.

Pourquoi ?

J'ai besoin de lui, moi. Aujourd'hui bien plus qu'avant.

Quand il était là.

J'empeste avec mon chagrin. Le chien Kid pose en soufflant son museau contre moi et me coule un regard d'amour, voilé, il est vrai, par une épaisse cataracte. Il me colle au train de peur que je fasse une bêtise et surveille toutes les issues. Même la porte des cabinets... Le soir, quand je m'endors, il monte sur le grand lit. Il exhale une odeur de saucisson rance qui me soulève le cœur. Il soupire, il s'étire. Tourne en rond sur le couvre-lit blanc comme pour coucher de hautes herbes puis se laisse tomber avec un profond soupir. Il ne dort que d'un œil. Au premier hoquet de sanglot, il se redresse et hurle, hurle à la mort jusqu'à ce que je me taise, honteuse devant une si grande douleur. Mon frère, à force de se tripoter l'oreille, s'est fabriqué une verrue sur le lobe supérieur gauche. Il est gaucher, Toto. Deux cent cinquante francs la séance de dermato pour la cramer, et encore... c'est pas sûr qu'elle revienne pas. Parce que les verrues, c'est dans la tête que ça se concocte. Et, tant qu'il me surprendra à sangloter, la verrue repoussera.

Je suis devenue une véritable nuisance. Je ne distribue que du malheur autour de moi.

Pire encore : plus je raconte mon chagrin, plus il s'éloigne, lui. L'homme. Il devient tout flou. J'arrive plus à lui mettre la main dessus. Comme s'il était dégoûté par mon verbiage. Bidon, les mots. Pourtant je fais des efforts. Je n'emploie pas n'importe quels substantifs. Je les sélectionne soigneusement pour essayer de coincer mon chagrin et lui tordre le cou. J'en prononce un, puis un autre. Réfléchis, vise au plus près, articule, mais c'est de la bouillie.

Ça ne peut plus durer.

Ce soir-là, face à la glace, j'articule New York. Et je saute sur mes pieds. Voilà ce qu'il me faut. Des secousses. Du désir, du dégoût. Des grosses bouffées chaudes ou haineuses. Tout plutôt que ce mol endormissement dans mon édredon familier.

Je vais voir là-bas.

Là-bas, soit on s'effondre pour de bon, soit on se relève en époussetant ses habits. Furibonde ou KO. Demain, je pars. Ou après-demain. Je connais l'horaire des vols par cœur. Ce ne sera pas la première fois que je courrai m'y réfugier.

Là-bas, je serai bien obligée d'a-na-ly-ser, comme dit Pimpin. Pimpin, c'est ma copine. Elle a-na-ly-se tout. C'est souvent loin d'être faux, ce qu'elle trouve. Quelquefois, quand elle est d'humeur tendre, je lui dis que, si j'étais un mec, je l'épouserais. Parce que forcément, à force de ne pas s'en laisser conter et de tout a-na-ly-ser, elle se retrouve toute seule. A quarante-huit ans. C'est le problème des gens qui réfléchissent trop : ils se retournent, et y a plus personne pour les suivre.

— Et tu pleures parce qu'il t'a dit ' « Quand je mourrai, tu mourras avec moi » ?

— ...

— Mais c'est monstrueux ! Absolument monstrueux !

— Non ! Il m'aimait ! Il m'aimait !

— Mais enfin ! Réfléchis... Il ne t'aimait pas parce que, s'il t'avait aimée, il t'aurait pas dit ça !

Pimpin remonte ses lunettes marron d'un coup sec, bondit sur ses tennis Monoprix taille 36 et mouline des bras en développant : l'amour, c'est pas ça. L'amour, c'est précisément le contraire. L'amour, c'est donner, c'est tout faire pour le bonheur de l'autre. Mais, dans ce monde de crétins, on ne sait plus aimer. On veut pos-sé-der. Et lui, ce qu'il voulait, c'est te pos-sé-der. Te dévorer. Te réduire en petit tas pour que tu n'aimes plus personne. Et il a réussi. Ah ! Bravo !

Je la déteste, à ce moment précis. Du fond du ventre. Une haine qui bouillonne dans mon gros intestin, remonte jusqu'à l'œsophage, et que j'ai envie de lui cracher à la gueule tel un dragon en feu. Un jet de flammes rouges et noires, de poix brûlante qui la réduirait en cendres. Mais je me tais. Par lâcheté. Parce qu'il en faut, du courage, pour ne pas être d'accord avec elle.

Il m'aimait. Il m'aimait. J'en suis sûre.

Il m'aimait et il est plus là.

Je pars pour New York.

Affronter les gratte-ciel, les zinzins frappés du syndrome de

11

Tourette, les taxis jaunes déglingués, le macadam troué et le métro qui pue des quais. J'explique à Kid le chien qu'il va devoir prendre pension chez Pimpin et ses trois chats. Il m'écoute, navré, la tête un peu penchée, et soupire. Tu seras bien chez Pimpin, je développe, faux-jetonne. Il y a un jardin, des pommes vertes à faire rouler du museau, de la blanquette tous les samedis soir, et puis pense aux assiettées des chats que tu vas pouvoir te taper en douce en plus de ta pâtée... Il regarde ma valise, désolé, et soupire encore. Il sait bien que ce n'est pas la peine d'insister, j'ai toujours le dernier mot.

Je pars pour New York.

A Manhattan, j'habite chez Bonnie Mailer. Je marche dans les rues en essayant d'attraper des bouts de vie qui me remettent en piste. Me fassent sourire ou crier. Ou plus modestement regarder. Ailleurs. J'ouvre grands les yeux et j'arrive pas à voir. Tout glisse sur mes larmes.

Pourquoi il est parti ?

Pourquoi il est parti juste au moment où on avait fait la paix ? .

Je vais m'asseoir au bar que j'aime bien. Au deuxième sous-sol de Bloomingdales. A gauche après le rayon des petites culottes. Il faut connaître pour trouver Forty Carrots. Une sorte de milk-bar où viennent s'échouer les New-Yorkaises épuisées par trop d'emplettes. Des décalcomanies de carottes décorent les murs et une pancarte annonce : « No fat. No preservative. Cholesterol free. » Ici on soupèse les calories et on scrute l'assiette de la voisine. Même le café est suspect. Derrière le comptoir en formica orange circulent des serveuses musclées, montées sur d'épaisses semelles blanches, qui vous jettent salades du jour et frozen yoghourts d'un bras mécanique de mère de famille débordée au petit déjeuner.

Chaque fois que j'arrive à New York, je pose mes sacs chez Bonnie Mailer et file m'asseoir au comptoir de For.y Carrots. C'est un rite. Les serveuses ne changent pas. Elles ont toujours la même démarche élastique, les mêmes blouses à fleurettes, le même sourire automatique qui dit : « Maniez-vous, y a la queue derrière, et moi, c'est grâce aux pourboires que je vis. » Et puis, surtout, elles appellent leurs clientes « Honey ». Ça me fait chaud au cœur. Je ne suis pas une étrangère dans la ville si on m'appelle « Honey ».

Aujourd'hui, c'est ma préférée qui me sert. Une forte Noire, la cinquantaine rebondie, la peau brillante et le regard en coup de fusil. Très chic. Avec une fausse montre Cartier au poignet, des bracelets dorés et une coiffure sapin de Noël.

— Hi, Honey ?

Elle a son crayon derrière l'oreille, la fiche de commande prête à être gribouillée et le sourire automate qui balaie le comptoir.

— What do you want, Honey ?

Je commande. Toujours la même chose. Un frozen yoghourt à la banane avec suppléments : des raisins secs, du miel, des noix, des noisettes, des pelures d'amandes, des confettis de pommes. Cherche une lueur dans son regard qui prouverait qu'elle m'a reconnue. La tête penchée sur son bon de commande, elle griffonne ma fiche puis repart sur ses chaussures à ressorts. Paf ! une coulée de yoghourt, paf ! une louche de miel, pif ! les raisins qui dégringolent, pif ! les noix et les noisettes, boum ! la banane en promotion qui s'écrase au sommet. Quarante-cinq secondes en tout ! Pour un peu, j'en commanderais un autre.

13

Mais quand le frozen yoghourt glisse sur le comptoir et bute contre mon coude, je n'ai plus envie de le manger.

Pourquoi il est parti ?

Pourquoi il est parti juste au moment où on avait fait la paix ?...

Je lève la tête, désolée. Elle est plus là. Elle dit « Honey » à une autre. Je prends ma fiche, descends de mon tabouret, laisse un pourboire sur le comptoir. Paie à la caisse où la fille se demande ce qu'elle va faire cette année pour Thanksgiving. Sa collègue suggère la dinde et les marrons avec de la confiture d'airelles. La fille fait la moue. C'est le premier Thanksgiving avec son fiancé et elle voudrait l'impressionner. J'attends sans rien dire qu'elle s'occupe de moi. Je ne veux pas me faire remarquer. Le pire à ce moment serait qu'elle me regarde, qu'elle s'aperçoive que je ne tourne pas rond. Que j'ai le bout du nez et les paupières rouges. Que je tiens mon sac n'importe comment. Alors je détourne les yeux, sors mon porte-monnaie et paie à toute allure, en gardant les yeux baissés. Mon chagrin, je me le garde au chaud, pour moi toute seule. C'est à ce prix-là qu'il reste entier et vivant. Quand j'en parle, j'ai remarqué, il s'évapore. Il ne veut plus rien dire.

Je traverse le rayon cosmétiques du rez-de-chaussée. Une véritable féerie. Un monde parfumé, peuplé de créatures moelleuses. Des apparitions divines qui vous invitent au luxe en manipulant du miracle de leurs longues mains fines. D'habitude, je les nargue. Les ratatine sous ma science infuse. Leur demande pourquoi elles me baratinent avec leur camelote magique alors qu'elles savent très bien que RIEN NE PÉNÈTRE DANS LA PEAU. C'est scientifique, ça ! Elles l'ignorent peut-être ? J'aboie pour avoir la paix et me tartiner à loisir de fards irisés et gratis.

Mais, là, je manque d'aplomb. J'évite les comptoirs de rêve.

Je me laisse porter par la foule jusqu'à la sortie en suivant mes pieds des yeux.

Rien ne marche.

Je n'espère plus rien.

Je me retrouve sur Lexington et la Cinquante-Neuvième, aussi désemparée qu'avant.

Pourquoi il est parti ?

Pourquoi il est parti ? Juste au moment où...

C'est pas juste...

J'ai pas envie de retourner chez Bonnie Mailer. Son appartement est tout petit. Sombre. Un deux pièces au rez-de-chaussée d'une tour de quarante étages. Dans la journée il faut laisser la lumière allumée ou avancer à l'aveuglette. Et fermer l'espagnolette pour ne pas entendre la soufflerie du fast-food dans la cour. Bonnie y vit depuis seize ans parce que le loyer est ridicule et l'adresse du meilleur effet. C'est important, l'adresse, à New York. Vous dites où vous habitez et on sait aussitôt qui vous êtes. Où vous en êtes de votre carrière. Quel parfum vous portez. Ce qui vous attend sur votre compte en banque. Madison et 72, ça pose. Mais Bonnie a beau avoir décoré son appartement tout en blanc avec canapés italiens, vaisselle de chez Lalique et écran vidéo qui descend du plafond, dans la journée, on progresse toujours à tâtons. C'est pas grave parce qu'elle ne passe chez elle que le soir. A toute vitesse. Pour se changer avant de ressortir.

Bonnie Mailer est une femme très occupée. Elle dirige les relations publiques d'une grosse boîte d'aliments pour chiens et chats qui, pour se faire pardonner ses bénéfices et payer moins d'impôts, investit dans la culture. Des expositions de peintres, des conférences de prix Nobel, des séminaires de dissidents affamés. Je l'ai rencontrée dans une soirée, il y a quatre ans, et elle m'a tout naturellement offert l'hospitalité

15

Depuis, c'est un rituel : j'entame chaque séjour new-yorkais par un arrêt chez Bonnie.

Quand je suis arrivée cette fois-ci et que j'ai lâché mes sacs et mon chagrin, elle a levé un instant les yeux de la broche qu'elle s'évertuait à épingler sur le revers de son tailleur et a rétorqué que des choses comme ça arrivent à tout le monde. Il fallait que je m'organise et tout irait mieux. Elle m'a tendu un jeu de clefs, m'a parlé de Walter le doorman, « un amour », m'a proposé de dévaliser son frigo et est partie après avoir mis un foulard à la place de la broche.

Ce que j'apprécie chez Bonnie Mailer, c'est qu'elle sourit tout le temps et qu'elle héberge facilement. Je n'ai jamais eu envie d'approfondir, mais le fait est là : sa porte est ouverte à tous. Certains soirs, il faut se pousser pour faire de la place à un cinéaste turc ou à un poète roumain qui n'a pas les moyens d'aller à l'hôtel. Les hôtels coûtent cher ici et, si on ne veut pas s'effondrer tout de suite, il vaut mieux prévoir un habitat accueillant avec air conditionné, doorman et figurants.

Je remonte Lexington en direction de l'hôtel Carlyle. Les voitures n'en finissent pas de klaxonner. C'est à croire qu'elles sont vendues comme ça et que le bouton pour relâcher le klaxon est en option. Les piétons aussi sont pressés. Moi, au milieu, je gêne. Une atteinte au rendement. On me bouscule aux feux rouges. Je bafouille, je m'excuse. Serre mon sac contre mon ventre et louche sur le côté pour vérifier qu'un fou ne va pas me précipiter sous l'autobus.

C'est à force de lire le *New York Post*. Ce journal, je l'achète pour les faits divers. Tous les jours, à la une, un crime horrible. Et, à l'intérieur, des détails encore plus horribles. Des amants qui poignardent leurs concubines ET les broient au mixer ou des fous qui se baladent dans la ville à la recherche d'une petite chérie à écrabouiller sous quatre roues. De temps en temps, le titre en première

16

page annonce une belle histoire d'amour. Mais c'est rare...
Il m'avait dit : « Un jour, on ira à New York tous les deux et
tu me montreras... » Il n'est jamais venu. Il promettait
beaucoup mais il oubliait aussitôt. Après, quand je le lui
faisais remarquer, il riait : « Mais on a tout le temps ! »
Il ne prenait pas grand-chose au sérieux. Surtout pas moi. Il
m'écoutait vingt secondes puis son œil partait ailleurs. Il
préférait parler de lui. De son boulot. De ses collègues. Moi,
j'écoutais. C'est après que je lui en voulais.
Quand mon premier livre est sorti, il n'a lu que les passages
où il se reconnaissait. Il s'en est même vanté. Les livres,
c'était pas son truc. Et puis, il a ajouté en rigolant :
— Quand est-ce que tu écris un livre sérieux ?
J'avais les genoux qui cognaient, les yeux prêts à fondre, mais
j'ai fait comme si de rien n'était et j'ai demandé :
— C'est quoi un livre sérieux ?
— Sais pas moi... Un livre où on parle bien... Bien écrit
quoi. Sans fautes de grammaire. Un truc du genre de
Chateaubriand, tu vois ?
— Mais il est mort, Chateaubriand, et depuis longtemps !
On parle plus comme lui !
— Ouais, mais il faisait de belles descriptions !
— On s'en tape, des descriptions... On en a plus besoin, on a
la télé maintenant, et le ciné...
— N'empêche. Moi je préfère Chateaubriand. Ou Balzac.
Ça, c'est des monuments... Tu me diras pas le contraire. La
preuve, c'est qu'on les lit toujours.
— Tu les lis, toi ?
— Non. Mais j'en connais qui les lisent.
Après, j'arrivais plus à prendre mon livre au sérieux J'avais
beau le voir grimper au hit-parade, entendre mon éditeur
m'annoncer qu'il en tirait encore et encore, voir descendre les
piles dans les librairies, j'y croyais pas. Je me d'sais qu'il y

avait un fou, UN fou, qui les achetait tous parce que lui, il avait aimé.

J'irai pas loin avec un seul lecteur...

Pour le deuxième, j'ai décidé de m'appliquer et de bien écrire. Comme Chateaubriand. Je me suis installée à New York. J'ai pris un appartement. D'abord en haut de la ville, dans les beaux quartiers parce que j'avais des sous, puis tout en bas quand je n'en ai plus eu. Et je me suis inscrite à un cours de « creative writing ». How to... Les Américains sont très forts pour ça. Ils sont très positifs. On leur a toujours appris à ne voir que le bon côté des choses. Alors forcément...

La New School. C'était le nom de mon école. Faite exprès pour les gens qui veulent repartir de zéro. Et qui en ont les moyens. Au bout de trois mois, j'ai arrêté. Faute de moyens. Mais j'avais eu le temps de suivre les cours de Nick. Nick portait toujours le même veston gris, blanchi par les lavages, le même pantalon pomme pourrie et les mêmes chaussures avachies qui le faisaient gîter à droite. Il avait écrit dix ans auparavant un best-seller dont personne ne se souvenait. Il l'évoquait fréquemment en début de cours. Pas d'une manière arrogante. A la va-vite. Pour justifier ses émoluments. Une façon de s'excuser d'être là à nous donner des cours. Il aimait Faulkner, Steinbeck et Flannery O'Connor. Ma découverte, cette année-là, ce fut Flannery. Une nouvelle surtout me rendait dingue : celle du géranium. J'arrêtais pas de la lire. C'est l'histoire d'un vieux retraité du Sud qui vient habiter chez sa fille, dans une HLM de la banlieue de New York, et qui tombe amoureux d'un géranium posé sur la fenêtre d'en face. Un pauvre pélargonium échoué là par hasard, aux bons soins d'un crétin de citadin, loin de son champ de géraniacées. Le retraité, il sait tout ce que ressent le géranium puisque lui, c'est pareil. Transplanté à New

York sur le conseil de sa fille et de son gendre qui guignent sa pension mensuelle, coupé de son Sud natal où un Noir ne porte pas de chaussures brillantes et ne tapote jamais l'épaule d'un Blanc, il ne comprend rien aux habitants de l'immeuble. Ni à sa fille, d'ailleurs. Il dérange. Il pose de drôles de questions. Il se trouve toujours sur le chemin de quelqu'un. Il met un temps fou à monter les escaliers. Plus bon qu'à être poussé dans la tombe... Comme le géranium à la fin de la nouvelle.

Je me demandais comment faisait Flannery pour nous arracher des larmes avec cette histoire de pot de fleurs et de vieillard. Sans pontifier avec des idées sur l'humanité ni aligner de belles phrases comme Chateaubriand ni vérifier dans son dictionnaire la propreté des termes.

J'étais comme les Américains à l'époque : très positive. Alors, pour mon deuxième roman, je me suis appliquée. J'ai bien écouté ce que disait Nick. Et puis je voulais l'épater, lui là-bas en France qui réclamait du sérieux. Qu'il en achète des dix et des cents de mon roman. Qu'il pérore devant le libraire en montrant ma photo derrière : « Vous voyez, cette fille-là, cette fille qui a écrit ce livre... Eh bien, c'est à cause de moi qu'elle a écrit ça ! Comme je vous le dis ! Si vous voulez, un jour, je vous l'amènerai. Si, si... Vous verrez que je ne mens pas ! » Je voulais qu'il le trimbale partout avec lui, mon livre. Qu'il le pose bien en évidence sur la plage arrière de sa voiture ou l'ouvre à l'endroit au restaurant quand il déjeunait tout seul.

Le deuxième, il l'a pas lu.

Il ne s'en est pas caché. Il me l'a claironné comme le nez au milieu de la figure. Dans un restaurant italien. C'était tout ce qu'il aimait, la cuisine italienne. Simple et pas cher. Avec du fromage fondu en pagaille qui tissait de grands filaments entre sa bouche et l'assiette et qu'il mâchouillait en grosse boule d'une joue à l'autre.

— Et pourquoi tu le lis pas ?

J'avais pris mon courage à deux mains. Je voulais une explication. Je sentais que c'était un moment crucial. Un de ces moments que, des années après, on revit en se disant que c'est ce jour-là que tout a basculé. Qu'on a perdu l'estime de soi-même. Qu'on ne s'est plus vu du même œil.

— Parce que...

— Parce que quoi ?

Il n'avait pas l'air gêné que j'insiste. Juste un peu embêté parce que je l'obligeais à préciser sa pensée. A trouver des mots. C'était plutôt moi qui transpirais et rougissais. Lui, il reprenait du vin rouge et sauçait son assiette avec son restant de pain.

— J'ai bien une copine qui m'a conseillé de le lire... Qui m'a dit que j'apprendrais plein de trucs sur toi, sur toi et moi, mais j'ai pas envie de savoir...

Pas envie de savoir ce qui se passe entre lui et moi ! Alors là, j'étais confondue. J'ai arrêté de lui poser des questions. Et de manger.

Il a commandé une glace Motta vanille-chocolat. Deux cafés et un armagnac, et m'a parlé de son collègue Gambier qui voulait attaquer l'Allemagne alors que lui, l'Allemagne, c'était son terrain de prédilection, qu'il parlait allemand sur le bout des doigts et savait comment manipuler les Germains.

— Il est gonflé, ce Gambier ! il a ajouté.

J'ai grincé entre les dents tout doucement : « Casse-toi, casse-toi, je ne veux plus te voir ! » Et, comme il ne comprenait pas et qu'il brisait ses biscuits-dentelle sur sa glace, je me suis mise à crier, crier dans le restaurant :

— Mais t'es nul ou quoi ? Tu le fais exprès ? C'est toujours pareil avec toi ! T'arrêtes pas de me traîner plus bas que terre ! Tu prétends que tu m'aimes et tu me regardes pas ! Tu m'écoutes pas ;

20

Il a levé la tête et il a reculé contre le dossier de sa chaise. Les gens autour de nous faisaient « Oh ! », « Ah ! » en se cachant derrière leurs serviettes. Je cherchais de nouvelles vérités à lui cracher au visage. Pour le pousser encore plus et qu'il perde l'équilibre. Il essayait de m'attraper les mains et de me faire taire, mais je hurlais : « Casse-toi, casse-toi ! » repliée sur mon assiette avec même plus assez de forces pour déguerpir. Les genoux fondus, les mollets tremblants, mais la rage qui sortait en hoquets. Il a dû comprendre, à ce moment-là, parce qu'il s'est levé et a fait un pas en arrière. Lentement. En tenant sa serviette. Un bras tendu vers moi, toujours hurlante. Il a reculé, reculé vers la porte. Il me regardait comme s'il ne comprenait pas. Comme si j'étais devenue folle. Il ne regardait personne d'autre que moi.

— CASSE-TOI !...

J'ai crié une dernière fois. Je lisais dans son regard. Il essayait de se rappeler ce qu'il avait fait ou dit pour déclencher une telle colère. Il cherchait. Il cherchait. Il ne trouvait pas. Il n'a même pas vu le larbin du restaurant s'approcher pour nous faire taire. Nous demander de quitter la salle. Il ne l'a pas entendu. Il s'est heurté à lui, a murmuré « Excusez-moi » les yeux dans mes yeux. Incrédule. Presque innocent. Mais j'ai continué de crier. Alors il s'est retourné, a posé la serviette sur la desserte à gâteaux près de la porte, a enfilé sa veste, bousculé le garçon qui gesticulait, et il est sorti.

Je me suis effondrée sur mon assiette et j'ai pleuré. Pleuré. Répétant doucement mes injures. Pour moi. Pour que je me les enfonce bien dans la tête et que jamais, jamais, je ne me laisse reprendre par lui. Jamais...

Je bute dans quelqu'un, mon sac tombe et se renverse. C'est le portier galonné et doré du Carlyle qui se démène pour appeler un taxi. Ça doit faire au moins vingt blocks que je marche. Somnambule. Tirée en arrière vers mon passé.

Devant le hall de l'hôtel, deux femmes envisonnées aux ongles rouges bavardent en remontant leur col contre leur bouche. Il fait froid. Il fait nuit. Pourtant, il n'est que cinq heures et demie. Je regarde l'homme en uniforme qui s'agite sur la chaussée, ramasse mes affaires et balbutie des excuses. Il ne m'entend pas, ne me regarde pas, et je poursuis mon chemin.

Il n'était bon qu'à ça, je me dis. A me faire du mal. A partir. A revenir. Et, moi, je subissais. Toujours à espérer qu'il fasse attention à moi la prochaine fois. Toujours à rêver que ça allait arriver. A attendre que ça arrive...

Parce que j'étais habituée depuis longtemps, si longtemps..

L'homme est derrière.
Derrière un journal.
Derrière un sourire.
Derrière un air qu'il sifflote.
Derrière le verre de rouge qu'il engloutit d'un trait.
« Ce soir, il va me coucher et je l'aurai pour moi toute seule. »
La petite fille fait rebondir sa fourchette sur le formica de la table de la cuisine. Puis elle la plonge dans son assiette de purée. La porte à sa bouche. Avale la purée. Remonte la fourchette vers ses yeux et observe l'homme à travers les dents. Les longs doigts aux ongles bombés, transparents, qui tiennent le verre. Il fait très attention à ses ongles. Les brosse, les ponce, les polit. A un petit nécessaire qu'il range tout en haut du meuble de la salle de bains. Au-dessus du lavabo. Des bras couverts d'une épaisse toison de poils bruns. La bouche large. Le nez droit et fort. Les yeux bleus avec une grande poche sous chaque œil. Les cheveux taillés en brosse courte. Les épaules larges, larges...
« Ce soir, il va me coucher et je l'aurai pour moi toute seule. »
L'homme raconte sa journée à l'usine. Il parle, mange, fume, boit. Entre deux bouchées, il jette les yeux sur sa montre.
La fourchette isole à nouveau la bouche et le sourire qui,

lorsqu'il se décroche, ressemble à une vague qui emporterait tout sur son passage pour le jeter à vos pieds.

— Mange. Ta purée va être froide...

La mère fait semblant d'écouter l'homme, mais ses yeux noirs surveillent tout. Vont du plat aux assiettes, à la baguette moulée pas trop cuite, aux tranches de jambon roulées. D'un geste sec, elle retire un morceau de pain de la bouche du petit frère et lui enfourne une cuillerée de purée. Le petit frère ferme la bouche et refuse d'avaler.

L'homme parle toujours.

— Alors j'ai dit à Lériney...

Lériney. La petite fille a entendu ce nom cet après-midi. Maman le murmurait à voix basse au téléphone en tortillant le fil.

— Mange. Ta purée va être froide...

L'homme continue de parler. Sans faire attention au petit frère qui ne veut pas manger. Il attend que la mère lui demande d'intervenir. Il fera les gros yeux et le petit frère déglutira.

C'est le rôle de l'homme de leur faire peur.

De veiller à ce qu'ils mangent leur purée.

De leur donner la douche le dimanche. D'aller vérifier sous les ongles que c'est bien propre.

De les coucher le soir.

Le petit frère d'abord, puis elle.

« Ce soir, il va me coucher et je l'aurai pour moi toute seule. »

Elle finit sa purée et ouvre le yaourt aux fraises, son préféré, avec de gros morceaux de fruits dedans qui craquent sous les dents.

La mère, le regard buté sur la bouteille de vin, dit à l'homme qu'il a oublié de lui laisser de l'argent ce matin en partant. Elle n'a pas pu aller chercher les chaussures chez le cordonnier ni son costume chez le teinturier. L'homme finit son verre d'un trait. S'essuie la bouche du revers de la main, allume une cigarette, demande si le café est prêt.

Il rote. Il dit qu'il n'a plus de pognon.

La mère hausse les épaules, se lève et ramasse les assiettes en les entrechoquant. La petite fille regarde le yaourt plein partir sur l'assiette.

« Je m'en fiche. Ce soir, il va me coucher et je l'aurai pour moi toute seule... »

Il a bordé le petit frère et s'est penché sur elle.

A tiré l'édredon sous son menton.

Prisonnière. De ces deux grandes mains posées de chaque côté. De ce long buste tendu au-dessus d'elle. De cette bouche qui va s'approcher. Un plaisir étrange lui chatouille le ventre et la glace en même temps. Comme si elle ne savait pas s'il va la gronder ou l'embrasser. Et qu'il prenait tout son temps pour décider.

— Dors, ma princesse, ma belle des belles. Dors, le petit ventre rond...

La main de l'homme glisse sous les draps et vient se poser comme une coque sous la chemise de nuit.

Libérée de sa peur, elle noue les bras autour de son cou, l'attire vers elle et ferme les yeux, le nez, les lèvres. Juste un rayon de regard pour suivre la bouche qui s'approche, une narine qui s'ouvre sur l'odeur de Cologne. Elle se laisse aller en arrière et bascule dans le noir, dans la chaleur qui monte de la bouche posée sur la nuque. La bouche qui dit des mots d'amour. Frôle l'ourlet de l'oreille. Traîne le long du cou. Toujours, toujours, ma reine, ma princesse, le petit ventre rond. Les bras de l'homme l'enferment et la bercent. Elle caresse doucement la toison de poils bruns sur les bras. Les longs doigts aux ongles lisses.

Elle vogue. Les paupières closes, la bouche collée contre le revers du complet veston. Elle vogue.

— Compte mes doigts, murmure-t-elle.

Il compte jusqu'à dix. Lentement. En touchant le bout de chaque doigt.

— Compte mes dents...

Il lui retrousse les lèvres et compte. 19, 20, 21... Il frappe l'émail des dents.

— Elles sont à toi. Je te les donne. Les doigts aussi. Compte mes cheveux.

Il sourit. Il dit qu'il ne peut pas compter les cheveux. Il lui faudrait l'éternité et encore plus...

— Si. Compte-les. Je te les donne aussi.

— Un million, deux millions, trois millions...

Il soupèse les mèches et elle ferme les yeux. Sa voix chaude et forte fait naître un rêve. Son rêve préféré. Dans un pays lointain, au pied des remparts. Elle s'imagine belle esclave sur la place du marché, livrée à un prince qui va l'emporter pour toujours, toujours. Le marchand, un homme brun et barbu aux yeux froids et cruels, la tient par les poignets, les mains attachées dans le dos pendant que le prince l'examine. Détaille les gencives et les cheveux. Frotte la peau. Inspecte les dents. Palpe le cou, les épaules et les bras. Il ne la regarde pas et s'adresse au marchand par-dessus sa tête. Il discute le prix. Enfonce encore un doigt dans sa bouche. Fouille les dents. Les ébranle rudement. Une à une. Elle ne bouge pas. Elle attend qu'il l'emmène. Il va l'emmener. La laver, la parfumer, la coucher sur un canapé brodé d'or et s'étendre sur elle sans bouger. De tout son poids. En récitant des mots d'amour. Mon amour, mon amour, ma reine, ma princesse. En la menaçant des pires châtiments si elle s'échappe. Je te bâillonnerai et te poserai sur la grande roue du supplice. J'y attacherai des petits ânes qui tourneront et tourneront jusqu'à ce que chacun de tes membres se déchire, que les cris s'étouffent dans ta bouche, que le sang gicle sur la poussière blanche, dessinant de grandes rosaces violacées, jusqu'à ce qu'enfin tu me demandes pardon d'avoir voulu t'enfuir et mourir loin de moi. Et quand tu auras crié, crié et crié encore, quand le soleil aura fait éclater tes lèvres blanches, quand dans ton dernier souffle je t'entendrai gémir mon nom, alors j'arrêterai la ronde des ânes gris, je t'arracherai à la roue brûlante, t'emporterai dans ma chambre et laverai doucement tes blessures en te demandant pardon mon amour, ma princesse, le petit ventre rond...

Elle rêve. Sa tête dodeline sur l'oreiller.

Elle rêve.

Jusqu'à ce que le mot, le mot entendu cet après-midi, interrompe l'histoire qu'elle se raconte, tous les soirs, quand il la berce.

— Dis... Mme Lériney, c'est ta maîtresse ?

Elle ne sait pas comment le mot a fait irruption dans son rêve. Réprobateur et péjoratif. Mystérieux aussi. Elle le prononce pour vérifier l'effet qu'il va faire.

Il se redresse en riant, le menton tendu vers le plafond.

Il rit toujours quand il ne veut pas répondre.

— Mme Lériney, c'est ta maîtresse ?

Elle a pris le regard noir de sa mère. Le regard qui dessine un triangle maléfique sous lequel l'homme se ratatine. Mal à l'aise, encombré, balourd. La cravate qui le serre et les manches de chemise trop courtes.

Il rit encore.

— C'est ta maîtresse ?

Ce qu'elle ne sait pas exactement, c'est à quoi elle sert, cette maîtresse. Mais elle ne lui demandera pas. D'ailleurs, il s'est déjà retiré. Loin. Derrière son sourire. Derrière la montre qu'il consulte sans se cacher. Derrière les mains qui tapotent l'oreiller.

Elle repousse les draps et relève sa chemise de nuit.

— Chaud... chaud...

Elle montre son ventre et il y pose un baiser. S'attarde un instant, la joue râpeuse sur sa peau chaude. Elle tend la main vers sa tête. Respire à peine. Et s'il restait là ? Elle ne bougerait plus jamais.

Hier après-midi, elle a trouvé un livre dans ses affaires en bas de la penderie. Dans la valise du ouikend dernier. Un livre de poèmes avec sur la première page une phrase écrite à la main. Elle a réussi à la déchiffrer, accroupie dans le noir, avec juste un peu de lumière qui venait du couloir. Elle avait du mal à lire. L'écriture penchait à droite, à gauche, dessinait des pics. Et puis, elle avait peur qu'on la surprenne, que le rayon de lumière ne devienne projecteur, que le petit frère ou la mère ne s'empare du livre. En soufflant dans le noir, les yeux rétrécis, elle y était enfin arrivée. « A cause, à cause d'une femme... à toi mon Jamie. Sabine L. »

Jamie. C'est le nom que donne à l'homme le regard noir quand il est doux. C'est pas un nom à partager avec tout le monde.

Elle a eu si peur dans la penderie que ses dents se sont mises à claquer. Elle a enfoui son visage dans les costumes de l'homme et a respiré très fort. L'odeur qui la rassure, qui éloigne le vertige à l'idée que, un jour, il partira. C'est sûr. Elle va avec l'homme, cette peur. Ce départ imminent qu'il porte dans ses yeux, dans son sourire, dans sa manière de passer la main dans ses cheveux et de la regarder.

Le matin, quand il part pour l'usine, il vient lui dire au revoir dans son lit. Elle s'accroche à son cou et pose, chaque fois, la même question, toujours et toujours : « Dis, tu dînes à la maison ce soir ? »

Il rit. Il se déplie. Il est si grand qu'il cache toute la chambre. Il passe une main dans sa brosse. Elle reçoit une bouffée

d'eau de toilette qui sent le froid et le matin. Il dit que bien sûr que oui. Qu'elle est bête !
Elle ne le croit pas.
Jusqu'à ce qu'elle entende la clef dans la serrure, le soir. Ou les deux coups de sonnette. Impérieux et brefs. Dring, dring. C'est lui. Il est rentré. Elle soupire. Pour ce soir, c'est gagné, mais demain ça va recommencer.
L'attente.
L'attente et la peur.
Ses poings se referment sur la tête de l'homme. Appuient la tête très fort, très fort contre elle. Il revient à lui, rabat la chemise sur le ventre nu, replie les jambes sous les couvertures, remonte l'édredon d'une main ferme.
Elle s'agrippe aux bras qui se détachent. Bulle qui se crève. Qui laisse entrer le froid et la peur. Fallait pas la prendre pour la laisser. Fallait pas. C'est toujours pareil. Toujours il s'en va. Ses pommettes brûlent. Sa tête bat l'oreiller.
Il est debout.
Il dit qu'il faut qu'elle dorme maintenant sinon demain...
Il appuie sur la poignée de la porte.
— Tu vas où ?
Elle a crié. Dressée sur le lit, la bouche tordue, pleine de larmes.
Il est parti.
Des effluves de sent-bon flottent dans la chambre. Sur l'oreiller. Elle fait la grimace et crache. Jette l'oreiller loin sur la moquette.
Elle le déteste.
Elle ne l'aimera plus jamais.
Elle ne le laissera plus s'approcher et la prendre contre lui.
Elle ne se précipitera pas aux deux coups de sonnette. Elle continuera à s'occuper. Comme si de rien n'était.
Elle se recroqueville dans son lit et imagine des vengeances

terribles. Dans un pays lointain, au pied des remparts. Un prince du désert sur un cheval noir... Elle se laisse enlever pendant que l'homme la supplie de ne pas l'abandonner. Le prince est grand et fort et beau et séduisant. L'homme tend les bras vers elle. Il a des larmes aux yeux. Elle éclate de rire et renverse la tête. S'enveloppe dans le grand chèche blanc de l'homme mystérieux. Et disparaît dans le désert loin de l'homme.

Loin de l'homme.

A la hauteur de Lexington et de la Cinquante-Deuxième Rue, au pied du Citicorp Building, au milieu des peep-shows ringards où, pour un dollar, le gogo peut mater une fille qui dégrafe son soutif, juste à côté des cahutes de hot-dogs, des vendeurs de verroterie à cinquante cents et des Noirs en boubou qui bradent des faux Vuitton et de l'ivoire en plastique, se cache une petite chapelle. On y pénètre par une porte dérobée. Une petite chapelle toute blanche décorée par Louise Nevelson. Avec des sculptures en arêtes brisées mais douces. Paisible. Si paisible que j'ai pris l'habitude d'y entrer quand les piétons foncent sur les trottoirs et que les chauffeurs freinent en écrasant leurs klaxons.

Pas pour prier. Je ne sais plus prier. J'ai oublié les mots appris, petite. De la religion, je n'ai gardé qu'un sentiment de culpabilité qui m'étreint quand je fais le mal. Qui me fait peser le pour et le contre. La certitude que je vais être punie et que ce sera bien fait pour moi. Le pour de la volupté de tromper mon prochain avec un prochain tout neuf et le contre des embêtements si je me fais piquer.

Je pousse la lourde porte, et le calme me tombe dessus. Comme une pierre tombale. Frais, doux, apaisant. Je m'assieds sur un banc. Gigote au bout d'un moment. Le silence majestueux me fout le bourdon. Essaie de me mettre à genoux. Comme Paul Claudel derrière son pilier lorsqu'il

31

rencontre Dieu. Me ravise et me rassieds. Je me méfie de Dieu. Si je m'incline devant Lui, Il va m'ordonner de tout quitter pour Le suivre. C'est comme ça qu'Il a recruté Claudel ou les apôtres. En passant par là. Avec Sa grande robe blanche, Sa longue barbe, Sa main sur le cœur et Son air de ne pas y toucher. Un regard sur vous et, hop ! on laisse son frichti et on Le suit.

Je Lui fais pas confiance, à l'Escroc. Ça a commencé toute petite avec l'histoire de Job. Elle m'est toujours restée en travers de la gorge, celle-là. Job croyait en Dieu et, pour toute récompense, il s'est vu infliger mille calamités. Comme ça.

Une fantaisie de droit divin. Un jour où Il n'avait rien de bien spécial à fricoter, qu'Il Se prélassait sur Son divan après le déjeuner, Dieu jette un coup d'œil à Son petit monde sur terre et aperçoit Job. Un gros fermier. Prospère et souriant. Qui se prosterne plusieurs fois par jour et Le loue. Ha ! Ha ! tu M'aimes ? dit Dieu. Tu dis que tu M'aimes plus que tout ? Je vais voir si c'est vrai.

Dieu se met à l'ouvrage et décime d'abord son bétail. Puis Il brûle ses champs, sa maison, souffle un virus terrible qui ravage femme et enfants. Job ne moufte pas et prie de plus belle. Au milieu des cadavres de buffles, des herbes roussies, des râles familiaux, des tombes à ciel ouvert. Il se réfugie sur une pauvre petite carpette avec un bol d'orge perlé et remercie Dieu de si bien l'éprouver. Le tonnerre éclate, la foudre brûle les franges de la carpette, les poutres lui tombent sur la tête. Job ruisselle et grelotte, mais n'en continue pas moins de louer son Dieu Tout-Puissant. Plus il Lui répète qu'il L'aime, plus il en prend plein sa gueule. Dites, Vous là-haut, c'est ça, l'amour ?

Et quand Job n'a plus une seule larme à verser, que ses yeux secs sont prêts à tomber lyophilisés sur sa carpette, que ses gencives évidées grincent de douleur, Dieu descend du ciel et lui tapote le crâne en le félicitant. C'est bien, fils, tu M'aimes. Je te crois maintenant. Tiens, Je raconterai ton histoire dans la Bible. A la une. Je ferai de toi une vedette. Un exemple de piété. Et Job incline ses osselets, bave de gratitude, Lui baise les doigts de pied et Le remercie de l'avoir si bien éprouvé. Ça m'empêchait de dormir, l'histoire de Job et de l'Escroc. J'allais voir Maman et je lui demandais pourquoi. Pourquoi Dieu Il fait ça s'Il aime Job ? Maman soupirait que, bien sûr, c'était pas très clair, mais qu'en échange Dieu avait tellement aimé les hommes qu'Il leur avait donné Son Fils unique. Et les hommes l'avaient mis en croix.

Là, j'étais plus d'accord.

— Il l'a pas donné puisqu'il a ressuscité après et qu'Il l'a récupéré !

— C'est égal, disait Maman en me poussant un peu pour finir d'encaustiquer la table, Il l'a donné, c'est ça qui compte.

— Mais Il savait très bien qu'il mourrait pas pour toujours...

— Oui, mais... Ça lui faisait quand même mal au cœur de le voir souffrir.

— Mais c'est pas Lui qui a reçu les coups de lance dans les côtes et qui a bu l'éponge pleine de vinaigre de vin !

— C'est du pareil au même, répliquait Maman en pestant contre les ronds laissés par le cul des bouteilles, parce que Dieu et son Fils, Ils ne font qu'Un. T'as oublié ça peut-être ? Elle n'arrivait pas à me convaincre. Et je repartais me coucher en rêvant à pauvre Job, à sa maison carbonisée, à ses enfants décimés, à la vermine qui grignotait son corps, crunch, crunch, crunch, en louant Dieu qui lui remplissait la panse.

C'est ça, l'amour ? Le vrai ? je me demande en regardant la dame sur le banc devant moi dans la petite chapelle. La tête penchée, elle prie. En vérifiant, du bout des doigts, entre deux chuchotis, que son sac est toujours là. A ses pieds. Elle non plus elle ne Lui fait pas confiance, à Dieu. Sinon elle laisserait son sac sur le banc et j'aurais tout le loisir de le dévaliser pendant son rosaire.

C'est ça alors ? S'assurer que l'autre vous aime pour de bon en le maltraitant. En le saignant à blanc.

Et lui ? Lui qui me piquait tout et s'en allait comme un voleur ? Lui qui m'a appris l'absence. Et l'amour fou. Et tous les coups quand il revenait.

Et l'absence encore.

La peur et la colère quand je l'attendais.

Il finissait toujours par revenir. Je le frappais, je l'insultais. Il me ceinturait en riant, me serrait dans ses bras, me jurait qu'il n'aimait que moi. C'est ce qu'il disait. Qu'il fredonnait en berceuse alors que je m'épuisais à le frapper. Mon amour, mon amour, ma princesse, tu sais bien que je n'aime que toi, que toi et pour toujours, toujours... Sa bouche se collait à mon cou et je mollissais dans ses bras. Il ne lui restait plus qu'à me soulever et à me faire tourner en me psalmodiant ses mots d'amour. A me faire tourner, tourner, jusqu'à ce que j'oublie ma colère et rie avec lui.

Mais pourquoi il est parti ?

Pas pour toujours ?

Dites, Vous là-haut. Pas pour toujours ?

Ça y est. Je vais me remettre à pleurer. Arrête de te torturer, pauvre pomme. Arrête. Tu vas finir par devenir zinzin. Ouvre les yeux, ouvre ta tête, prononce les bons mots.

IL EST MORT.

NA.

MORT. MORT. MORT.

MORT ET ENTERRÉ.

Et ce n'est pas avec tes ratiocinages que tu vas lui rendre vie. Rappelle-toi.

Fais marcher la mémoire qui rend les choses vraies. Impitoyables. La petite chapelle de l'hôpital Ambroise-Paré. Le cercueil où il reposait. Le goupillon qui virevoltait et l'aspergeait. L'aumônier qui bâclait son oraison car on venait de le prévenir qu'un autre mort, ailleurs... Amen. Il semblait s'en foutre royalement, du prêtre et du goupillon. Il avait un petit sourire tranquille, ses belles pompes, son pantalon du dimanche, ses longs doigts croisés. On aurait dit qu'il passait par là, qu'il s'était allongé un instant pour se reposer.

Mon papa.

Quand il est mort, j'ai pas été surprise. Je pensais qu'il irait voir là-bas comment ça se présentait et qu'il reviendrait pour me raconter. Comme la petite Italienne décédée pendant trois heures, le temps de monter là-haut, de tout bien inspecter et de redescendre prévenir sa famille. C'est bon. Vous pouvez me suivre. 'L'Au-delà et le Paradis, c'est kif-kif. Des roses et du miel. D'oblongs chérubins qui soufflent un frais zéphyr. Un verger riant et doux où on se les roule, peinards. Y a pas de raison d'avoir la trouille. C'est du gâteau.

Lui, c'est pas sûr qu'il soit monté direct au Paradis. Il a dû s'arrêter en route. Histoire de se réparer l'âme.

Mais enfin... J'attendais tout de même.

Il était grand. Grand nez, grande bouche. Grandes jambes, grands bras. Grande gueule. Infidèle. A toutes. Souvent absent. Mais, quand il était là, il prenait toute la place. Les hommes palpaient les billets dans leurs poches, les femmes dénudaient leur épaule. Il choisissait. Le copain pour faire la bringue ou la femme d'une nuit. Séduire était la grande affaire de sa vie. Il se penchait sur chaque regard comme sur un miroir. Veloutait son œil bleu, balançait un sourire, enfonçait les mains dans ses poches, lissait sa mèche épaisse, enlevait, embrassait puis repartait. Ailleurs.

Certaines personnes, en vieillissant, parlent du bilan de leur vie, de l'aménagement de leur âme. Lui, non. Il n'était pas fier de sa vie en général mais se vantait facilement. Pour des détails. C'était son gros défaut. Il jouait au chef, se prenait la grosse tête et se mettait à faire la circulation. A gauche, à droite, fais comme ci, pas comme ça. Mais on le rappelait à l'ordre facilement. « Arrête, on lui disait, arrête. T'es pas crédible en premier de la classe. » Il souriait et s'arrêtait net. Mais sinon...

Il voulait pas compter. Pas penser. Il voulait pas devenir raisonnable. Il s'est battu pour rester vivant le plus longtemps possible, mais quand il a compris que c'était fini il n'en a pas fait un drame. Comme si ça lui était un peu égal. Qu'il avait eu son compte, que c'était normal. Il n'était pas jaloux, ni aigri. Il n'en voulait à personne. Il n'a pas fait l'intéressant non plus. Avec ses tuyaux dans les bras et dans le nez.

Il savait.

Moi aussi, je savais.

Depuis le jour où le docteur Nennard, un chirurgien sûr de sa science et muni de radios irréfutables, avait prononcé d'un ton clinique la condamnation à mort de mon père : « Trop de cigarettes, trop d'alcool, trop... »

Je pouvais continuer sans rougir la liste des trop. Trop de petites femmes ramassées au hasard. Trop de nuits blanches dans les bars. Trop de colères avinées contre le monde, les crétins, les imposteurs, les trouillards, les cire-pompes, les apparences bien lisses et bien menteuses, les certitudes pantouflardes, arrogantes. Trop d'impuissance à se ranger selon la norme. Trop d'échecs rentrés comme des boules puantes qui lui rongeaient les tripes. « Cancer du poumon avec métastases généralisées. Il en a pour deux mois au plus. Passera pas Noël. »

On est en novembre et le docteur Nennard, que, dans ma rage impuissante, je rebaptise aussitôt Connard, vient de parler. De replacer les radios dans le dossier qu'il referme d'un geste sec, lissant le bord pour que rien ne dépasse. La séance est levée. Allez ravaler vos sanglots dans le couloir. L'index impatient frappe le plateau de son bureau. Caresse la moustache mince. Revient aplanir le bord du dossier, traquant un bout de papier à aligner, et, ne trouvant rien à rectifier, reprend son martèlement. Le verdict rendu, il aimerait bien me voir prendre la porte.

Je reste.

Comme si, en ne bougeant pas, j'allais obtenir du rab de vie. Pour mon papa, s'il vous plaît, docteur Connard.

Le téléphone sonne. Il décroche, soulagé. Me reléguant définitivement dans le couloir, appuyée contre la paroi glacée du bureau et regardant passer les infirmières pressées et les malades en robe de chambre. Je cherche machinalement une cigarette dans mon sac. Mais, quand je mets la main sur mon paquet de Rothmans rouge, je le balance dans la première poubelle. Mon papa...

Mon papa... Passera pas Noël.

Je répète ces mots et lâche les vannes des sanglots. Puis me reprends. Peux pas pleurer. Peux pas. Il m'attend dans sa chambre. Il va me scruter. Et comprendre tout de suite. Je respire profondément, tamponne mes yeux, cherche dans mon répertoire un sourire allègre et pousse la porte du 322.

— T'as apporté mes kils de rouge ?

C'est, pour l'instant, la seule préoccupation de mon père.

J'ai oublié de passer chez l'épicier acheter les trois litres de Vieux Papes qui constituent son menu quotidien. Pas de vin fin, mais du gros rouge qui râpe. Qui lui rappelle ses tournées sur les chantiers.

— Tu crois que c'est recommandé en ce moment ?

Il hausse les épaules et souffle tout son mépris pour le corps médical.

37

— Une petite opération de rien du tout. Je me sens en pleine forme, ma fille.

Je regarde le pansement taché de Mercurochrome qui bande son épaule, sa main droite qui pend, inerte, le long du corps.

— Ça ? C'est rien. Il a fallu qu'ils me sectionnent un nerf. Un mois de rééducation et c'est fini. A Noël, je te parie que je fais péter les bouchons de champagne ! Appelle ton frère qu'il m'apporte le pinard !

Je détourne la tête et compose le numéro de Toto.

— Et puis poudre-toi. T'as le nez tout rouge. Tu te laisses aller, ma fille, tu te laisses aller...

J'ai envie de raccrocher. De quitter cet hôpital. De retrouver, dehors, le soleil et les condamnés à vivre. Mais Toto dit « Allô » et je passe commande des trois kils de rouge. Me retourne vers Papa et tire mon poudrier.

— Ça va comme ça ?

— J'aime quand tu es belle, ma fille.

Je lui souris, mâchoires serrées, pour ne pas pleurer. J'ai le nez qui pique et les souvenirs qui giclent. Le souvenir d'une petite fille qui se croit championne du monde parce qu'à la maison un homme lui répète sans arrêt qu'elle est la plus belle, la plus forte, la plus intelligente, la plus drôle. Le poitrail bombé sous les décorations, elle avance, légère. Assise sur un tapis volant. Portée par le regard d'un homme. Jusqu'à ce qu'elle se heurte au docteur Connard. Et à la mort. Qui lui confisquent son tapis.

— T'es belle, ma fille, t'es belle.

Je me lève et colle le nez contre la fenêtre pour qu'il ne voie pas les larmes qui diluent le rimmel. Plaque mes doigts sous mes cils et marmonne :

— T'as une belle vue, dis donc...

Tout contre la vitre, je disserte. Sur la parure automnale des arbres, la chute monotone des feuilles, l'augmentation de la vignette, la majesté de la grue rouge sur le chantier d'en face. Je lutte pour garder la voix égale, le menton ferme et les épaules bien alignées. Il m'interrompt et me demande de le rejoindre à son chevet.

Je réajuste mon sourire allègre, ravale la boule dans la gorge, l'eau sous les cils, respire un grand coup et reprends ma place près de lui. Un peu rouge mais impeccable. Prête à jouer la comédie de la tasse de thé, le petit doigt levé : « Et comment ça va chez vous ? Quoi de neuf ? » Le dos bien droit contre le dossier, les genoux et les mains croisés.

Il se réajuste aussi, passe la main dans ses cheveux, lisse les draps sur sa poitrine, pose ses longues mains aux ongles bombés, transparents, sur la couverture, et le regard planté dans le mien me lance :

— Alors t'es au courant ?

— ...

— T'es au courant et tu me le caches. C'est pas bien, ça.

— ...

— J'ai un cancer, ma fille. Je le sais. Je sais aussi que tu viens de voir le docteur Nennard. J'suis pas con... T'avais rendez-vous avec lui...

Il continue à me regarder mais c'est moi qui baisse les yeux sur la pointe de mes chaussures. Si je commence à lui mentir maintenant, on n'ira pas loin tous les deux.

— Je ne veux pas que les autres l'apprennent. Je ne veux pas de pleureuses autour de mon lit. Je le dirai à ton frère et c'est tout. J'ai pris toutes mes dispositions. Tu viendras demain soir et tu mettras tout ça par écrit puisque je ne peux plus écrire.

Il désigne du menton sa main droite inerte.

— Voilà. Ne pleure pas. Je ne vais pas me laisser faire. Je vais essayer de la baiser, cette saloperie de maladie.

Je hoche la tête, imbécile. Muette. La bouche gonflée de

larmes. Je prends sa main molle et la serre. Il me regarde, goguenard.

— Pleure pas. T'es pas belle quand tu pleures...

Une fois de plus, c'est lui qui fixe les règles du jeu. J'ai pas eu le droit de pleurer ce jour-là. Ni aucun autre. Sous peine de ne plus ressembler à l'image qu'il se faisait de moi. La main de la dame qui prie sur le banc, devant, se referme sur son sac. Elle l'empoigne et se redresse. Incline une dernière fois le menton vers l'autel, se signe et sort. J'entends le bruit des pas sous la petite voûte, clip-clap-clip-clap, et me sens seule, abandonnée.

Fallait pas entrer dans cette chapelle. C'est juste bon à se laisser aller à la mélancolie, les maisons de Dieu. Tout ce silence, cette douceur, c'est fait exprès pour qu'on s'abandonne entre ses mains à Lui. A la petite lumière rouge qui brille sur l'autel immaculé. Qui essaie de vous envoûter pour que vous posiez votre frichti et Le suiviez. Chiche que je la débranche ? Dieu n'existe plus ! Ça fait la une du *New York Post*. « GOD GONE. A French tourist in the Nevelson Chapel... » Un coup à donner raison à Nietzsche et Freud réunis. L'Amérique vire à gauche. Reagan et les évangélistes escrocs sont bouclés dans un camp et Nancy s'immole sur les barbelés dans son petit tailleur rouge.

Je délire. Faut que je sorte. Dans deux minutes, si je reste, je fais le tour de l'autel et tire sur la prise. Le fou rire me prend. Comme à la messe d'enterrement de Papa où je ne voyais qu'une chose : le menton du curé qui rasait l'autel et les bras qui donnaient la bénédiction comme s'ils nageaient la brasse verticale. Hissé sur la pointe de ses godillots pour dire la messe ! Merci mon Dieu de m'avoir fait nain pour mieux Vous servir.

Dehors, la lumière crue me fait cligner des paupières. Et le boucan me plaque en arrière. Mais je reprends, tenace, ma place dans la foule qui fonce vers la mort. Par excès de vitesse.

Je me ravigote l'âme en râlant.

C'est un bon truc, ça, pour chasser le chagrin mou et collant. C'est même mon truc favori en ce moment. Un bon coup de colère, de haine bien aiguisée, et la douleur s'estompe. Le ricanement se pointe. Revitalisant. Mais encore faut-il savoir choisir l'ennemi! La cible précise et parfaite contre laquelle vont se ficher les fléchettes.

J'enfonce le talon dans le macadam et je m'échauffe. Jamais vu de trottoirs aussi durs. Une couche de goudron si mince que les trépidations de la circulation vous traversent la colonne et obligent à un ressemelage express tous les quinze jours. Un négoce qui fleurit à tous les coins de rue. Les vraies New-Yorkaises ont compris : elles enfilent, pour bondir de bus en métro, de trottoir en caniveau, des Nike qu'elles troquent à l'entrée du bureau contre des escarpins légers. Armée de femmes d'affaires montées sur semelles de caoutchouc brandissant l'attaché-case obligatoire. Obligatoires aussi : le tailleur beige ou marine, à jupe droite ou en godets, le chemisier à jabot, le sandwich plastifié pour ne pas perdre de temps à déjeuner, l'aisselle bloquée par le déodorant, la mine sévère mais maquillée indiquant que tout va bien, qu'elles ont leurs émotions bien en main. Dangereux, l'émotion, dans le monde des affaires! Elle conduit tout droit au doute. On patine. On suppute. On s'effiloche la comprenette. Faut avoir l'esprit bien raide comme le tronc.

Ainsi vont les Nikées, la face enfarinée, le sourire factice, le mollet tendu vers un seul objectif : réussir.

Ma rage bouillonne, s'organise, repousse le fantôme de Papa. Dans ce pays, y a pas d'intermédiaire pour arrêter la colère. La faire dévier. La policer. Il se livre, béant et brutal. Sans arrière-pensée. Le zinzin zinzine, le criminel flingue, la limousine rutile. Sans se cacher.

J'accélère le pas pour que le soufflé ne retombe pas. Cherche une Nikée dans la foule, en aperçois une puis une autre encore plus exaspérante de santé affairiste. La détaille, la retourne, la soupèse. Et lui darde à l'arrière-train tout mon venin.

Afin de ne pas succomber, victime d'une distraction ou d'un retour de bon sentiment, je plaque sur le cul mou de ma Nikée les fesses plates de Marjorie. Une amie de Bonnie Mailer. Elle s'était prise d'affection pour moi. Ou, du moins, je le croyais. Elle bossait à Wall Street. M'invitait à déjeuner quand elle avait un trou dans son emploi du temps. Me parlait des millions et des millions de dollars qu'elle brassait avec Ollie, son mari. Je convertissais à toute allure dans ma petite cervelle de Française et la tête me vertiginait. Prends des notes, ma vieille, prends des notes. On n'a pas ça en France. Une gonzesse en baskets, au teint virginal, qui pèse aussi lourd que le budget de l'Éducation nationale. Je la pressais de questions. La suivais, avide, dans un monde de vipérins et vipérines où le profit trône tel un bouddha gras. Impitoyable et roublard.

Un soir, elle m'invite à dîner. Bel immeuble, bonne adresse, quinze doormen façon flics dans le hall. Et où est-ce que vous allez comme ça ? qu'ils me demandent. Vous avez un laissez-passer peut-être ? Parce que chez Marjorie, pour prendre l'ascenseur, faut d'abord avoir fait viser son identité. Trentième étage. Je sonne. Une petite bonne haïtienne et ptôsée m'ouvre. Et là, surprise : je découvre un gourbi. Un vrai bordel, cet appartement. Des caisses éventrées, de la paille qui floconne, des fauteuils défoncés, des livres empilés en colonnes, des fils électriques qui pendent en lianes du plafond, des tapis pas déroulés, des carreaux cassés et scotchés, des tringles dans un coin où pendent des uniformes de Nikées. Bon, je me dis, ils viennent d'emménager. Et par terre, blotti sous un vieux sapin de Noël qui n'en finit plus de sécher, d'égrener ses aiguilles roussies, un bébé de trois ans tapote une grosse mappemonde. Un avorton de bébé vêtu d'un avorton de tee-shirt délavé. Autant Marjorie est grasse, luxueuse, ointe de crèmes, de sourires baveux et de fond de teint, riche de plis dans le cou et de perles dans les plis, autant il frissonne, blanc, maigre, les cheveux collés gras sur le crâne, des croûtes jaunâtres au coin de l'œil.

Marjorie surgit, pimpante, un verre à la main.

— Christopher, montre à notre amie française où est la France, qu'elle dit au gamin en bavant rouge gras sur le bord de son verre.

Il hésite un peu puis pointe un doigt plein de salive sur l'Hexagone.

— Bravo, mon chéri. Et Tokyo ? Et Washington ?

Ça n'en finit plus. Et lui, docile trotteur, étale sa bave sur le globe. Le doigt glisse, dérape, mais se reprend. Mal à l'aise, j'interromps le cours de géographie enfantine et demande à Marjorie depuis quand ils habitent ici. Ça fait quatre ans, mais ils n'ont pas eu le temps de vider les caisses. Ollie et elle voyagent sans cesse. Même qu'ils ont eu un mal fou à fabriquer Christopher. Ha! ha! ha! Elle bat des mains, ravie, à l'idée de me raconter la merveilleuse union de l'ovule pré-ménopausé et du spermatozoïde speedé.

— Je connaissais mes jours d'ovulation par cœur, j'avais fait un diagramme... et, ce jour-là, je savais que c'était le bon. J'appelle Ollie en Arizona et je lui dis qu'il faut qu'il rentre sinon on n'y arrivera jamais...

Elle se verse une nouvelle rasade de Wild Turkey, se rengorge, enchantée, dans les perles de son cou, s'empare de

Christopher qu'elle pose dans son giron pour qu'il écoute la formidable histoire de sa conception.

— Alors Ollie a foncé à l'aéroport, mais là, pas de chance, tous les vols pour New York étaient pleins. Ollie est formidable...

Quand elle dit « formidable », sa bouche se déforme en une grimace onctueuse et violente à la fois. On lui voit toutes les dents. Des dents féroces de cannibale industrialisée.

— Alors tu sais ce qu'il a fait, Ollie ?

Je déglutis que non. Louche sur son verre de Wild Turkey. Me dis qu'une gorgée dénouerait sûrement le nœud que j'ai dans la gorge. Apaiserait l'élancement de haine. Haine de Marjorie, de cette ville qui oblige les gens à arracher leurs derniers lambeaux d'humanité pour ne pas être réduits en pâtée. Le vertige me saisit au-dessus de l'abîme qui sépare mon monde de celui de Marjorie. J'ai envie d'étendre la main pour vérifier qu'elle est humaine, que le sang coule bien dans ses veines. Mais l'humanoïde avale une grande lampée de bourbon. Rien qu'une petite gorgée et je ris avec elle. Je pédale dans le vide entre nos deux hémisphères en rigolant. Ha! ha! ha! Je trouve Ollie for-mi-da-ble et l'histoire de la fécondation impayable!

— Alors Ollie est allé trouver le chef d'escale d'American Airlines et il lui a tout raconté. Que c'était mon seul jour fécondable, que j'avais quarante ans, qu'il fallait pas le laisser passer et qu'il devait absolument embarquer dans l'avion pour New York! Eh bien, ça a marché! Et c'est grâce à ce gentil monsieur d'American Airlines que tu as vu le jour, mon chéri, explique-t-elle à Christopher en le broyant entre ses bras.

Je tends la main en direction du verre pour exprimer de manière claire ma déshydratation. Elle comprend enfin, s'excuse, appelle l'Haïtienne qui revient aussitôt avec un

44

plateau, une bouteille de Wild Turkey et des glaçons. J'ai bien fait de demander à boire parce que la suite n'est pas triste. Être enceinte, c'est bien, c'est une expérience pas-sion-nan-te, clame-t-elle en déformant ses mandibules, mais pour le prochain, CAR ELLE EN VEUT UN AUTRE, elle a une bien meilleure idée : la mère porteuse. Elle l'a déjà dénichée. Une étudiante de New York University.

— De race blanche, très saine. Intelligente. Le père est un surfeur californien rencontré l'été dernier sur une plage de Floride. Elle ne veut pas avorter par principe religieux... Tu imagines le beau bébé qu'on va avoir, Ollie et moi ! Je me suis engagée à payer les frais médicaux et une partie de ses études universitaires. Et elle a accepté. Ollie trouve mon idée absolument é-pa-tan-te !

On doit pas faire partie de la même race, elle et moi. J'imagine Pimpin face à cette humanoïde nikée. Elle bondirait sur ses tennis, moulinerait sa rage, arracherait Christopher des bras de sa mère, lui ôterait ses croûtes à l'œil, ferait péter la mappemonde, répandrait sur Marjorie un tombereau d'insultes et irait la dénoncer sur-le-champ à Amnesty International. Au lieu de quoi, je reste coite. Plonge le nez dans mon bourbon, bafouille, bredouille, cherche le mot qui, sans trop l'offenser, ne me compromettra pas trop, le trouve enfin :

— Euh... c'est original...

Mais alors une question sournoise et subtile, que je me pose de temps en temps mais repousse par confort de l'âme et curiosité de l'espèce, une question brûle mes lèvres et, désireuse de récupérer un peu de dignité, je lâche tout à coup : pourquoi elle fait amie-amie avec moi, Marjorie ? C'est vrai, quoi ? On n'a rien de commun. Je n'ai rien à lui offrir. Et si j'y trouve mon compte en l'observant à la loupe comme une rareté de girafe bigarrée derrière les barreaux du zoo, c'est quoi son motif à elle ?

45

Ben, c'est le même.
— Because you're French. It's so chic, you know, to have a French friend !
Bien fait pour moi. Un partout. Elle aussi se payait sa visite au zoo à chacun de nos déjeuners. Et ajoutait « French friend » à son curriculum vitae. Une touche de béchamel et d'impressionnisme pour relever la sauce Wall Street.
— La France... Ah ! La France... Un jour, Christopher, on ira visiter notre amie française chez elle et tu verras comme c'est beau... Comme dans un musée !
Là, elle me ratatine, Marjorie. Elle me nanifie. Elle m'éthiopise. Suis bonne à rien, donc. Sauf à ergoter sur la mode, les parfums et le pinard. Parce que pour le reste... Je rejoins la Joconde dans son Louvre pas climatisé. Impuissante derrière sa vitre blindée. Et pourquoi, je vous le demande ? Parce que, de là où je viens, figurez-vous, on n'a pas autant de pognon que chez elle. Voilà pourquoi. Et que le pognon, c'est bien connu, y a rien de mieux au monde. Ça rend intelligent, artiste, expert et efficace. Ça veloute la peau, l'âme et le sourire. La panacée universelle, quoi !
J'enrage mais je ne pipe mot. Non par couardise mais par un réalisme atroce : ça servirait à quoi ? Ce n'est pas de sa faute, elle a été élevée avec cette documentation-là. Ce n'est pas de ma faute, je suis née sans le mode d'emploi. On appartient à deux mondes différents, c'est tout.
Elle ne tournerait pas en rond dans la ville comme un hanneton parce que son papa est mort, Marjorie. Ou alors elle irait vite se faire analyser. Pour larguer la petite fille qui pleure en elle et ne veut plus avancer. N'arrive pas à comprendre pourquoi ça fait si mal qu'il soit plus là.
Mon papa...
Toujours, toujours on se battait. Avec des vrais coups et des jurons. La bouche qui écume, les yeux qui sortent de la tête,

les veines qui pètent dans le cou, les mots qui napalment le cœur. Et quand on faisait la paix on en restait les bras ballants, la mine inquiète. Embarrassés par ce grand silence entre nous. Il me tendait les bras, je me raidissais. Je ne savais pas l'abandon, la tendresse, le pardon. Je ne connaissais que la guerre.

J'ai perdu ma Nikée dans les remous de la foule et je n'ai plus la force de m'en prendre à une autre. Envie plutôt de me raccrocher au bras de Pimpin. Ou à la verrue de Toto. A des humains, quoi. Qu'ils me frottent la tête et m'assurent que c'est pas grave. Que ça va passer. C'est très sain que je pique des colères. Une manière comme une autre de vivre mon deuil. « Il ne faut pas essayer de fuir la douleur, me disait Pimpin. Il faut l'approfondir au contraire. Savoir pourquoi ça fait si mal. La douleur rend unique. Quand tu auras bien regardé en face la mort de ton père, tu auras appris plein de choses sur toi et tu ne seras plus jamais la même... » Pimpin est loin et je dois a-na-ly-ser toute seule. C'est ça l'ennui avec l'exil. J'ai perdu mes marques et je ne suis pas encore assez imbécile, avide ou performante pour enfiler les Nike des indigènes, le regard résolument vissé vers l'avenir.

Moi, c'est vers l'arrière que j'ai tourné ma visière...

L'homme est accroupi.

A côté du lit.

D'abord, elle ne le reconnaît pas.

Elle croit qu'elle est dans son cauchemar : un homme s'approche toutes les nuits, un long couteau à la main, pour la tuer. Elle est épinglée sur le matelas, les pieds glacés, le sang se retirant peu à peu de tous ses membres pour former une grosse boule dans la gorge qui l'empêche de crier et lui fait battre le cœur à toute vitesse. La lame se rapproche, va lui ouvrir le ventre. Elle s'abandonne. Elle va mourir. Les cheveux brosse lui frottent le menton, le bracelet-montre appuie sur son bras nu. Elle ouvre la bouche toute grande pour hurler mais une main la bâillonne. Une odeur de Cologne monte. Elle ouvre les yeux.

Ce n'est pas l'homme du cauchemar.

C'est lui.

Elle respire et se détend.

Il pose la tête à côté de la sienne sur l'oreiller, la face enfouie dans la plume légère, et soupire. Elle remue doucement pour lui montrer qu'elle est réveillée.

— Je voudrais être petit, tout petit, et dormir près de toi...

Il s'allonge sur les couvertures et la serre dans ses bras. Elle tourne la tête et aperçoit les aiguilles du réveil qui indiquent onze heures et demie. Presque minuit. Il est lourd et chaud

contre elle. Il murmure encore des mots qu'elle ne comprend pas. Elle s'écarte un peu pour reprendre son souffle.
Il a une idée qu'il lui chuchote à l'oreille : Et s'ils allaient manger des huîtres au Royal Villiers ?
— Mais Maman...
Elle n'en saura rien. Elle ne les entendra pas. Ils s'en iront à pas de loup sans faire claquer la porte.
Tous les deux dans la nuit ?
Comme l'autre fois ?
Et l'autre fois encore ?
Elle est d'accord.
— Je veux mettre ma robe rouge à rubans.
Il se faufile jusqu'à la penderie et décroche la robe rouge. Il fait des entrechats dans le noir. Il se contorsionne et danse avec la robe. La couvre de baisers, ses longues mains prenant bien soin de ne pas la froisser. Elle enfile ses ballerines, brosse ses cheveux et les attache avec un gros nœud noir. Il ne danse plus et la contemple, agenouillé, lui présentant la robe. Princesse, si tu le veux, ce soir je t'enlève. Ma Panhard toute neuve nous attend en bas des marches. Elle met un doigt sur sa bouche. Se tourne vers la chambre où sa mère dort. Effrayée à l'idée qu'elle les surprenne. Comme si le regard noir les suivait à travers la cloison. Il hausse les épaules.
— Elle dort... On y va ?
Ils s'en vont comme des voleurs.
Il joue. Il avance, courbé, ployé sous un gros sac. Souffle et peine.
— On est tombés chez des rupins. Je les renifle ceux-là... Y a du pognon, j'te dis. Y a du pognon.
Essuie son front. Enlève ses chaussures pour ne pas faire de bruit et repart en faisant le gros dos. Elle tire la porte tout doucement. La porte craque, gonfle, résiste, et la serrure résonne comme une claque en se refermant.

Sauvés ! Il fait mine de jeter son sac à larcins par-dessus la rampe de l'escalier, lance les bras en l'air et l'attire contre lui.
Elle relève la tête et lui dit :
— Rien que nous deux, ce soir, promis ?
Il étend la main et jure.
— Crache par terre.
Il crache. Et jure encore. La prend par la main et l'entraîne dans l'escalier. Sous le porche. Dans la rue.
Elle se laisse aller et compte. C'est une habitude qu'elle a prise pour conjurer la peur. La peur qu'il disparaisse et qu'il la laisse. Qu'il l'oublie là, sur le trottoir, ou plus tard au restaurant. Qu'il tourne la tête vers une autre femme et ne la regarde plus. Une menace familière qui se déplace toujours avec l'homme.
26, 27, 28, 29, 30, 31...
Les chiffres la rassurent. Meublent sa peur atroce de l'abandon. Quand on compte, c'est qu'on attend quelque chose au bout. C'est qu'il va revenir.
Elle se serre contre la jambe de l'homme et s'agrippe à sa ceinture. Enfermée dans sa chaleur, l'épaule contre sa hanche dure, elle glisse un doigt dans le passant du pantalon. Ils avancent. Dans la nuit noire. Il marche, elle trottine. Elle a encore sommeil et écarquille les yeux pour se réveiller.
La portière de la Panhard s'ouvre. Le skaï glacé sous les cuisses et la voix de l'homme qui commente, en passant les vitesses, les avantages du levier au volant finissent de la réveiller. Elle s'étire et bâille.
Au restaurant, il commande des belons et des fines-de-claire. Il ne lésine pas. Il dit, très fier, qu'elle prendra tout comme lui et ajoute :
— Une bouteille de blanc bien sec.
La serveuse a une grosse bouche rouge et leur sourit.

51

Il se regarde dans la glace, bombe le torse et l'enlace.

— Regarde comme on est beaux, tous les deux ! Regarde comme tu es belle !

— T'as une nouvelle cravate... Je la connais pas.

Il l'a achetée à Hambourg, il y a deux jours. Un voyage d'affaires. Il a décidé qu'elle apprendrait l'allemand.

— Mais j'apprends déjà l'anglais !

— L'anglais ! Une langue de commerçants ! Y a pas d'âme dans l'anglais...

Ses doigts bruissent dans l'air et il fronce des sourcils d'avare qui compte ses sous.

— Alors que l'allemand !

Sa main attrape un archet imaginaire et le fait glisser sur son épaule. Il ferme les yeux et penche la tête sur son violon. Mime l'extase du virtuose.

La serveuse dépose le plateau d'huîtres sur la table, débouche la bouteille de blanc et remplit leurs verres. Elle l'arrête de la main.

— Pas trop, s'il vous plaît, madame...

— Allez, allez... A ta santé, ma fille !

— A ta santé, mon papa !

— Je t'aime, ma fille !

— Je t'aime, mon papa !

Elle se redresse et rosit de fierté. Elle voudrait que tout le monde les regarde. Mais il est tard et la salle est presque vide. Ils trinquent.

Il repose son verre et attaque une belon. L'aspire bruyamment en creusant les joues. Il raconte son voyage à Hambourg. Comment il a forcé son correspondant à acheter trois machines-outils au lieu de deux et à diminuer sa marge bénéficiaire parce que celui-là, comme escroc, on ne fait pas mieux... Il l'avait repéré depuis longtemps mais, là, il l'a coincé. Et bien.

Ça la barbe, ces histoires de machinoutils. Mais il a l'air tellement heureux d'avoir gagné qu'elle demande :
— Et comment t'as fait ?
Un jeu d'enfant. Tout dans la manière de procéder. Une allusion à un concurrent, un chiffre bien placé avec factures à l'appui et c'était réglé. Il s'essuie la bouche, satisfait. Boit un coup. Les pommettes toutes rouges. Il en a mis plein la vue à ce crétin de Lériney.
Lériney... Elle avait raison d'avoir peur tout à l'heure : l'ennemi vient de la rattraper et lui met la main au collet.
Elle n'écoute plus. Se concentre, les sourcils froncés sur le coquillage, les doigts serrés sur la fourchette. Il propose de l'aider mais elle dit, rageuse, qu'elle peut le faire toute seule. Qu'elle n'a besoin de personne. Personne. Et tranche d'un coup sec le cordon nacré.
Il applaudit. Il aime quand elle est têtue. C'est comme ça qu'on conquiert le monde. Ne pas s'arrêter au milieu du chemin.
— T'es belle, ma fille, t'es belle quand t'es en colère contre l'huître... T'as le museau qui se tord comme celui d'un bouledogue.
Il fronce le nez et imite le bouledogue. Elle éclate de rire, soulagée. La peur s'en va. Il l'a regardée. Et attentivement puisqu'il la traite de bouledogue. C'est à elle qu'il pensait, pas à Mme Lériney. Il l'aime alors. Elle relève la tête et rit encore.
Bientôt, dans la salle du restaurant, il ne reste plus qu'eux. Les garçons repoussent les chaises et balaient. La caissière compte les notes de la soirée. Le patron écrit à la craie sur un tableau noir les plats du lendemain. Ils sont seuls, tous les deux.
Elle ferme les yeux et se laisse aller contre le dossier de la banquette. Ce soir, elle a gagné. Elle laisse pendre ses jambes

dans le vide, soulagée. Il croit qu'elle est fatiguée. Elle proteste de la main. Il commande une seconde bouteille de blanc à la serveuse qui, après l'avoir débouchée, reste la hanche collée à leur table.

— Vous ne voulez rien d'autre ?

Il fait signe que non, la bouche pleine, le verre aux lèvres. Mais devant les hanches de la fille tendues contre le plateau de crustacés il semble changer d'avis et lève la tête vers elle. La détaille, amusé. L'œil allumé. S'attarde sur les seins qu'un tricot ajouré laisse deviner. La fille sourit et sort son buste d'un coup sec comme un magicien tire le lapin du chapeau. Et toc ! balance une hanche à gauche. Et toc ! déborde sur la droite...

L'homme ne mâche plus, ne boit plus, et sa bouche entrouverte attend la suite. Il sourit et regarde la serveuse droit dans les yeux. La petite fille reconnaît ce sourire. A tous les coups, ça va être comme la dernière fois : la fille va s'asseoir à leur table et il finira la soirée, tourné vers elle, le bras autour de sa taille. Il la tutoiera et elle lui donnera son numéro de téléphone. Ou, même, elle montera dans la Panhard avec eux et il la raccompagnera. Il lui demandera d'attendre dans la voiture. Et elle s'endormira sur la banquette arrière. En comptant.

— Je veux bien apprendre l'allemand.

Il revient à elle. Il a encore le sourire pour la serveuse sur les lèvres.

— Je veux bien apprendre l'allemand.

Il dit qu'il faut fêter ça et remplit son verre.

— Pas trop, Papa, pas trop...

La serveuse est toujours là, collée à la table. La petite fille boit une gorgée qui la brûle en coulant dans la gorge mais lui donne la force d'affronter la serveuse. Un regard noir, précis, brûlant. Qui colle la fille au mur, efface le rouge à lèvres, rabote les seins, rabote la hanche baladeuse, aplatit les talons, fait sortir le ventre. La serveuse hausse les épaules et s'éloigne vers la cuisine. La petite fille la suit des yeux pour être sûre qu'elle ne se retourne pas pour arracher un rendez-vous dans le regard de l'homme.

— T'as vu ? Elle avait un soutien-gorge noir sous son pull... C'est moche.

Il fait « Ah... », s'essuie la bouche. Elle trempe un doigt dans une coquille vide. Le lui tend. Il l'attrape et le lèche.

— C'est salé...

— C'est comme la mer. Dis, on ira à la mer ?

Il promet que oui. Pas plus tard que demain. Ou après-demain Lui prend la main. Elle voudrait qu'il ne la lâche plus.

Elle a bien fait de mettre sa robe rouge.

— Je veux bien que tu habites chez moi mais je veux pas te voir pleurer... Ça me déprime. Quand on habite chez moi, on est gai.

Bonnie Mailer fronce le sourcil devant la glace de sa coiffeuse et s'arrache trois poils. La pince à épiler en l'air, elle s'écarte pour juger de l'effet.

— Tu restes là à ruminer. C'est pas bon ça. Si j'étais toi...

Bonnie Mailer sait tout. A réponse à tout. A mis sa vie en fiches pour ne plus avoir à penser. L'amour, c'est ça. La réussite, c'est ça. La mousse au chocolat, c'est ça. Dispose d'un amant à Londres, d'un à Paris, de plusieurs à New York. « Tout est une question d'organisation », répète-t-elle. Bonnie Mailer est très organisée. Quand elle parle des hommes, on dirait une race à part. Un croisement entre prix Nobel, rupin et gamin en barboteuse dont le rôle est de venir la chercher en limousine, de discourir sur le Nicaragua ou l'avenir du golf et de brandir son zizi quand l'heure du coït a sonné. Elle ne dit jamais Tom, Jim ou Paul, mais « hommes ». Avec une moue acide qui les relègue au rang d'article de supermarché. Entre la télé et le four à micro-ondes. Gadget qui simplifie la vie à condition de savoir le faire marcher. Un objet qu'elle plante là pour décorer ses dîners ou son lit. Comme la pile de coussins enrubannés qui encombrent son king size bed. D'ailleurs, Bonnie Mailer baise comme un coussin. Je l'ai surprise un soir. Je m'étais levée pour faire pipi et elle avait oublié de fermer la porte de sa chambre. Tout enfanfreluchée, molle et répandue pendant que l'homme, le pantalon sur les mollets, l'aplatissait sous lui. Rebondissait. Malaxait le chiffon. Se frottait sur le carré de peau découvert. Tentait de s'enfoncer dans cette chair anonyme prêtée quelques minutes. Il s'escrimait à ramener les bras pendants, les jambes pendantes autour de son corps à lui. Un coussin, je vous dis.

Mais c'est son visage à elle qui en disait long. Tourné sur le côté, le regard absent, à peine crispé, comme si ce qui se passait en dessous ne la regardait pas. Voire la dégoûtait. Un mauvais moment à passer pour remercier Jim ou Paul de la limousine, de la prestation parfaite pendant la soirée et des coups d'œil envieux lâchés par les copines.

— Écoute... Tu veux que je t'organise un dîner à la maison ? Tu rencontrerais des gens. Tiens, Allan... tu te souviens d'Allan ? Il est seul, en ce moment. Toutes les filles lui courent après. Je le vois ce soir justement et je vais l'inviter...

Ce soir, elle préside un gala offert par Kriskie, l'aliment royal pour félins et canins, en l'honneur des écrivains de l'Europe de l'Est privés de plume et de parole. Cinq cents dollars le droit de s'asseoir sur une chaise en velours rouge et d'écouter, la fourchette en argent hésitant entre la pince de homard et les grains de caviar, les descriptions glaçantes des prisons roumaines ou bulgares. D'une main, elle pose les rouleaux chauffants, de l'autre, elle sort robes et manteaux de soirée qu'elle jette sur son lit. Allonge le trait d'un œil, poudre le nez, baisse le décolleté, accroche une barrette, enfile des bagues, inspecte des collants, répond au téléphone, allume la télé, s'arrête un instant à l'annonce des dernières négociations américano-soviétiques, la mine soudain grave et concernée de ceux à qui l'argent donne le

droit de juger, de s'immiscer entre les grands de ce monde.
— Nous avons tort de négocier avec les Russes... Je mets ça
ou ça ?
Je pointe le doigt vers un fourreau noir de chez Balenciaga.
La fermeture crisse, les cheveux tombent bouclés, la poudre
claque le nez, la laque siffle, le parfum pschiitte. Elle est
prête. Attrape la pochette en satin noir, la cape noire, fronce
une dernière fois le sourcil dans la glace, regarde l'heure et
décroche l'interphone pour demander à Walter de lui trouver
un taxi.
— Ciao, ciao... Ne reste pas là à rien faire. Tu sors ce soir ?
Je fais signe que non. Elle soupire, exaspérée.
— T'as quelque chose à manger ?
Je dis que non.
— T'as le téléphone et le menu du Chinois sur le frigo.
Appelle-le et commande. Mais ne reste pas sans rien faire !
Bouge-toi un peu !
Je dis que oui.
Elle m'envoie un baiser du bout de ses doigts manucurés et
disparaît.
Bouger...
J'arrête pas.
Je sillonne la ville de haut en bas. Uptown. Downtown. East,
West, East, West. Upper East Side et Hell's Kitchen. Et un
arrêt semelle tous les huit jours. J'essaie de faire mon trou
entre le quadrillage des rues et des avenues. De retrouver le
goût du yaourt à la banane. Difficile dans cette ville où
aucune halte n'est prévue : pas de bistrots, pas de squares,
pas de bancs publics. Ça pourrait ralentir la circulation du
dollar. Même pas le loisir de s'abandonner un instant dans un
autre regard, de recevoir un clin d'œil complice. Les gens
n'ont pas le temps. Ils courent.
En haut de la ville, dans les beaux quartiers, celui des

affaires, ils se ressemblent tous : propres, bien repassés, pas un cheveu ni une dent qui dépasse. Au début, on les trouve beaux. On renifle en les croisant une odeur prospère et rassurante de savon. Ils marchent d'un jarret assuré. Sans la moindre hésitation. Par groupes. Selon le sexe. Avec la même démarche. Sans taille. Des bouteilles de lait. S'engouffrent dans des halls de banque ou de multinationale. Se saluent, avenants. Ressortent en agitant leur petite valise. Se congratulent en s'appelant par leur petit nom. Hi, Jim ! Hi, Paul ! Hi, Stevie ! Un vrai peuple de gagnants. Plein de ronds, et pas un sou d'état d'âme. Et puis au bout d'un moment, devant tant d'uniformité, le soupçon naît. Pas un vieux dans cette foule-là. Ni un bébé. Ni même un ventre en promontoire. Que de la peau jeune et bien tendue. Des nez retroussés, des sourires qui s'ouvrent et se ferment comme des portes d'ascenseur, des visages roses et lisses. Ils ne sont pas humains ces gens-là. Sont synthétiques. Vidés d'humeur qui file des rougeurs, des points noirs, des caries, des pifs irisés, des cernes bleuâtres, des pieds qui traînent, des pores qui transpirent, des pellicules qui saupoudrent. Clean, clean, clean. Les Noirs se remarquent à peine, blanchis qu'ils sont par leur vie d'employés appliqués dans leurs tours climatisées. Faut descendre tout en bas ou remonter tout en haut de la ville pour trouver la différence. La mamma italienne qui chauffe ses bourrelets au soleil, les cuisses écartées sur sa chaise en plastique posée sur le trottoir ; la tireuse de cartes qui attend le client sous un énorme portrait de la Vierge ou de Marilyn ; ou encore le Cubain maigrelet, affalé sur le capot d'une voiture aux chromes plantureux. La vie en tricot de corps et vergetures, en food stamps et jurons de misère. L'existence avant que le dollar la fige en une apparence uniforme. Avec plein de petites fissures suintantes de vie comme des histoires à raconter.

Et, moi, je guette la faille où je pourrais me glisser. Retrouver le goût du vrai. L'odeur de pizza ou de sueur, la dégaine lourde du flic dans le métro ou titubante du paumé qui rase les murs en délirant. Les yeux bleus usés de cette petite vieille sur la ligne numéro 6 qui se mouche avec la poignée de son sac en plastique. Je croise son regard délavé, m'y arrime, espère de toutes mes forces compatir, me lever, lui tendre un billet, mais reste le cul sur la banquette, impuissante et désolée. Je m'en fiche. C'est pas mon problème. Elle n'avait qu'à pas être si confiante. Qu'à faire fondre un peu de méchanceté dans ses yeux bleus si bons, si doux. Indécents. Tout glisse sur la coquille de mon deuil douillet que je dorlote comme une poupée. Peut-être qu'il est trop tard ? Qu'il m'a embarquée avec lui, là-bas, de l'autre côté ? C'est pour ça qu'il souriait dans son cercueil... Il n'avait pas dit son dernier mot. Si ça se trouve, il est là, pas loin, dans les rues de New York. Il marche, il marche, et on se loupe. Il demande son chemin en agitant les mains et personne ne le comprend. Quels crétins, ces Américains, peste-t-il, avec leur brillantine et leur tronche pasteurisée ! Tous les mêmes en plus !

Je crois l'apercevoir. Je m'arrête net devant une silhouette trop grande, trop maigre, qui tient son imperméable sur le bras et avance à grands pas. Je recule, effrayée. M'adosse contre le mur.

Papa ?

Je cours derrière lui mais m'arrête juste avant de le toucher.

Papa ? T'es revenu ?

Je tends la main et vais pour la poser sur sa veste en tweed. Hésite. Me réfugie, essoufflée, dans une encoignure de porte. Repars. Mais l'homme a disparu.

Raté.

C'est toujours la même histoire. Tu avançais à grands pas et

61

je m'accrochais à tes basques. Avec la trouille d'être virée à chaque coin de rue. Et je l'étais. Chaque fois. Je tendais les bras, je réclamais, mais tu haussais les épaules en te dégageant. Tu disais que je dramatisais. Que je t'étouffais avec mon amour trop grand. Que j'étais comme toutes les femmes. Collante.

JE NE SUIS PAS COMME LES AUTRES FEMMES.

C'est pas vrai.

Je courais m'enfermer dans la salle de bains. Je m'agrippais au lavabo face à la glace. JE NE SUIS PAS COMME LES AUTRES FEMMES. JE NE SUIS PAS COMME LES AUTRES FEMMES, je répétais en scrutant la glace. JE NE SUIS PAS COMME LES AUTRES FEMMES. J'essayais de savoir qui j'étais. Dur à dire. Je restais là à attendre. Mais rien ne venait. J'abandonnais. Et pourtant, quand tu me regardais, je savais. Personne ne me regardait comme toi. Quand t'avais le temps.

A la fin, sur ton lit d'hôpital, on a eu tout le temps. Tu ne risquais plus de m'échapper. Il fallait que tu t'expliques. Que tu ne partes pas en étant quitte. Parce que sinon, moi derrière, j'étais encore perdante.

D'abord tu n'as pas répondu. T'as rigolé. Mais j'ai continué jusqu'à ce que tu capitules. Et tu as parlé. Sans faire le fier ni le bon apôtre. Tu as lâché les vérités une à une.

A ce moment-là, l'interphone grésille.

Je ne bouge pas. Je suis à Paris. Avec mon papa. A l'hôpital Ambroise-Paré. Ne pas déranger.

Il grésille encore.

Ça doit être Walter qui a un paquet pour Bonnie. Un manteau de vison qui sort de chez le fourreur ou un bout de moquette blanche pour la salle de bains. Le manteau de vison pour Bonnie, c'est comme l'adresse. Ça la pose. La moquette blanche aussi. Parce que le blanc, c'est salissant. Ça demande à être nettoyé tout le temps. Et qu'il en faut, des ronds, pour que le blanc reste blanc. Je vais pas quitter le chevet de Papa pour un bout de moquette ou de fourrure. Mais Walter persiste. Il sait que je suis là. Il va répéter à Bonnie que je n'ai pas voulu ouvrir.

— Y a un monsieur dans l'entrée qui demande Miss Mailer. Je vous l'envoie, dit Walter.

Manquait plus que ça.

Qui c'est cet emmerdeur qui interrompt mon dialogue avec l'au-delà ? Un maniaque avec un long couteau dissimulé sous son imper ? Il m'appuie contre le mur, me retrousse, me viole, me découpe en petits morceaux... Ou un racoleur de secte qui va me fourguer des prospectus sur Dieu. A tous les coups je finis à la une du *New York Post*.

— Vous le connaissez ? je demande à Walter, mine de rien.

— En tous les cas, c'est un beau monsieur. Il est en smoking et il sourit. Je vous l'envoie...

Je défais les trois verrous d'en haut et les deux d'en bas. Entrouvre la porte, prête à la refermer aussi sec.

C'est Allan. Il s'excuse de me déranger. Je bougonne que ce n'est rien et qu'il entre.

Il entre.

Il entre et se laisse tomber dans un des canapés blancs.

Et là j'ouvre les yeux.

Je les écarquille même tout grands.

Je vois.

Si je n'étais pas bien polie, bien éduquée par des années de « Ça se fait pas, c'est pas correct », je me précipiterais contre lui, m'accrocherais à sa ceinture et enfoncerais mon nez dans sa clavicule. M'agripperais à son cou et lui demanderais : « Alors maintenant, on va où ? » En lui mangeant la bouche, les dents, le nez, les joues, en fouillant dans son cou, dans ses oreilles, me repaissant de cette évidence : c'est lui.

63

C'est lui.

C'est cet homme-là que je cherchais comme une enragée. Vers lui que je me suis levée, ce soir de misère à Paris. Contre lui que je piquais des colères, agacée de ne pas le trouver, soupçonnant tout le monde de me l'avoir piqué.

J'avais rendez-vous et je ne le savais pas.

Je m'appuie contre la porte, essoufflée. C'est bien le mec le plus beau que j'aie jamais vu. Tellement beau que j'en perds le sifflet. Grand, brun, longues jambes qui lui cognent le menton quand il s'assied, longues mains qu'il passe dans des cheveux épais et noirs, et un sourire... Un vrai sourire d'humain qui balance chaleur et amour. Pas anonyme. Qui dit : « Comment ça va ? » vraiment. A moi et pas à la galerie. A partir de ce moment-là, je suis frappée d'incapacité. Une épave. Je fais un effort pour coordonner bras, jambes, tête et refermer les verrous dans le bon sens. Il a perdu son carton pour cette fichue soirée et il ne sait plus où elle a lieu. Ce n'est pas que ça l'enchante mais il a promis à Bonnie de l'accompagner. Je me ressaisis. Je réponds que Bonnie est partie, il y a dix minutes, et que je n'ai aucune idée de l'adresse en question. Il a l'air rudement embêté. Je lui propose d'aller fouiner sur la coiffeuse de Bonnie au cas où...

Il en profite pour se servir un verre. A l'aise. C'est le genre de type qui doit être à l'aise partout, je me dis, en cherchant entre les tubes de rouge à lèvres et de rimmel. Quand on est beau comme ça, la vie est facile. On entre quelque part, on dit bonjour et les gens vous aiment tout de suite. Ils vous offrent un verre, leur femme, leur fille et une promotion. Je reviens, bredouille, dans le salon. M'arrête devant la glace en pied à côté de la cuisine, fais mine de regarder si rien ne brûle sur le gaz et en profite pour m'inspecter. Rentre le ventre, redresse les épaules, tapote mes cheveux pour bien les mettre en valeur, vérifie que je n'ai rien entre deux dents. Un bout de salade ou des éclats de noisettes. Respire mon haleine dans la paume de la main.

Il téléphone. Il rit. Ses longs doigts jouent avec le fil, et je le contemple, en arrêt. Comme le chien Kid devant le frigo quand six heures ont sonné et qu'approche l'heure de la pâtée. Je n'arrive pas à détacher mes yeux de lui. Je me dis que, si je trouve un détail qui ruine ce bel ensemble, je reprendrai consistance. Récupérerai mon identité qui se débine à toute allure. Sais pas, moi. Une chaussette trop courte, une gourmette tape-à-l'œil ou un gonflant de brushing. Les Américains, ils se brushent tous les matins. Ils alignent les petites fioles sur leurs étagères pour bomber et lustrer les cheveux. Et une petite brosse ronde aussi pour les rouler bien corrects. Mais là, je ne vois rien. C'est à peine si j'entends ce qu'il me dit. Il a réussi à joindre Nelly Machin qui lui a donné l'adresse. Il grimace en souriant. Ajoute qu'il a sûrement fait exprès de le perdre, ce foutu carton. Il s'étire, me fait un clin d'œil complice. J'ai envie qu'il défasse son nœud de smok et reste là. Il dit qu'on s'est déjà rencontrés. Oui, c'est exact, à une soirée chez lui, il y a quatre ans. C'est même à cette occasion que j'ai fait la connaissance de Bonnie Mailer. Il regarde sa montre.

Je ne veux pas qu'il parte.

— Tu la connais depuis longtemps, Bonnie ? je lui demande, histoire de prolonger son séjour sur le canapé.

— Oh ! là ! là ! Depuis des siècles !

Ils habitaient le même immeuble minable en face de Columbia. Il étudiait le droit et les affaires. Il n'avait pas un rond. Il sent bon. Il a les ongles transparents. Des cheveux noirs brillants comme sur les étiquettes de shampooing. Une touffe de poils bruns qui sort de la manchette et boucle sur le poignet. Il allait dîner tous les soirs chez Ray's Pizza où Bonnie faisait réchauffer les parts à un dollar et débarrassait

les tables. Elle arrivait de l'Ohio et parlait avec un accent
épouvantable. Il corrigeait ses intonations et, en échange, elle
lui offrait en douce un milk-shake framboise.

— C'était pas le même genre de fille qu'aujourd'hui. Elle
était boulotte, rouquine et savait rien de la vie. Elle devait
avoir dix-huit ans et voulait conquérir New York. Elle était
prête à tout...

— Savais pas... je murmure, ébahie, en croisant les chevilles
pour m'empêcher de foncer contre lui.

— Lui dis pas. Elle serait furieuse. Moi je serais plutôt fier
mais elle... Quand je veux la faire rager, je lui glisse « Ohio »
dans l'oreille et elle vire au rouge. Elle se voit déjà dans
le Greyhound la ramenant chez ses parents. Les pieds
dans des sabots et une tripotée de gosses accrochés à son
tablier !

Il rit, et ça fait des vagues jusqu'à moi. Des ondes chaudes
qui m'éclaboussent. Me redonnent l'appétit du bonheur,
cette confiance douce en une vie pas triste et simple, si
simple. Cette croyance absurde qui me vient de lui. De mon
papa. Il y croyait, lui, au bonheur. Aux petits bonheurs au
jour le jour. Pas au bonheur organisé. Avec maire, enfants et
tout le tintouin. Parce que, alors, il était nettement plus
sceptique.

— Et ses maris, ils étaient comment ?

— Vieux mais riches. Très riches !

— C'est elle qui est partie ou c'est eux ?

Je l'occupe avec mes questions. Il ne le sait pas, mais, à cette
minute précise, on ne fait plus qu'un, lui et moi. Il est foutu.
On griffonne en sanglotant nos noms sur le registre du maire
et nos témoins font buvard avec leur manche. J'ai sa feuille
de paie dans la poche et un bébé dans le ventre. J'oublie le
chagrin que je traîne comme un chien gras, aveugle et têtu
depuis des mois. Je file un coup de pied au clebs. N'a qu'à

crever. Chacun pour soi. Je retrouve l'impatience amoureuse qui me frénétise, me fait dresser des plans pour circonvenir l'ennemi. Le goût de faire la guerre. J'enchaîne les pirouettes. Gaie et légère. Comme avant.

— Le premier, il est mort. Une embolie en plein conseil d'administration... Le second l'a plaquée pour une jeunesse. Elle ne t'a jamais raconté ? Ça a été terrible. Elle l'adorait. Depuis, dès qu'une histoire devient trop sérieuse, elle arrête... avant de souffrir. C'est sa théorie.

Il repose son verre et dit qu'il doit filer.

T'iras pas loin, mon vieux, je te rattraperai.

Je le raccompagne jusqu'à la porte, réservée et accorte. Il me dit au revoir, emploie les formules d'usage : « It was nice to see you again », etc. Rien de très personnel qui laisse espérer une entrevue prochaine.

Il a à peine claqué la porte que les pointes acérées de mes sagaies fléchissent. Le doute me fond dessus. Je file me planter devant la glace.

Qu'est-ce qu'il a vu, lui ?

Je regarde la fille dans la glace et ne vois rien.

Ferme les yeux un long moment et les rouvre brusquement.

Qu'est-ce que tu vois là ?

Pas grand-chose. Une fausse blonde avec un caleçon gris et un tee-shirt.

Fais un effort, ma vieille. C'est important. Tu le veux, cet homme ?

OUI. OUI. OUI.

Je referme les yeux, attends un peu plus longtemps, me force à oublier que c'est moi qui regarde moi. Les rouvre. Vite. Une réaction à chaud sur la fille d'en face.

Bof !...

Bof quoi ? Elle est jolie ou tarte ?

Sais pas.

M'enfin, fais un effort.

Pas mal... grande, mince, mais c'est sa tête que je distingue pas bien.

Mais c'est important, la tête, c'est là où transparaît l'âme. Et c'est ça qui fait la vraie beauté. Tu le sais bien !

C'est tout flou.

Alors quoi, t'as pas d'âme ?

Si, si, j'en ai une. Mais pas ce soir.

Chaque fois, c'est pareil. Quand ma vie est en jeu, mon âme se fait la malle.

J'ouvre la porte du freezer qui fume et prends une glace. Une vraie que j'ai achetée au delicatessen à côté. Bourrée de calories, de crème, de noisettes, de chocolat pas dégraissé et de sucre pas sacchariné. Peut-être que j'ai pas d'âme après tout ? Une bien balaise qui traverse gros grains et tempêtes. La mienne, c'est du polystyrène expansé. Elle s'effrite dès que je lui mets la main dessus.

Le pot froid sur le ventre, la cuillère plongeant à la recherche des morceaux de chocolat ou de nougatine enchâssés dans la vanille, je réfléchis. Cet homme-là, je le veux. Il est à moi. Je l'ai reconnu. S'il me prend dans ses bras, j'arrête de pleurer aussi sec. De discuter le bout de gras avec l'au-delà. Je saute à pieds joints dans la vie. Là, j'entends une voix. Outre-Atlantique. Celle de Pimpin qui hurle. Quoi ? C'est ça ? Tu pars là-bas pour a-na-ly-ser et la seule solution que tu trouves, c'est l'immersion dans l'amour béat. Bravo, ma vieille. Bravo. Beau boulot. Tout de suite la facilité. Tu me dégoûtes. Je te parle plus, tiens.

C'est le problème avec Pimpin : si on la contrarie, elle se met en colère. On risque alors d'être relégué au rang des crétins et chassé loin de sa vue. Pour faute de goût et mauvaise analyse de la situation.

J'en ai rien à foutre de Pimpin. Je me repais de mon rêve de midinette et me trémousse en tutu rose devant mon Prince charmant.

Mais elle ne me lâche pas facilement. Et qu'est-ce que c'est cette histoire de Prince charmant ?

Eh ben... quand j'étais petite, pour m'endormir ou quand ça criait trop autour de moi, je me racontais des histoires. De belles histoires où j'étais très malheureuse au début mais qui finissaient toujours très, très, très bien. Il y avait celle du Prince charmant. Il m'attendait quelque part dans le monde près d'un réverbère en battant la semelle et en regardant sa montre. Toutes les filles en étaient échevelées, et quand je me pointais enfin, après avoir bravé mille dangers, je devais me battre pour qu'il me reconnaisse. Mais je finissais toujours par l'emporter. Il était beau et fort et brun. Tout comme Allan, quoi. C'est tout. Alors j'ai pensé que c'était peut-être Papa qui me l'envoyait. Pour me consoler.

« Ben voyons... dit la râleuse longue distance, mets ton père dans le coup. Ça t'arrange. »

Ouais... elle a pas tort.

Je reprends de la glace. Repars traquer la croûte chocolatée jusqu'à ce que le bord de la cuillère ne heurte plus que les parois en carton, rapportant comme seul butin quelques gouttes de crème glacée qui coulent le long de mon poignet. Elle a pas tort...

Mais si j'ai envie des flonflons de l'amour, moi ! De battre la campagne et de me siphonner l'entendement ! C'est mon droit, non ? Chacun sa tare. Elle, c'est des bouteilles et des bouteilles de Jibi. Moi, c'est les mecs. Et de préférence le Mec charmant.

Je le rencontre souvent sous un vieux réverbère. Je le hèle. Je l'alpague. Je m'incruste. Je disparais en lui. Deviens au choix : nunuche, désabusée, porteuse de colis piégé ou fragile. N'importe quoi pour qu'il me hisse dans ses bras.

M'étreigne contre les écrous de son armure. Me brandisse comme un étendard. Me protège contre tous les bandits de la forêt. N'importe quoi... Jusqu'à ce que j'aperçoive une faille, un défaut, une faiblesse, et hurle à l'imposture. Exige le remboursement. C'est pas le bon! J'ai été flouée sur la marchandise! Je dégaine mon poignard et trucide le félon sur-le-champ. Mais ça ne me décourage pas pour autant.

Je me dis qu'un jour...

Un jour, je rencontrerai le bon et je l'épouserai...

Pas étonnant que je ne la trouve pas mon âme. Je passe mon temps à la brader contre des princes charmants bidons! Je me vautre, écœurée par trop de crème glacée, sur le dessus-de-lit de Bonnie au milieu des coussins en dentelle brodés délicatement de dictons brutaux : « I've said No and it's final », « No guts no glory ».

Va m'en falloir, des tripes, pour démêler tout ça...

Il lui semble qu'elle l'attend toujours.

L'homme.

Pourtant il a sa place. Son nom sur la sonnette. Son fauteuil, son cendrier, sa TSF, ses disques. Le dimanche matin, il traîne dans l'appartement, pieds nus, la veste de pyjama ouverte, le bol de café au lait dans une main et la Gitane dans l'autre. Il met un disque, esquisse un pas de danse, puis deux, trois, et son corps emplit le salon. Cachito-cachito-cachito-mio. Ses longues jambes se plient, ses épaules avancent, ses bras s'étirent. Il ferme les yeux. Il danse. Il chante, la bouche en avant, en faisant des grosses lèvres comme le nègre sur la pochette du disque. Accroupie dans l'entrée, la petite fille le suit des yeux. Il la passe tout le temps, cette chanson. Elle n'ose pas le déranger. Il est beau. Il est beau. Le bonheur : le regarder danser. De loin. Lui laisser toute la place autour pour qu'il danse et danse encore. Elle remue doucement les bras et les poignets et entre dans sa danse. De loin.

— Il bouge comme un nègre, dit Maman qui surgit avec la lessiveuse.

Les manches retroussées sur les bras, elle pose sa bassine et s'essuie le front.

— Tous les dimanches, c'est pareil. Il fait le nègre et moi je fais la bonne.

71

Le regard noir suit l'homme. Hostile. La petite fille aperçoit le rond mouillé de la lessiveuse sur la moquette lavande, les bras aux grosses veines bleues, le front couvert de sueur, et l'homme devient tout maigre dans son pyjama.

— Tu veux que je te dise ce qu'on est ? dit le regard noir. Tu veux que je te dise ? Une famille du samedi soir, voilà ce qu'on est. A cause de lui... Regarde-le bien et dis-toi que c'est à cause de lui qu'on en est là et que, bientôt, s'il continue, on sera sous les ponts avec les clochards. Une famille du samedi soir, rien de moins, rien de plus. Et moi je m'use pendant qu'il fait le beau ! Mais, un jour, ça va s'arrêter. Je te le promets. Il le sait pas. S'il croit que je vais faire la bonne longtemps ! Il se trompe...

Elle ricane.

Il danse. Il ferme les yeux, remue doucement, enlace une partenaire imaginaire.

Il danse.

La petite fille tend la main vers la lessiveuse pour aider sa mère, mais celle-ci la repousse, d'un geste las.

— T'as appris tes leçons ? Tu les sais par cœur ? Demande-lui de te les faire réciter... s'il en est encore capable !

Elle empoigne la lessiveuse et s'éloigne en parlant toute seule. Elle parle souvent toute seule. Elle dit sa colère à mi-voix, et la petite fille a l'impression qu'elle dérange. Qu'elle est de trop entre sa colère et elle. Que la colère est bien plus chaude, bien plus douce que sa présence à elle.

Elle s'approche de l'homme et lui tend son recueil des fables de La Fontaine. Il prend le livre, le retourne, l'examine et le jette en riant sur la moquette.

— Encore de la morale ! On ne t'apprend que ça à l'école ! Viens, ma fille, je vais te lire quelque chose de plus beau, quelque chose de magique.

Elle sait ce qu'il va lui lire. Elle n'a pas besoin de regarder quel livre il choisit sur l'étagère. Toujours il lui lit le même. Toujours il lit « Le bateau maboul ». Il la prend contre lui dans le grand fauteuil en bois, la cale contre sa poitrine et ouvre le livre de poèmes.

— Tu vas voir, ma reine, comme c'est beau. J'y comprends rien mais c'est beau... Écoute les mots ! Écoute !

Son bras se referme sur elle. Ses doigts longs et fins reposent sur son ventre et tiennent le livre. Il appuie son autre main contre sa joue à elle et commence à lire. Le front dans la veste de son pyjama, elle écoute. La musique des mots qu'il fait danser comme Cachitocachitocachitomio. Elle n'essaie pas de saisir le sens de l'histoire. C'est trop compliqué. Elle ferme les yeux et écoute. Enclose dans la prison de ses bras, elle vogue. Plus rien n'existe que ses bras à lui qui la séparent du reste du monde, sa voix à lui qui traîne sur les sons voluptueux et doux, l'odeur de sa peau qui s'échappe de la veste ouverte, la main qui pèse sur sa joue. Elle se recroqueville et elle écoute. Il chante. Sa voix module, glisse, dévale. Il s'arrête à certains mots, lance la tête en arrière et reste ainsi, songeur, à les répéter.

— Écoute, ma fille, écoute les mots. Écoute comme ils sont beaux... « Dix nuits sans regretter l'œil niais des falots... L'œil niais des falots... Plus douce qu'aux enfants la chair des pommes sures... La chair des pommes sures... Fermentent les rousseurs amères de l'amour... Les rousseurs amères de l'amour. »

Rien que lui et elle enfermés dans les mots. Elle enfonce la tête dans la veste de pyjama et prie pour que « Le bateau maboul » jamais ne s'arrête.

Jamais, s'il vous plaît.

Jamais.

Encore des mots et des mots, encore sa main sur ma joue, ses doigts, et le bord froid du livre sur mon ventre. Encore lui et

73

moi enfermés. Tous les deux tout seuls. Lui et moi. Lui et moi et le bonheur doux et chaud. La peur qui s'en va. L'école qui s'en va. La colère de la mère qui s'en va. Les cris et la colère.

Encore.

Elle le supplie.

— Ferme les yeux toi aussi pour que ça dure toujours...

Il ferme les yeux et la serre encore plus fort.

— Promets que ça durera toujours...

— Je promets.

Il a l'air grave. Elle vérifie qu'il garde les yeux bien fermés et se laisse aller, les paupières closes, contre l'odeur de Cologne qui monte de la veste du pyjama.

— Mon papa... elle soupire en remontant ses genoux contre son menton pour être encore plus petite dans ses bras. Mon papa, tu sais, à l'école, y a une fille qui a des protège-cahiers orange et vert et je voudrais les mêmes, mais...

Mais la mère est debout près du fauteuil. Elle tient le livre de fables. Elle l'exhibe comme une preuve accablante. Elle crie qu'elle en a assez. Que ça ne peut plus continuer.

Ils rouvrent les yeux et s'arrête la musique. Le chaud et la sécurité. Le bonheur si léger et si fort qu'elle voulait l'attraper et le garder enfermé dans sa main. A l'abri dans le pyjama, protégée par l'accoudoir du fauteuil, la petite fille les regarde s'affronter. L'homme et le regard noir. L'homme la maintient contre lui comme un bouclier. Son poing dur serré contre son ventre.

Il crie.

Qu'on lui foute la paix, merde ! Il travaille toute la semaine, elle peut bien bosser le dimanche et pas faire chier avec sa lessiveuse et sa bonne conscience !

Le regard noir tombe sur la petite fille et l'accuse. La petite fille se souvient de la lessiveuse, du rond sur la moquette.

74

Elle a honte. Elle est mauvaise.

Elle referme les yeux et compte. 23, 24, 25, 26, 27, 28, 29, 30... Elle a peur. Elle ne sait plus qui a tort. Qui a raison. Est-ce mal d'être si bien contre le pyjama le dimanche matin ? L'homme lui parle. Il ignore le regard noir. Il lui parle à elle. Tout contre son oreille. Ce qu'elle aime, ta mère, c'est le pognon. Je n'aurai jamais assez de pognon pour elle... La mère dit que c'est trop facile de monter la petite fille contre elle. C'est ça, monte-la contre moi, monte-la contre moi. Elle dit aussi qu'elle en a marre de vivre avec un raté. Que toutes ses amies ont des machines à laver pendant qu'elle s'esquinte les mains dans la bassine.

Alors l'homme se lève. Il hurle. Il hurle qu'il ne la supporte plus avec ses exigences sans fin, ses rêves de petite-bourgeoise et son envie de machine à laver. Il arrache la petite fille de sa veste de pyjama et elle tombe sur la moquette.

L'homme et le regard noir ne font plus attention à elle. Les injures se heurtent au-dessus de sa tête. L'homme lance un cendrier contre le mur. Casse un disque. La mère lève les bras pour se protéger et pleure. Sans le regarder. Tout doucement. Comme lorsqu'elle parle à sa colère.

La petite fille ne pleure pas : cela ne servirait à rien. Elle se retire à quatre pattes sur la moquette. Se ramasse dans un coin de l'entrée où le petit frère, attiré par les cris, la rejoint. Se serre contre elle. Demande pourquoi ils crient et cassent des cendriers.

C'est toujours à cause du pognon.

Le petit frère ne comprend pas.

C'est quoi le pognon ?

Elle lui explique que ce n'est pas grave. Ça leur arrive tout le temps, aux parents. Ça doit être comme ça pour tous les parents.

L'homme passe devant eux. Il décroche son manteau dans

l'entrée, enfile ses pieds nus dans des chaussures qu'il ne prend même pas la peine de lacer et marmonne des gros mots. Putain de putain de putain de bordel de merde !
La porte claque. Il est parti.
Il reviendra.
Elle l'attend.
Le regard noir lui dit qu'il ne vaut rien. Qu'elle ne doit pas perdre son temps avec un homme comme lui. C'est un bon à rien. Il va gâcher ta vie comme il a gâché la mienne. Le mariage, c'est une loterie. Tous les hommes sont des bons à rien. Elle entend ce que dit le regard noir mais ne peut s'empêcher d'être tendue vers la porte.
Il va revenir.
Elle l'attend.
Elle l'attend.
Il lui semble qu'elle l'attend toujours.

Le lendemain matin, Allan appelle. Pour m'inviter à dîner. « A huit heures ce soir chez Bonnie », il dit. Et puis il ajoute : « Si t'es libre. »

Je ne réponds pas tout de suite. Ce n'est pas que je consulte mon agenda mais je me soupçonne de berlue. Je l'ai quitté, la veille, anonyme et poli, escorte ensmokinée de Bonnie, et voilà qu'il me propose une collation en tête à tête. Je me demande si j'hallucine pas. C'est tout à fait possible vu mon état. On peut tout redouter d'une fille qui use ses semelles pour retrouver le goût du yaourt à la banane, apostrophe Dieu dans les églises, surprend son papa décédé en pleine rue et fouille les miroirs à la recherche de son âme.

Pour en avoir le cœur net, il n'y a qu'une solution : me heurter à la réalité. Voir si je suis dedans ou dehors. Je n'hésite pas une seconde. Je prends mon élan et balance mon pied droit, sans chaussette ni pantoufle, mon pied nu et chaud contre l'angle de la table en marbre du téléphone. Sans lésiner sur l'impact.

C'est immédiat. Une décharge électrique me fend le corps en deux. Une gégène époustouflante. Je pousse un hurlement et lâche le combiné. Me cramponne à mon cœur de peur qu'il ne me lâche. Court-circuité. Il bat partout, mon cœur, après. Dans l'oreille, dans la jambe, dans les côtes, dans l'orteil. Il sait plus où il en est. Ma jambe droite bouillonne et menace d'exploser. La peau du petit doigt de pied se fend, éclate, et le sang coule sur la moquette blanche. Je constate tout ça et je me dis, folle de joie, ivre de bonheur, que je ne rêve pas. JE NE RÊVE PAS. Il m'invite à dîner. CE SOIR! LUI ET MOI! CE SOIR! Il m'a vue, alors! Il m'a vue! Ce n'est pas anodin d'appeler comme ça. A huit heures du matin. Ce n'est pas anodin. Ça cache quelque chose. Il avait peur de me louper s'il appelait plus tard. C'est vrai, quoi. Et puis, si ça se trouve, il m'aime...

Il m'aime...

Je berce mon pied ensanglanté contre moi, me prosterne, remercie Dieu de tant de bonté. Merci, mon Dieu, merci, Vous que j'insulte à longueur de journée, que je prends à partie pour un oui, pour un non, que je charge de tous les péchés du monde, que j'accuse au moindre pépin, Vous n'êtes vraiment pas rancunier. Vraiment un type formidable... Comme on en rencontre peu!

— Hey? What's happening there?

C'est la voix d'Allan qui sort du combiné projeté à terre.

— Je viens de me cogner le pied sur la table en marbre de Bonnie... j'hulule, le souffle coupé, la bouche arrondie.

— What... What... croasse la voix sur la moquette.

Je répète en ajustant le combiné contre l'oreille.

— Va vite te mettre le pied dans de la glace sinon tu pourras plus enfiler une chaussure pendant quinze jours! Et laisse tremper une bonne demi-heure! Et mets une bande bien serrée après...

Il s'occupe de moi! Soigne mon pied par correspondance! Berce mon cœur affolé! Enfile le bonnet de brancardier! Je redeviens toute petite et remets mon sort entre ses mains. Ferme les yeux et savoure. Encore des ordres... Encore... J'ai envie de lui obéir. De lui appartenir. De devenir porte-clefs et me suspendre à sa ceinture.

— Allan... je lâche dans un souffle.
— Oui.
— Allan...
— Oui ?
Mais je me ravise. Trop d'empressement pourrait lui paraître suspect.
— C'est OK pour ce soir.
— T'es sûre que ça ira ?
J'expire oui, oui. Je ne peux pas en dire davantage. Je palpite de douleur et de bonheur, affalée sur la moquette.
C'est après que je constate la catastrophe.
Je viens de raccrocher d'une main, je tiens mon pied ensanglanté de l'autre, respire en dilatant les bronches pour atténuer la douleur quand j'aperçois la tache. L'énorme tache de sang rouge, épaisse, avec, en surface, des petites bulles marron qui coagulent, enserrant chaque fil de la moquette blanche. L'imprégnant. Pénétrant la fibre, la soulevant délicatement, déposant son petit lot de caillots rubis sombre bien au fond. Puis passant à la suivante. Avec chaque fois des petites bulles allègres qui viennent crever à la surface, mission accomplie.
Bonnie ! Bonnie Mailer !
Je suis virée. Obligée de m'installer au YWCA de Lexington et 51. Avec la Bible dans le tiroir de la table de nuit et le tête-à-tête avec Job. Les douches collectives, les pieds glissant sur les cafards et les bouts de savon gluants dans le bac grisâtre. Les toilettes avec papier qui gratte. Le refuge de tous les paumés du monde qui veulent se donner la main. Je connais. J'y ai habité deux semaines quand j'étais en panne de logement. Là-dessus, j'entends Bonnie Mailer bouger dans sa chambre. J'attrape un *New York Post*. M'enveloppe le pied. Enfile une chaussette. Puis une autre. Emmaillote l'autre pied pour faire comme si de rien n'était. Et mon cerveau turbote. D'abord,

planquer la souillure. Puis la détacher patiemment. Dès que Bonnie aura tourné les talons. Sinon je suis bonne pour lui payer un nouveau lé de moquette. Déjà, lors de mon dernier séjour, j'avais cassé l'oreille de sa statuette maya en entrebâillant l'espagnolette. Il m'avait fallu dévaler tout en bas de la ville, le maya sous le bras et l'oreille dans un sac en plastique. Trois cents dollars la greffe ! Et le petit vieux qui devait opérer rechignait, en plus ! Du boulot de chirurgien plastique ! Qui rimait à rien ! affirmait-il. Reviendrait plus cher que la statuette ! Et pourquoi j'en achetais pas une autre à ma copine ? Elle n'y verrait que du feu. On en trouve à la pelle, des statuettes mayas, sur Canal Street. Je peux pas, je lui répondais, c'est sentimental. Elle l'a rapporté de Palenque, son maya aux larges oreilles ! Lors de son voyage de noces. Après avoir gravi main dans la main avec Ronald la grande pyramide, vous savez, celle jonchée de boîtes de Coca et de Kleenex. Elle le reniflera si je lui rapporte un maya qui sent le neuf. Non, je vous assure, je suis acculée. Ah ben dis donc, il avait conclu, écœuré, ça vous coûte cher les sentiments, à vous ! Je saisis un livre d'art bien épais et le pose sur la tache de sang. Me relève en boitant, claudique jusqu'à la cuisine pour préparer le petit déjeuner de Bonnie. Un café sans sucre, un toast beurré extra-mince, et je pousse la porte de sa chambre avec mon plateau.

Cette nuit, elle est rentrée avec Martin. J'ai fait celle qui dormait pour ne pas les gêner. Quand j'entre dans sa chambre, Martin n'est plus là. Ils se quittent toujours après avoir fait l'amour. Pour être en forme au bureau le lendemain. Bonnie sourit en grimaçant, aperçoit le plateau, demande l'heure. Je tire les rideaux et viens m'asseoir sur le lit. Je n'ai même pas le temps d'ouvrir la bouche qu'elle attaque le récit de la soirée de la veille. Une grande réussite pour les boulettes Kriskies. Ils étaient tous là. Tout ce que

New York compte de politiciens médiatisés et d'exilés décoratifs, de poètes et poétesses, de stars et starlettes, banquiers et banquettes, rombières et rouflaquettes. Un succès sur toute la ligne. Le président des boulettes lui-même l'a félicitée à la fin de la soirée. Elle était assise à la même table que Brooke Shields. Elle se demande si elle ne devrait pas éclaircir ses cheveux de légers fils blonds. Comme Brooke.

— Tu ne trouves pas, hein ? Qu'est-ce que t'en dis ? Qu'est-ce que tu ferais, toi ? Peut-être que je devrais les éclaircir un peu... T'en penses quoi ?

Elle appelle son coiffeur sans attendre ma réponse. Je sens que ça l'irrite que je n'aie pas d'opinion. Elle a dû y réfléchir toute la nuit. Tout le temps où Martin l'aplatissait, elle turlupinait ça dans sa jolie petite tête soigneusement mise de côté. « Est-ce que je les éclaircis, mes cheveux, ou pas ? » Alors je donne mon avis : moi, je la trouve très bien comme ça. Après, elle ressemblera à toutes les blondes qu'on croise dans la rue.

Mais ce n'est pas du tout ce qu'elle voulait entendre. Elle me fusille du regard. Et je lis dans le canon braqué sur moi que je ne remplis pas mon rôle de parente pauvre qui se doit d'applaudir à toutes les initiatives de la main qui la nourrit. De quel droit est-ce que je donne un avis contraire, moi qui suis logée, chauffée, blanchie à ses frais ? Hein ? J'ai oublié les règles du jeu. Je suis là pour la rassurer. L'encourager dans sa lutte contre les ravages de l'âge. C'est une jeune tenace, Bonnie Mailer.

Je me tripote le pied, embêtée, et réprime un hurlement de douleur.

— Allô, Pierre... couine-t-elle.

Pierre, c'est son coiffeur. Elle lui rend visite tous les deux jours et emprunte pour lui parler une voix de petite fille soumise.

— Hier soir, j'ai dîné avec Brooke Shields et... oui, tu vois sa couleur ? et je me demandais... oui, c'est ça. Tu crois vraiment ? Ça m'irait, tu crois ? T'en es sûr ? Oh ! Pierre, ça va être formidable !

Elle étreint le téléphone, les cils embués. Et j'éprouve soudain une convulsion de sympathie pour Bonnie qui trime si dur pour rester belle. C'est du boulot après tout ! Un sacré boulot ! S'agit pas de relâcher la surveillance une seconde ni de céder à la tentation de se faire plaisir. D'avaler net une tablette de chocolat ou un pot de crème fraîche. Parce que le plaisir, on s'y fait vite, et il en faut de plus en plus, de carrés ou de petits pots, pour être rassasié. Vaut mieux y renoncer une bonne fois pour toutes. Avaler sans moufter les yaourts allégés, les Coca à la saccharine, les branches de céleri et les bâtonnets de carottes. Apprendre aussi à sourire les yeux grands ouverts. Pour éviter les petites rides. Une surveillance constante. Un boulot à temps complet. Et puis, le plus dur, ne jamais relâcher l'attention ! Un moment de laisser-aller, de plaisir, et l'âge vous saisit à la gorge ! Ce que je ne comprends pas bien chez Bonnie Mailer, c'est pourquoi elle se donne tout ce mal. C'est pas pour les hommes, ça c'est sûr. Pour faire rager ses copines ? Pour elle ? Peut-être pour les deux après tout...

— Qui appelait ce matin, si tôt ? elle demande après avoir noté sur son calepin le rendez-vous avec Pierre.

— Euh... C'était Allan. Je dîne avec lui ce soir.

Je fais des pointes dans mes chaussettes, ravie de la surprise que je lui balance de si bonne heure.

— Ah, tu vois... Quand tu m'écoutes... Ça va te faire le plus grand bien...

Elle se rengorge. Elle biche. Elle a raison. Et puis surtout, elle m'aime de lui donner raison. Elle me couve d'un regard maternel et tendre. Et je suis saisie d'une reconnaissance

82

doucereuse pour Bonnie la pourvoyeuse. Faux-cul et dévouée envers celle qui sert si bien mes intérêts. Prête à lui apporter une autre tasse de café, à aller chercher le journal sur le paillasson, à le lui déplier. A lui faire couler son bain. A lui affûter le rasoir quotidien pour poils superflus, à déployer son peignoir. A vanter la fermeté de son ventre, de ses seins, de ses cuisses...

— Alors il a appelé. C'est bien. D'ailleurs Allan est quelqu'un de très bien...

Je fais écho. Rejoins le chœur des femelles estourbies par la grâce, la beauté, la mâle assurance de cet homme. La classe aussi ! Parce que, des beaux, y en a à la pelle ici. Surtout ceux importés de la côte Ouest. Y en a à la pelle mais mieux vaut éviter l'œil parce qu'alors là on frise le veau. Le niveau zéro de la beauté où l'âme s'est tirée depuis longtemps, dégoûtée par les conversations. Pas un pouce de place dans tous ces muscles pour y loger une idée. Notez que, faut être honnête, réussir à être beau dans la tête et dans la peau, c'est vertigineux comme efforts. Allan, je ne sais pas pourquoi, une petite voix me souffle qu'il a bon partout.

— On a parlé de toi, hier soir pendant le dîner...

Elle dit, en déchiquetant délicatement le bord dentelé de son toast extra-léger et en savourant une gorgée de café.

— Je lui ai demandé de te sortir un peu. Pour que t'arrêtes de te morfondre...

Quoi !

Il m'invite à dîner parce que Bonnie Mailer le lui a demandé ! Il s'immole en boy-scout toujours prêt et inscrit sa BA sur son carnet à bons prédécoupés pour le paradis ! Et moi qui entamais la gigue de la sylphide à l'idée de l'avoir enjôlé ! Qui immolais mon pied en sacrifice ! Offrais ma douleur à l'Escroc ! Me pliais devant Sa trop grande bonté et Son fair-play !

Sois gentil, qu'elle a dû lui souffler entre un sourire sans plis aux poètes échappés des geôles totalitaires et un coup d'œil sur le Régé Color de Brooke Shields, elle va pas bien. Sors-la un soir. Ça la distraira. Et puis qu'est-ce que ça te coûte, hein ? Tu feras d'une pierre deux coups. Une bonne action et un cours de français. Je suis sûre que tu l'as oublié, ton français. Ha! ha! ha! T'es fantastique, Bonnie! a répondu le boy-scout toujours prêt, aux dents blanches, aux muscles bandés, aux larges épaules prêtes à protéger l'humanité souffrante et rachitique. Jamais vu quelqu'un qui a l'esprit aussi pratique. Tu sais que tu es gentille en plus! Si, si, je t'assure. Tu es carrément gentille. Généreuse, même. Sensible à la souffrance de ta pauvre copine. Et elle de protester, ravie qu'on lui accorde un début d'âme. D'en rajouter dans le détail horrible pour montrer qu'elle compatit, de lui refiler un bout d'agonie de mon papa à l'hôpital Ambroise-Paré. Dix centimètres de tube dans le nez, un râle émis par le poumon gauche. C'est horrible, tu sais, le cancer du poumon. On ne meurt pas, on étouffe. On suffoque. On recrache sa vie petit à petit. Il a dû souffrir terriblement. Et elle à son chevet forcément... Vraiment pas mal ces mèches blondes. Vraiment pas mal. Demain, j'appelle Pierre. Et puis elle ne voit personne ici. Personne. D'accord. Je l'invite, il a rétorqué pour couper court à l'hôpital et au goutte-à-goutte. Quoique le français, entre nous, on se demande à quoi ça peut encore servir. T'as pas une Japonaise en pension ? Ha! ha! ha!
Il me fait la charité. Il s'offre à trimbaler une estropiée du cœur et du pied pour les beaux yeux de Mme Kriskies. En souvenir de Ray's Pizza et de Columbia University. Je sens mon sang battre à toute vitesse dans mon orteil et contemple ma chaussette. Je fais la grimace et m'apitoie sur moi-même à m'en rendre malade. Si Bonnie ne trônait pas devant moi,

dans son lit, je me jetterais au fond des coussins et pleurerais à m'en vider l'âme. Ça coulerait de partout et je rendrais le monde entier responsable. Remonterais jusqu'au plus haut de la hiérarchie, réclamerais, parce que c'est pas normal que je n'aie que du malheur.

Ça doit être une leçon de Papa, là-haut. Ou de Dieu. Ils sont de mèche tous les deux. Ça m'apprendra à faire relâche de deuil aussi vite. Une petite entourloupe pour m'encourager à poursuivre sur la seule voie digne de moi ; celle de la douleur et de l'effort. Parce que sans effort on n'arrive à rien. Et, moi, j'ai cru une seconde que, pfft! ça y était. Ni vu ni connu. Je me débarrassais de mes oripeaux noirs et plongeais dans le carnet rose. Bien trop facile, ma vieille. Si le monde tournait comme ça, où irait-on? Hein? Comment on les tiendrait, les hommes, après? Ils réclameraient tout. Un petit carré de douceur, un autre et encore un autre, et ils empochent la tablette comme un droit acquis. Non! Non! C'est pas comme ça que ça marche... Faut souffrir. Enfin, tu le sais bien.

Ils me sermonnent tous les deux en se poussant du coude sous la large toge blanche. Mais tu ne peux pas t'empêcher d'y croire, il ajoute, mon papa qui fait du zèle pour se faire bien voir. C'est ça ton problème. Et j'avais beau te décourager, tu t'entêtais. Tu t'entêtais à espérer. A espérer que j'allais revenir et rester. Pour toujours... Tu veux que je te dise ? Tu vaux pas mieux que ce naïf de Job finalement. Vous êtes à ranger dans le même casier tous les deux. On vous entourloupe ni vu ni connu. Victimes consentantes à condition qu'on ne vous empêche pas de croire. A l'Amour... Tu te racontes des histoires, ma fille. Tu t'es toujours raconté des histoires.

Toujours...

Les troncs des arbres glissent le long de la voiture et bruissent comme un jupon de soie troussé. Les bornes kilométriques défilent et la petite fille les compte en criant.

— 24, 25, 26, continue, tu vas battre ton record !

Elle et l'homme. Lancés dans une course folle. Sur la route nationale 7 que la Panhard avale. Un même profil, une même bouche ouverte qui crie à l'approche des bornes. L'homme a les mains crispées sur le volant. Elle a les siennes écrasées sur son siège. Un seul regard. Une seule jubilation. Plus vite ! Plus vite ! Les mêmes pommettes brillantes et la même rigole de sueur qui coule sous le bras. De temps en temps, un regard à la dérobée. Comme pour vérifier qu'ils sont bien à l'unisson. Même s'ils le savent depuis longtemps. Ils s'épient dans les glaces, les vitrines, les flaques d'eau. Ils ne s'en cachent pas. Ils guettent le reflet de l'autre, le reflet jumeau qui rassure, puis relèvent la tête et crient qu'ils sont pareils. Pareils. Pareils.

Ma fille !

Mon papa !

L'homme et la petite fille.

Ils se récitent leurs incantations.

— Je t'aime, ma reine, je t'aime, tu es ma vie, mon souffle, mon sang, petit ventre rond.

— Je voudrais que la route ne s'arrête jamais.

87

— Jamais rien ne nous séparera. Ni un homme ni une femme ni un train ni un océan. Jamais rien.

Les arbres et les bornes s'effacent et ils montent ensemble dans le ciel.

Rien que tous les deux.

Elle ne sait pas où ils vont.

Il met le doigt sur sa bouche. Surprise. Surprise.

Tous les deux sur la route blanche.

Tous les deux tout à l'heure à la station-service. Elle grattant sur le pare-brise les mouchechics écrasées, lui accroupi devant les pneus, chantonnant : « La vie, la vie, c'est fantaschic. » Tu veux des bonbons, ma fille, tu veux des bonbons ? Tiens, je t'offre toute la boutiche. A la menthe. A la régliche. Au tutti-fruttiche.

— Et qu'est-ce que tu veux encore, ma fille, mon amour, ma beauté ?

— Je veux que tu me fasses Oncle Picsou qui compte ses sous.

— Oncle Picsou qui compte ses sous ? Un jeu d'enfant, ma fille, ma beauté, mon amour. Un jeu d'enfant.

Il fait claquer ses souliers, casse ses coudes, casse ses genoux et se dandine. En caquetant. En balançant son derrière.

La station-service brille. La voiture brille. Le pompiste applaudit et leur fait un signe avec son chiffon quand ils démarrent et elle lui répond, joyeuse.

Propriétaire.

De la Panhard, de la nationale, des platanes, de l'homme, du monde entier. Elle ouvre tout grands les bras et pousse des cris de joie.

En avant ! En avant ! Encore ! Plus vite !

Les arbres se plient. Les bornes se courbent. Pas n'importe quels arbres. Pas n'importe quelles bornes. Petits cailloux blancs qu'elle sème dans sa mémoire.

— Le jour où je mourrai, je veux que tu meures avec moi, il dit en appuyant très fort sur le volant. Juré ?

Elle tend la main. Elle jure.

Il dit :

— Attends, attends.

Il ralentit, ouvre la portière et crache. Bien fort. Bien loin. Elle n'a plus peur de rien. Plus vite ! Plus vite !

— C'est quoi mourir ? elle demande.

Il ne sait pas. Il lui racontera quand ça lui arrivera. Il double les voitures. Il klaxonne et elle applaudit. Elle se retourne pour voir la trace des escargots derrière. Puis se colle contre lui et l'embrasse fort, fort. L'élastique de sa culotte la serre à la taille. Faudrait qu'elle s'écarte pour le détendre un peu mais elle n'ose pas. Elle se gratte vite d'une main et revient se coller contre lui.

— Quand on arrivera je leur dirai à tous quelle équipe formidable on fait tous les deux !

— Quand on arrivera où ? elle demande en baissant la tête.

— Tu verras... Une grande maison pleine de gens. Tu vas bien t'amuser. Il faudra être gentille.

— Ah !...

Elle ne sera plus seule avec lui. On va le lui prendre.

Le jour devient gris et les arbres noirs. Elle oublie une borne puis deux. La fatigue lui pique les yeux. Mais elle reste tendue à côté de lui. Elle s'accroche à son coude. Pose la tête sur son bras. Respire l'odeur de sa veste. Elle veut qu'il batte son record. Qu'il soit le plus rapide du monde. Qu'il les écrase tous au concours de vitesse. Elle invente des bornes. Il appuie sur l'accélérateur. Les arbres font comme un rideau le long de la voiture. Elle ferme les yeux.

Plus vite, plus vite.

Soudain il ralentit. Il dégage son bras. Il se rajuste et tourne le rétroviseur vers lui. Passe sa main dans ses cheveux. Ses doigts resserrent la cravate.

— Dix nuits sans regretter l'œil niais des falots...

Elle murmure les mots tout bas. Pour conjurer la peur qui l'envahit. Toujours la même peur. Qui la saisit et la pince. La vide de son sang, de sa joie, lui retire son sceptre de reine du monde. La laisse sur le carreau, ratatinée, inutile. Toute petite. Elle n'est pas de taille à lutter. Elle le sait. Elle répète les mots, les mots magiques.

— L'œil niais des falots... La chair des pommes sures...

Mais il n'écoute pas. Il prend une petite route. Une autre petite route. La campagne et les ombres remplacent les arbres et les néons des stations-service.

L'homme s'arrête. Se penche sur une carte qu'il déplie.

Il allume son briquet et elle souffle sur la flamme.

Pour jouer.

Pour qu'il rie avec elle et chasse la peur.

— Arrête. Ce n'est pas drôle. On est suffisamment en retard comme ça.

Éjectée en une phrase.

Étrangère.

Son cœur s'emballe : le danger est tout près. La peur la plaque sur le siège, lui cloue les mains et les jambes. La peur qui rend la bouche sèche et muette, qui creuse dans le ventre, qui coupe les jambes. La tête lui tourne. Elle ne sait plus où elle est. Elle regarde l'homme pour s'accrocher à lui. Pour qu'il la rassure. Qu'il voie qu'elle l'aime tant. Mais il ne la voit plus.

Il gare la voiture devant un portail de maison. Sort. Appuie sur le klaxon. Une dame vient ouvrir. Elle aperçoit ses pieds dans le rayon des phares. Des ongles rouges dans des sandales noires, très hautes. Des pieds qui se soulèvent pour être à la hauteur de l'homme. Qui redescendent et se soulèvent encore. Qui tournent sur eux-mêmes. Se replient sous la robe. Une robe noire fendue jusqu'à la cuisse. Avec les mains de l'homme qui la chiffonnent. Elle met les phares en plein et la femme apparaît tout entière. Elle peut la voir, maintenant. Le coude levé pour protéger les yeux. Le cou tendu pour apercevoir qui est dans la voiture. La bouche rouge et ronde.

Et l'homme qui les présente. L'une à l'autre. Fier. Propriétaire.

Ma fille...

Elle, assise bien droite, prête à recevoir le coup.

Les mains moites qui glissent sur le siège et le dos qui se courbe. La nuque docile. Gentille. Bien gentille.

Prête à entendre le nom de l'autre.

Elle a froid. Le portail est laid. Écaillé. Rouillé. Une rose pend, brisée. Elle a envie de pleurer. Ce n'est pas son rôle de pleurer. Il se mettrait en colère. Il s'éloignerait. Son rôle à elle, c'est de lui permettre de rejoindre les talons noirs en toute impunité.

Les talons noirs de Mme Lériney.

Alors, forcément, elle s'annonçait mal cette soirée avec Allan. D'abord y avait mon pied. Qui me lancinait tout embobiné dans une grosse chaussette blanche. Me faisait la démarche pataude. M'interdisait non seulement l'escarpin gracieux ou le mocassin étroit, mais la tennis mince ou la botte en pointe. Il ne me restait plus que la savate. L'épaisse savate avachie, pas vraiment sexy, celle que je trimbale en cas d'intempéries et dont je bourre les contreforts de bas de laine chauds et épais. Sans parler des mains ! Une catastrophe ! Rouges, râpées, les doigts pelucheux, striés de mille petites crevasses roses, les ongles anémiques et creux. Bonnie avait à peine terminé son bain chaud et sa pomponnette devant la coiffeuse que je filais au drugstore du coin acquérir le détachant miracle qui fait du blanc avec du sang. Quinze dollars quatre-vingt-quinze cents le flacon. Moins cher que l'oreille du maya mais tout de même pas donné pour du liquide ammoniaqué. Armée de la fiole précieuse et d'un chiffon blanc, j'ai failli m'asphyxier en détachant. Le liquide immonde attaquait mes doigts, me rongeait la peau, m'emplissait les narines, me poussant au bord de l'écœurement, de la nausée, du vertige, avec perte de gravitation et canapés qui tournent. Mais bon, ça marchait. Et ça marchait même si bien qu'apparut en place du sang une tache encore plus blanche que le reste. Il fallut que je réfléchisse un bon moment pour savoir comment j'allais l'égaliser. La salir judicieusement pour que ça fasse blanc un peu sale et pas blanc éclatant. Un casse-tête de ménagère experte. Je tripotais un chiffon, me grattais la peau jusqu'au sang, épluchais la cuticule des ongles quand j'eus une idée de génie. J'ai maquillé la carpette. Avec un peu de fond de teint. Parce que, dans les moquettes, les crèmes, ça pénètre! Ça m'a bien fait marrer, cette histoire. J'étais là assise, ivre de vapeurs suspectes, à rigoler autour de la tache qui peu à peu s'ivoirisait, se fondait avec le reste. J'en ai presque oublié l'heure et le rendez-vous avec Allan. Pour tout dire, j'étais un peu pompette.

C'est la clef dans la porte qui m'a rappelée à l'ordre. Bonnie rentrait. Gaie comme une pinsonnette. Finissant une phrase en direction de Walter, m'adressant un large sourire qui se figea aussitôt en moue réprobatrice quand elle aperçut mon caleçon et mes chaussettes.

— T'es pas prête? Il est sept heures et demie. Allan sera là dans une demi-heure et t'es pas prête...

Je file à la salle de bains. Mais elle ne me lâche pas et me rejoint. S'assied sur la cuvette des WC et enchaîne :

— Comment tu t'habilles ce soir ?

J'en ai pas la moindre idée.

— Tu veux que je te prête quelque chose ?

A travers le rideau de la douche, je bougonne pour la tenir à distance et me mets à gamberger. J'ai un problème avec les fringues. Les fringues de femme. Ce sont mes ennemies personnelles. Elles passent leur temps à me poser des pièges. Défroques étincelantes qui s'éteignent sur moi comme des étoiles filantes. Je les convoite dans les vitrines, les pages des magazines. Elles me font de l'œil. M'appâtent. Je les achète, subjuguée. Les dispose tels des monarques dans mes penderies, les reluque, les imagine descendant des escaliers, se posant sur des canapés, s'alanguissant dans des bras inconnus... sans moi.

Mort-nées dans mes placards.

J'arrive pas à me faufiler dans des tailleurs pincés, des robes échancrées, des jupes fendues. La vraie élégance, à ce qu'il paraît, c'est de dominer ses atours. De les regarder de haut. De les traiter en subalternes gracieux mais congédiables sur-le-champ. Moi, c'est le contraire, ce sont eux qui me toisent, qui me congédient, qui pouffent derrière mon dos. Toute nue, oui. En jean, oui, oui. Hissée sur des talons, pas question. Je ne peux pas.

Un fantôme qui sort des placards et m'interdis de me transformer en femme.

Pourtant j'essaie. J'en achète, des tenues de rêve ! J'arrête pas, même. Le nez collé dans mes penderies, je les caresse. Les apprivoise. Les défais tout doucement de leurs cintres. Les étale sur le lit. Les flatte. Et là ça commence... Elles me regardent. Je vous jure. Elles me houspillent, me disent : « Mais tu vas être ridicule ! Tu t'es regardée dans une glace ! Tu ne seras jamais à la hauteur ! »

A la hauteur de quoi ?

A la hauteur de qui ?

Hein ? je vous le demande un peu.

Quelquefois, je leur résiste. Je les force à se poser sur moi et à y passer toute la soirée. Je me bouche les oreilles. Me colle les coudes au corps pour qu'elles ne se tirent pas. Cramponnée à ma décision d'être femme.

Mais souvent, je renonce.

Enfile un jean, un tee-shirt et leur fais un pied de nez.

De toute façon, ce soir, je n'ai pas le choix, avec mes savates. C'est le caleçon et rien d'autre. Et puis, je ne vais pas me mettre en frais pour une soirée placée sous le signe de la charité.

— Alors ? pianote Bonnie agacée par mon mutisme.
— Sais pas. Je réfléchis. C'est pas évident avec mon pied...
J'ai loupé un trottoir et voilà le résultat !
J'exhibe mon orteil pour qu'elle comprenne. Qu'elle ait tous
les éléments en main et fonce tout droit à la même conclusion
que moi. Elle considère mon petit doigt de pied, dégoûtée, et
conclut comme une grande qu'en effet c'est pas évident. A
partir de là, je ne l'intéresse plus. Elle se retire de la cuvette
et me laisse tranquille.
Et quand Allan sonne, c'est en talons plats, caleçon gris, long
cardigan gris et pardessus d'homme que je m'apprête à
l'accueillir. Pas de cul, pas de seins, pas de cambrure
provocante. Planquée. Tranquille. Presque souriante.
Mon âme est là. Mais dans quel état ! Elle ne s'est pas cassée
puisque cette soirée compte pour du beurre, mais elle n'en
mène pas large. Elle ballonne, elle s'affole, menaçant à
chaque instant de disparaître en emportant mes derniers
effets. Je tente de la calmer, compte intérieurement 24, 25,
26, 27... et baisse les yeux sur mes ongles ravagés, mon pied
estropié et ma tenue pas vraiment à la hauteur.
Lui, il m'a à peine vue entrer dans le salon. Il s'est assis avec
Bonnie dans un grand canapé blanc, un verre à la main. J'ai
tout de suite envie de fermer les yeux et de me jeter contre
lui. De m'accrocher à sa ceinture et de lui demander :
« Alors, on va où ? » Je me retiens. Cours jusqu'à l'autre
canapé blanc et croise les jambes. Les bloque même. Pour
qu'elles arrêtent de me jouer des tours. Bonnie frappe un
bouton sur sa chaîne compacte. Comme ça. En passant. Un
peu de musique pour teinter l'atmosphère.
Et moi, je le regarde, mine de rien.
Il parle. Derrière son verre. Derrière son sourire. Ses
cheveux noirs épais brillent, ses longs doigts serrent le verre,
ses longues jambes... Je les désire, ses jambes. Contre moi. Je

les imagine toutes nues emmêlées aux miennes. Je les renifle, les lâche plus. Remonte jusqu'au torse, enfonce mon nez dedans, guigne la bouche, la langue...

Il ne fait pas attention à moi et ça m'arrange bien. Laisse-moi. Donne-moi le temps. Le temps de me remplir les yeux. De rêver que je suis contre toi et que je me perds dans ta bouche.

Je les regarde de loin. Bonnie et Allan. Je les entends à peine. Je m'en fiche, je me dis, c'est le meilleur moment de la soirée. Parce que, après, il va falloir faire semblant. Donner la réplique. Et je ne pourrai plus rêver.

Il m'a parlé finalement. Il a tourné la tête vers moi et j'ai senti son odeur. Une odeur de peau bien propre mélangée à une eau de toilette fraîche et légère qui dansait sous mon nez. Du citron, du santal et de la lavande peut-être. J'étais si étourdie que j'ai décidé de ne plus respirer et j'ai demandé un verre de scotch. Pour y plonger le nez. Heureusement que Bonnie faisait la conversation. Riait à gorge déployée. Je ne comprenais pas pourquoi elle riait si fort. A tout propos. Comme une ponctuation obligée. Qui prouve que tout va très bien et qu'elle est en bonne santé. Heureuse de vivre. Elle riait. Ha ! ha ! ha ! Et je riais aussi. Ha ! ha ! ha ! Moins bien qu'elle. Avec un temps de retard. Je l'entendais, mon rire. J'étais gênée tellement il sonnait bête. Il me semblait venir d'une autre. D'une autre que je déteste, toujours la même, celle qui s'entretient avec Bonnie Mailer. Comme si, avec Bonnie, je ne pouvais être que celle-là : celle qui rit bêtement et qui débite des sornettes. J'ai arrêté de rire et j'ai fixé mes pieds. Quel rapport existait-il entre la sotte qui rit bêtement et l'autre, la vraie ? Quand est-ce que j'arriverais à être moi-même pour de bon ? Inutile d'essayer avec Bonnie Mailer, je me suis dit. Elle n'y comprendrait rien.

Je me suis sentie encore plus malheureuse.

A un moment, Bonnie a regardé l'heure et nous a dit de filer. J'ai failli lui demander de venir avec nous. Puisque cette soirée comptait pour du beurre. Et puis je me suis dit qu'elle serait furieuse. C'était pas ce qu'elle avait prévu. Elle nous a poussés vers la porte et nous a souhaité une bonne soirée. Le téléphone a sonné. Elle a abrégé les adieux.

— Ciao ! Ciao ! elle a crié en refermant la porte.

Walter n'a rien dit. Mais il m'a regardée passer avec satisfaction et fierté. Il a levé le pouce dans le dos d'Allan pour me féliciter d'une si belle escorte. Je me suis demandé si Walter aussi faisait partie du complot. Si je lui inspirais de la pitié. A ce moment-là, mon regard est tombé sur ma savate hideuse et je me suis trouvée carrément minable. Ça m'a rendue furieuse et j'ai détesté le monde entier. C'est toujours pareil : je veux bien souffrir, mais dans le plus strict incognito. Je ne supporte pas la pitié malveillante et douce-reuse. J'ai eu envie de tourner les talons, de boucler mes sacs et d'aller prendre une chambre au YWCA avec Job dans le tiroir. Mais, à ce moment précis, Allan m'a demandé si ça m'ennuyait de marcher. Il aime bien déambuler la nuit dans les rues. J'ai mis ma colère de côté et j'ai dit non.

C'est vrai, c'est ce que je préfère à New York : marcher la nuit. Quand les jarrets tendus dans les Nike se reposent et que les banquiers ont débranché leur ordinateur. Errent dans les rues les laissés-pour-compte, les broyés par la machine, les vagabonds ou les dingues en liberté qui poursuivent dans des flaques sales et luisantes leur monologue halluciné. Seules les sirènes des ambulances ne se donnent pas de répit et hurlent, affairées, dans tous les sens. C'est l'heure où s'animent les caniveaux, où les Macadam Cow-boy boivent des bières en évoquant le bon vieux temps. Le temps où ils croyaient encore y arriver. Où ils étaient encore assez nigauds pour gober le rêve américain.

— T'as déjà été à Moscou ? je demande à Allan.

Il dit que non.

— A Moscou aussi, il y a des gratte-ciel. Les mêmes qu'ici. Enfin, je veux dire, que les vieux ici...

— Ils ont dû être construits à la même époque alors.

— Ouais, sûrement.

— Pas par les mêmes gens...

Il ajoute, pour bien marquer la différence entre son pays et l'autre. Entre le monde libre et le goulag.

— Sauf que quelquefois je me demande si c'est pas justement les mêmes gens...

Je dis bien fort pour qu'il entende.

C'est plus fort que moi. Je sens bien alors qu'il recule. Qu'il se contracte. Il ralentit et me regarde. Et, moi, j'enchaîne sans perdre une minute.

— Ben oui... Là-bas, c'est le communisme qui rend les gens misérables, ici, c'est le blé. Le blé qui commande tout. Tu gagnes du blé ou tu crèves. T'es au Parti et tu te la coules douce ou t'y es pas et tu trimes. Mais au bout du compte, hein ? C'est du pareil au même.

Je lui rends la monnaie de sa pièce. Je leur rends à tous la monnaie. Ils n'ont qu'à pas me faire l'aumône. Et alors, saisie d'une véritable frénésie, je continue, très fière :

— Il y a même des moments où je me dis que je vais finir communiste en vivant ici...

— Pourquoi ? il demande, estomaqué. Tu n'aimes pas l'Amérique ?

— Je ne l'aime plus. Je l'aimais beaucoup avant.

— Avant quoi ?

— Avant...

Quand Hollywood nous balançait son rêve et ses grands espaces, Jimmy Stewart et Frank Capra, des belles causes à défendre, des faibles à chérir, des étoiles à découvrir.

— Tu savais, j'enchaîne, que le fils Hemingway a vendu le nom de son père à une société qui fabrique des tenues de safari et des gros calibres ? Tu savais ça ?

— Non... Ça te choque ?

— Pas toi ?

— Alors pourquoi es-tu venue ici ?

— Parce qu'ici t'as pas le temps de penser et moi j'en avais marre de penser. On fait que ça en France : on pense et on en devient tout mou, tout bête. On tourne en rond et on se croit très intelligent en plus ! Tu veux que je te dise : on finit par prendre des vessies pour des lanternes tellement on se croit intelligent !

— Dis donc, qu'il reprend, ragaillardi, tu n'aimes rien, toi ? Tu critiques tout. Tu es bien française.

— Peut-être. Mais je me raconte pas d'histoires au moins. Ici, vous allez à toute allure, vous pétez d'énergie, mais vous en faites rien de bien, de votre énergie. Rien que des dollars. Et y en a marre du dollar ! C'est vrai quoi ! Vous pensez qu'à ça ! Vous vivez que pour ça !

Il accélère le pas, et j'ai du mal à le suivre. Je traîne la patte dans ma savate. Je trébuche même sur un trottoir pour essayer de rester à sa hauteur et bouscule mon orteil qui hurle de douleur. Je ralentis, le souffle coupé, et retiens mes larmes. Il n'a rien vu. Il avance. Il va tout droit au restaurant. Il s'appelle Chatfield's, le restaurant. Je le connais déjà. Les Nikées viennent s'y reposer quelques heures, après le boulot. Le temps de grignoter des olives vertes et des pickles. De boire une Margarita. De loucher sur le voisin pour voir s'il ne ferait pas l'affaire. Le temps d'une nuit. Pour se frotter un peu la peau avant de retomber dans la cadence du bureau. L'intérieur est rose bonbon ; le chef, français bien sûr ; la carte des vins, variée. Des boiseries raffinées, des gravures anglaises et des lumières tamisées. Le patron se limaçonne devant sa secrétaire, le jeune cadre devant sa chef de marketing qui, elle, se masse les mollets sous la table en se demandant si l'aventure en vaut la chandelle.

Au bar se regroupent les amazones. Aux aguets. Les yeux rétrécis sur l'entrée du couple que nous formons, Allan et moi. Prêtes à soupeser leurs chances contre les miennes, à harponner le mâle, à se le disputer sous mon nez. Je leur jette un regard qui se veut triomphant, mais bute, misérable, contre leurs hauts talons, leurs gorges enchâssées dans des toilettes qui pendent à mes cintres.

Je ne suis pas à la hauteur.

Allan parlemente avec la serveuse pour obtenir la table qu'il désire et non celle qu'on lui a réservée dans un coin près des cabinets. Normalement, on devrait attendre. Piétiner au bar avec tout le monde avant qu'on s'intéresse à nous. Mais devant la haute taille d'Allan, sa dégaine, son aplomb, la serveuse se laisse convaincre. Et nous en attribue une autre en minaudant.

On s'assied. On étudie le menu. Lui surtout. Il a l'air de vouloir vraiment se donner du mal pour que cette soirée soit une fête.

— Tu n'as rien contre la nourriture américaine ? il me demande en me dédiant un de ses sourires qui fait des vagues. Surtout qu'ici elle n'est pas vraiment américaine...

Ses longs doigts aux ongles transparents feuillettent la carte des vins et j'ai le cœur qui bat si fort que je n'ai même plus la force de choisir moi-même.

— Commande pour moi.

Il lève les yeux, étonné.

— Commande pour moi. J'ai pas envie de m'en occuper...

Je veux lui voler encore un peu de beauté. Pendant qu'il tient les yeux baissés sur la carte. Lui tirer le portrait. Pour plus tard.

— T'es une drôle de fille, tu sais.

Il me regarde comme s'il n'était pas en service commandé. Je ne veux pas savoir ce qu'il entend par drôle de fille. Je retiens ce qui m'arrange : je suis spéciale. Je croise les jambes sous la table et ramène mes savates. J'ai envie de tout lui dire alors. Parce que c'est important et qu'il ne s'en doute pas. Il croit que c'est une soirée comme les autres. Mais il ne sait pas. Je voudrais arrêter d'être en colère, tout le temps. C'est fatigant. Poser les armes et lui raconter. Que je sais que Bonnie a tout manigancé et que ça me rebute. Que, la première fois que je l'ai vu, j'ai voulu le revoir d'urgence. Que j'aime ses poignets, ses coudes, son sourire, et je m'en fiche pas mal que tout ça soit américain. Que si je vilipende l'Amérique d'aujourd'hui, c'est que je l'ai trop aimée avant. Que j'aime quand il me regarde avec des yeux qui écoutent. Qui me disent que je suis unique.

Unique.

Il me regarde avec ses yeux qui écoutent. Il attend que je parle. Et je vais lui dire. Mais un type s'installe au piano et me coupe la chique. Il attaque un de ces vieux classiques qui font fondre dans les chaumières, du genre « Quand je vois tes yeux, je n'ai plus besoin d'allumer la lumière », et Allan m'abandonne pour rejoindre la musique. Il ne hausse pas les épaules quand le type pianote la mélodie idiote, dégoise les mots idiots. Il prend un air de connaisseur et se dilate d'aise, se coule dans le fauteuil en peluche rose, caresse les accoudoirs et discute pinard avec le sommelier qui lui recommande une bonne bouteille. Je laisse tomber les confidences. Je me ressaisis. Je ne vais pas me jeter dans ses bras, quand même !

Un jour, l'homme vint dans sa chambre et lui dit qu'il partait.

Pour de bon.

Il ne pouvait plus vivre avec le regard noir.

C'était une histoire de grandes personnes.

Mais, elle, il l'aimait et l'aimerait toujours. Elle resterait la seule femme de sa vie. Il ne se remarierait jamais.

Jamais il n'aurait d'autre enfant.

Jamais d'autre petite fille.

Il l'avait prise dans ses bras et la tenait contre lui. Assis sur le dessus-de-lit écossais de sa chambre. La bouche contre sa joue, il disait que c'était comme ça, l'amour, on commence et on arrête un jour. Elle lui demanda si c'était toujours comme ça : on se lève et on part ?

Toujours ?

Toujours ?

Comme un film qui s'arrête et recommence, et si on reste plusieurs séances on peut avoir sans arrêt la fin et le début, la fin et le début et toujours la même histoire. Sauf que, les acteurs, ils ne savent pas qu'ils jouent toujours la même histoire et que, leur film, on l'a déjà vu cent fois. Eux, ils y croient et ils le jouent comme à la première séance.

Il rit et la serra encore plus fort contre lui.

Elle crut qu'elle avait gagné.

Il avait terminé son histoire avec le regard noir mais, elle, elle n'était pas concernée. Elle allait pouvoir rester avec lui à la séance suivante et à toutes les autres. Il n'y avait que le regard noir qui quittait la salle.

Elle courut jusqu'à la penderie et sortit la robe jaune et vert qu'il lui avait achetée l'autre jour aux Galeries Lafayette. C'était son coup favori quand il avait touché du pognon. Il l'emmenait aux Galeries ou au Printemps, il se mettait près d'une caisse avec son chéquier ouvert et il lui disait : « Vas-y, prends ce qui te plaît. Moi je paie. » Elle courait d'un rayon à l'autre et attrapait tout ce qui lui plaisait. En vrac. Un gros tas de robes roses, bleues, vertes avec des dessins multicolores, des raies violettes, des ronds tournesol, des carreaux chocolat. Du rouge sur du bleu, du bleu sur du vert, du vert sur de l'orange. Et des rubans assortis pour mettre dans les cheveux, des nœuds de velours, de satin, des barrettes dorées, argentées. Et les chaussures, dis, les chaussures ? Des rouges et des bleu roi, pourquoi pas ? Il disait oui, oui. Il disait encore, encore, tout ce que tu veux. Et il payait.

Il faisait semblant de fermer les yeux en signant le chèque tellement la somme était grosse, mais il payait. Il demandait : « Pourquoi tu ne gardes pas tout sur toi ? » Elle hochait la tête et reprenait ses robes. Filait dans la cabine enfiler la plus belle, renversait la tête, ébouriffait les cheveux, accrochait un nœud et ressortait en marchant comme une princesse. Il était accoudé à la caisse. Son regard la suivait. Un regard qui rayonnait de fierté. Il se penchait vers la vendeuse et il lui disait : « Vous avez vu ma fille ? C'est une fille formidable. Attendez qu'elle grandisse et vous verrez la fille formidable qu'elle sera. Rien ne lui résistera... » Elle faisait semblant de ne pas écouter mais elle n'entendait que ça. Elle avançait délicatement entre les robes et les rayons et elle se répétait : Je suis une fille formidable. Je suis une fille formidable et rien ne me résistera. Et puis elle inclinait légèrement la tête pour remercier la vendeuse et repartait suspendue au bras de son papa.

Elle enfila la robe jaune et vert, renversa la tête, se brossa les cheveux et lui tendit le bras. Pour être jolie pour partir. Tous les deux. Ensemble. Comme il ne bougeait pas, elle sauta d'un pied sur l'autre et fit tourner la robe au-dessus de ses cuisses, tourna, tourna, tourna dans la chambre, tourna à en avoir le vertige, à mélanger le vert et le jaune, les carreaux et les ronds, à voir le dessus-de-lit écossais partout en large bannière, en papier sur les murs, en peinture au plafond, tourna à en perdre l'équilibre et à tomber dans ses bras.

« T'as vu comme je tourne si je veux ? »

Elle se vantait.

Pour qu'il ne pense pas qu'elle sera un poids pour lui dans sa nouvelle vie. Sûrement pas. Elle se débrouillera toute seule.

Il la regardait sans parler. Immobile. Il ne souriait plus.

Il a peur que je sois un poids. Que je pleure, que je réclame. Que je sois triste et lourde.

Elle fit une pirouette, deux pirouettes, la grande roue, et retomba sur ses pieds. Puis elle imita le clown. La bouche en large grimace, le nez rond et rouge, les yeux écarquillés, les mains plantées sur les hanches, les pieds en éventail avec de grosses godasses jaunes et des lacets noirs.

Tu ne ris toujours pas, Jamie ?

Non, il ne riait pas.

Il restait là, immobile, à la regarder. Ou plutôt non : il avait bien les yeux grands ouverts, mais elle avait l'impression que son regard était transparent. Il lui passait à travers le corps mais ne la voyait pas.

Peut-être qu'il s'ennuyait ?

Elle joua l'Italienne. Les doigts en bouquets vert, blanc, rouge, les coudes en équerre. Récita les mots qu'il lui avait appris. Prego signor... ti voglio bene. Molto bene. Moltissimo.

Il ne bougeait toujours pas.

Elle commença à être inquiète. Quelque chose clochait. Parce que sinon ça fait longtemps qu'il aurait applaudi et serait entré dans son jeu. Aurait fait mine de l'enlever et salut, salut la compagnie on se tire tous les deux ! Salut le petit frère, salut le regard noir ! C'est pas nous, c'est l'amour qui veut ça. En route pour la prochaine séance. Et ils auraient pouffé de rire en sortant.

Elle n'avait plus assez de forces pour continuer à faire le clown alors elle cambra son dos et tendit ses fesses. Mit le doigt sur le menton et lui posa une question muette. Tu m'emmènes, hein ? Tu m'emmènes avec toi ?

Il fallait qu'elle soit sûre, elle ne pouvait plus attendre.

Tu m'emmènes, dis ?

Il se laissa tomber contre la robe jaune et vert. Colla son visage contre ses jambes. Il balbutiait des mots d'amour et elle lui tapotait les cheveux. Doucement, doucement. Il ne fallait pas qu'il pleure puisqu'ils allaient sortir tous les deux et monter dans la voiture, la Panhard garée au bas des marches qui l'attendait comme un carrosse.

Il secoua la tête.

Ce n'est pas possible.

Elle doit rester avec le regard noir. C'est la règle.

La règle.

Mais il viendra la voir, souvent, souvent. Il a droit à des visites.

Des visites.

Ses jambes tremblèrent. Elle ne bougea pas. Si elle se mettait à pleurer comme lui, c'est sûr qu'il partirait. Il ne le supporterait pas.

Quand ? Quand ? Quand par exemple la prochaine fois ? Quand la première visite ?

Bientôt.

Bientôt...

Il dénouait ses bras lentement, lentement. Elle le sentait qui se retirait doucement en glissant sur la moquette. En glissant les mains le long de la robe. En la tenant à bout de bras. En ne la tenant plus du tout. Il s'éloignait en lui faisant croire qu'il ne s'en allait pas tout à fait. Elle ouvrit la bouche et fit une grosse bulle avec les larmes qui roulaient dans le fond de sa gorge, mais elle se retint. Elle avait peut-être encore une chance qu'il revienne sur sa décision.

Si elle était charmante.

On ne sait jamais. Il se dirait qu'elle était si charmante, si compréhensive, si adorable qu'il ne pouvait, en aucun cas, la laisser là.

Elle se força à sourire.

Il parut soulagé.

Il lui dit qu'il était content qu'elle prenne les choses en grande personne. Content de voir qu'elle était raisonnable. Il lui avoua même en souriant qu'un moment il avait eu peur, peur que ça ne tourne au drame. Parce que les drames, il en avait eu sa ration. Il fit un signe comme quoi, en effet, il en avait par-dessus la tête. Mais, grâce à elle, il était rassuré. Elle était bien sa fille, son amour, sa princesse. Il se releva complètement, épousseta son pantalon, se passa la main dans les cheveux et lui déposa un gros baiser sur la joue. Un baiser de bonne compagnie, de copain joyeux. « Toi et moi on est de la même race, ma fille. »

Elle hocha la tête et le regarda partir.

Son regard fit le tour de la chambre écossaise. Puis vint se poser sur la robe jaune et vert. Elle eut envie de l'arracher de sa peau, de la déchirer. Elle ne servait à rien, cette robe, puisqu'elle n'avait pas suffi à retenir l'homme.

Elle la fit glisser par terre, l'envoya sous l'armoire d'un coup de pied et alla s'enrouler dans le dessus-de-lit écossais. Inerte. Même plus la force de crier. L'impression que plus rien n'était réel autour d'elle. Elle toucha l'oreiller, la couverture, le dessus-de-lit.

Tout était blanc. Les couleurs étaient parties. Les draps, blancs. Les posters sur le mur, blancs. Son bureau, blanc. Son tigre en peluche, blanc. Et les arbres à travers la fenêtre. Et la cour de l'immeuble. Et le ciel. Blancs.

Tout blanc.

Elle se mit à cheval sur l'oreiller et l'étreignit très fort entre ses jambes.

Ce n'était pas possible. Il allait revenir. Il y avait une erreur. Il revenait toujours.

Peut-être qu'à la prochaine visite...

Maman devait savoir la date de la prochaine visite.

Maman était au salon. Avec le petit frère.

Le salon aussi était blanc.

Maman et le petit frère étaient blancs.

Chacun dans son coin. Chacun prenant son air. Muets. Immobiles. Presque soulagés. Écoutant le silence. Le regard noir faisait le tour de la pièce. Établissait l'état des lieux. D'un nouveau lieu. Il ne dessinait plus de triangle furieux. Il se posait, mélancolique, étonné, presque craintif sur le lampadaire, puis sur le divan, puis sur le tourne-disques. Le petit frère gardait les yeux par terre. Il avait décidé de ne plus poser de questions.

Ils étaient tous les deux, blancs et immobiles.

Elle pensa à l'homme.

C'était normal qu'il soit parti.

Tout ce blanc...

Il allait revenir, c'est tout.
Il ne pourrait pas vivre sans elle.
Oui, c'est ça, il reviendrait.
Elle lui manquerait trop.
Elle s'assit dans le salon blanc à côté du petit frère et de la mère et elle commença à attendre.

Les visites avaient lieu un dimanche après-midi sur deux. C'était la règle.
Ce jour-là, la mère les lavait, les habillait, les coiffait, mettait un peu de sent-bon derrière l'oreille. Répétant : « Il va voir comme je vous tiens bien, comme je m'occupe bien de vous. Il va voir. » Puis elle les posait sur le petit banc dans l'entrée et ils n'avaient plus le droit de bouger jusqu'à ce que l'homme sonne.
Deux petits coups brefs. Dring, dring, c'est moi, je viens vous chercher. Alors ils sautaient du banc et ils le suivaient.
Au restaurant d'abord. Ils mangeaient du hachis parmentier, de la choucroute et des éclairs au chocolat géants. Puis ils allaient au cinéma permanent de l'avenue de l'Opéra voir des dessins animés avec Titi et Gros Minet. Ou au jardin d'Acclimatation. Ils faisaient des tours de voiture électrique et mangeaient de la guimauve, de la barbe à papa. Ou même, quand il faisait beau, ils montaient dans les barques en bois du lac du bois de Boulogne et ramaient. C'était toujours à peu près le même programme. Mais ça leur convenait. Ils tenaient chacun l'homme par une main. Bien fort. Au cinéma ou au jardin d'Acclimatation. Et donnaient de leurs nouvelles et des nouvelles de l'école. Des colombes en cage dans la classe du petit frère ou du professeur de maths de la petite fille. Il était important de ne rien oublier.

Parce que les visites avaient lieu un dimanche sur deux et que, si on oubliait quelque chose, il fallait attendre quinze jours pour se rattraper. On avait toutes les chances entre-temps d'oublier. On perdait le fil et l'homme peu à peu s'éloignait.

C'était le danger. Pas prévu par la règle.

La petite fille l'avait repéré tout de suite ce danger.

Cela nécessitait une vigilance de chaque instant, sinon l'homme s'éloignait et perdait ses couleurs. Devenait tout blanc lui aussi.

Il fallait faire attention ces dimanches après-midi. Ne pas se laisser distraire par Titi et Gros Minet, le petit frère dans la barque qui faisait gicler de l'eau sur le costume de l'homme, la guimauve qui glissait molle et verte sur son crochet, la voiture électrique qui tombait en panne sur le bord de la piste. Sinon elle rentrait à la maison, insatisfaite et triste.

En manque de confidences à l'homme.

En manque de regards d'amour et de connivence.

Et il fallait attendre quinze jours pour reprendre la discussion là où on l'avait laissée.

A condition bien sûr que...

Parce qu'il y avait d'autres dimanches.

Les dimanches où la mère les lavait, les habillait, les coiffait, leur mettait un peu de sent-bon derrière l'oreille, reculait, les regardait, satisfaite, et leur disait de ne plus quitter le banc de l'entrée. Qu'ils faisaient plaisir à voir. Sages et bien propres. Que l'homme n'allait pas manquer de le remarquer et de constater qu'elle se débrouillait très bien sans lui.

Ils restaient là, sans bouger. Les pieds ballants dans le vide, les épaules un peu voûtées. Ils attendaient les deux coups de sonnette. Dring, dring. Avec leur raie bien propre, leurs beaux habits et le sent-bon qui s'évaporait petit à petit.

Ils attendaient.

110

Ils attendaient.

Ils n'osaient pas se regarder de peur de lire dans les yeux de l'autre la peur. La même peur que le dimanche d'avant. Ils essayaient d'oublier, de ne pas y penser, mais depuis le matin ils savaient. Ils n'avaient pas osé le dire au regard noir quand elle frottait derrière les oreilles, les genoux et sous les ongles et entre les doigts de pied. Frottait et frottait avec le gant de toilette et la brosse à ongles. Frottait avec la serviette. Frottait dans les cheveux.

Il allait venir, non, non, il allait venir, ils se répétaient sans se regarder.

Le petit frère gigotait un peu sur le banc.

La petite fille lissait les plis de sa robe et relevait les deux nattes qui pesaient dans le dos.

Ils attendaient.

La mère passait et repassait et soupirait : « Si c'est pas une honte... »

Ils attendaient.

Le soir tombait.

La mère leur disait d'aller se déshabiller.

Le petit frère descendait du banc sans parler.

Blanc.

La petite fille s'enfermait à clef dans la chambre pour pleurer et lançait les oreillers contre le mur. Des plaques de colère sur tout le visage.

Le lendemain, l'homme téléphonait. La mère criait au téléphone. La petite fille criait au téléphone. Le petit frère refusait de parler au téléphone.

La visite suivante, il arrivait à l'heure avec des cadeaux, des excuses, des mots d'amour. Il redoublait d'éclairs au chocolat, d'esquimaux glacés, de tours en voiture électrique.

Mais le dimanche d'après, quand ils s'asseyaient sur le petit banc de l'entrée, leur cœur se mettait à battre. Et la peur

111

tournait autour d'eux. La peur qui allait avec l'homme. Elle leur rentrait dans tout le corps. Ils attendaient. Sans oser se toucher de peur d'entendre le cœur de l'autre battre trop fort. Ils attendaient.

Et puis vint un dimanche, après plusieurs dimanches, où l'homme leur apprit qu'il allait se remarier.

Parce qu'il allait avoir un enfant.

Un autre enfant.

Après ce dimanche-là, ils refusèrent de voir l'homme et l'autre femme et l'enfant.

Refusèrent de monter sur le banc.

Refusèrent les visites.

Et la règle.

Les cadeaux que l'homme envoyait.

Les petits mots que l'autre femme écrivait.

Les photos du nouvel enfant qui apprenait à marcher sur les planches de la plage.

Un garçon.

Le petit frère décida qu'il en avait fini avec l'homme.

La petite fille déclara que c'était trop facile, qu'il ne s'en tirerait pas comme ça. Solennelle, devant le regard noir et le petit frère, elle déclara la guerre à l'homme.

Le pianiste incline la tête sur le côté pour se donner l'air inspiré, balance les épaules au-dessus des touches blanches avec un sourire niais. Allan, après avoir longuement étudié la carte des vins, a choisi un bordeaux dont il me promet monts et merveilles. Un cru spécial qui, paraît-il, a une racine au soleil et une racine à l'ombre. Un truc comme ça. Il fait une drôle de grimace en en dégustant une gorgée. On dirait un cul de poule ou un tic nerveux. Le garçon attend, respectueux, que le verdict tombe, et, devant les yeux clos de bonheur et le petit mouvement encourageant de menton d'Allan, il nous sert enfin.

— Enjoy your wine.

Il dit. En reposant la bouteille sur un petit guéridon.

Le serveur apporte des crabes mous. Des soft shell crabs.

— Enjoy your meal, qu'il lance avec un grand sourire.

— C'est délicieux, tu vas voir, explique Allan. Y a qu'en Amérique qu'on mange ça. On attrape les crabes quand ils s'apprêtent à changer de carapace, qu'ils sont tout nus, qu'ils s'ébrouent, à l'abri, sous les rochers et on les zigouille. Net. Y a une saison pour ça. Elle dure pas longtemps. Alors faut se dépêcher.

Je regarde le crabe mou dans mon assiette et j'ai envie de pleurer. C'est une petite bête formidable, le crabe. Je l'ai étudié, autrefois. Toto soulevait les rochers et moi je zieutais le sable pour repérer le crabe planqué. Après on lui

113

construisait un château et on l'observait. Un livre sur les crustacés à la main. D'abord, le crabe, il a un cœur. Un qui bat à toute allure quand il repère une crabesse. Et puis il a du sang bleu. Et un cerveau ! C'est pas n'importe qui, les crabes. Je veux bien manger du crabe dur, du crabe qui se défend avec ses pinces tranchantes, mais du crabe tout nu...

Le pianiste entame une autre mélodie crétine et Allan mâche en cadence. Succulent, dit-il. Et puis sans efforts, hein ? Pas besoin de le décortiquer pour goûter un petit peu de chair. Là tu manges tout. Tu ne laisses rien dans ton assiette....

— Tu aimes ? il demande.

— Je sais pas, je dis en promenant mon crabe d'un bord à l'autre de l'assiette, en le cachant sous une feuille de salade cuite ou une rondelle de navet confit.

En plus, je pense à mon orteil. Il lui ressemble étrangement, au crabe mou. Ça finit de m'écœurer. Pour donner le change, je fais la conversation. Pose les questions d'usage pour montrer à Allan que je m'intéresse à lui. Je lui demande à quoi il occupe son temps. Il fait de l'import-export. Par exemple, il achète des collants en France et les revend aux États-Unis. Des collants bon marché pour grandes surfaces. Les collants, ça me connaît. J'arrête pas d'en acheter parce qu'ils filent tout le temps. Alors je lui pose plein de questions sur le pourquoi et le comment de son affaire. Il a l'air très satisfait. Il gagne beaucoup d'argent. Quelquefois jusqu'à vingt mille dollars dans la matinée. Forcément, il passe beaucoup de temps au téléphone. Le nerf des affaires ! Mais il est indépendant. Il est son propre patron. Il peut partir faire du bateau dans le Maine quand il veut. Et c'est un avantage pas négligeable. Il ne supporte pas très bien la hiérarchie. Là, je suis bien d'accord avec lui.

Alors il me demande ce que je fais. Rien. Si j'aime rien faire. Non. Et pourquoi je me tourne les pouces en ce moment ?

J'ai failli à nouveau lui faire mes confidences. Lui raconter Papa et ses dix-huit mois à l'hôpital. Et puis j'ai vraiment pensé à Papa et j'ai plus eu envie de parler. De faire la danse du ventre avec mon chagrin. J'ai dit n'importe quoi à la place. Je m'écoutais parler et je n'en revenais pas de ce que je débitais. Des trucs idiots à me donner envie de me retourner aussi sec et de supprimer la crétine qui récitait ces sornettes. Je parlais de l'écriture qui ne se commande pas, de l'inspiration qui patati-patata, de la magie des mots blablabla et de la solitude de l'écrivain tintin. Que des imbécillités ! J'avais honte. Tellement honte que je me suis bouché les oreilles pour ne pas écouter ce que disait la crétine.

Et je suis partie ailleurs.

Là où c'est doux et chaud.

Dans une chambre d'hôpital.

Au chevet de mon papa.

Il ne se plaint pas. Il a décidé de lutter contre sa maladie. Il a même décidé de gagner. Pas comme un héros. En bon Français moyen. Ou en petit enfant qui se croit immortel. Qui ne peut pas croire qu'il va mourir. Il feuillette le catalogue de la Sécurité sociale pour trouver des maisons de santé où il peut se faire chimiothéraper et rembourser à la fois. Dresse des plans, concocte des stratégies, multiplie les attaques en changeant d'angle. Il n'a pas vraiment tort. Condamné à deux mois de survie par le docteur Connard, il tient bon dix-huit mois. Trois semaines avant de mourir, il nous invite Toto et moi au restaurant et dessine sur la nappe tachée de sauce tomate le costume qu'il se fera faire à sa sortie d'hôpital. Parce que, les vieux costards, il flotte dedans. Il devient le boute-en-train du huitième étage. Se fait livrer du sauternes et du foie gras pour Noël. Lorgne les infirmières. Commente leur cul. En parle en salivant à la fille qui refait son lit.

— Ah, l'amour ! mademoiselle...

— C'est dégueulasse, monsieur, croyez-moi, c'est dégueulasse, l'amour...

— Seulement quand c'est bien fait, mademoiselle.

Les internes se retrouvent le soir au pied de son lit. Ils lui
racontent leurs problèmes de boulot et de fiancée. Il écoute.
Sort son chapelet. Sérieux comme un vieux pape. Il a
retrouvé la foi de son enfance.

Il ne veut pas de larmes.

Des fleurs et du pinard.

Un rasoir électrique et un pyjama toujours propre.

Le journal et sa radio.

Son eau de toilette et des mots croisés.

Il ne supporte pas les malades qui se plaignent, repoussent
leur plateau en geignant, houspillent les infirmières. Il dit
qu'elles font un boulot remarquable et pour pas un rond, en
plus! D'autres fois, je sais qu'il sait. Quand il lâche que ce
n'est pas grave après tout. Qu'il n'a aucun regret. La mort
fait peur aux gens qui n'ont pas vécu, qui ont économisé.
Mais la mort quand on en a bien profité, hein? Il signe des
chèques à tout propos. Pour un village d'enfants ou le frère
de la petite infirmière blonde qui est musicien et qui a pas un
rond. De sa main gauche malhabile, il trace une pauvre
signature brisée. Il veut se débarrasser de son pognon. De sa
retraite de quatre sous. Je n'arrive pas à être triste quand je
suis assise dans sa chambre blanche. Je le tiens par la main.
Je le coiffe. Je le rase. Je lui coupe les ongles. Je n'ai pas de
rivale. Il est divorcé de partout. Sa troisième femme ne veut
plus en entendre parler. Lui non plus d'ailleurs. Il me l'a
bien spécifié. Quand, un jour, elle finit par téléphoner pour
prendre de ses nouvelles, il lui raccroche au nez. Il dit qu'il
ne veut pas de pitié. Alors elle n'insiste pas. Elle dit
simplement qu'elle fait ça pour être en paix avec sa conscience de chrétienne et que tout ce qu'elle a enduré avec lui,

elle l'offre à Dieu pour le repos de son âme. Il hausse les épaules. Descend un bon coup de pinard et fait siffler l'air entre ses dents. « Son âme... Son cul... Son Dieu... Sa retraite... »

Maman, non plus, ne vient pas. Elle a du ressentiment. Une petite visite, une seule avant qu'il meure, je la supplie. Il crie ton nom dans ses rêves. Non, non, elle répète en secouant la tête. Il m'en a trop fait voir. Et ça, je n'oublierai jamais. Il a foutu ma vie en l'air. Mes plus belles années.

Alors je reste seule avec lui. Et je suis bien contente.

De temps en temps, il lance très fort, et sa voix résonne à cet étage de malades prostrés qui avancent en faisant chuchoter leurs pantoufles, il crie comme s'il voulait se prouver qu'il est bien vivant :

— MA FILLE !

Et je lui réponds sur le même ton avec la même force :

— MON PAPA !

On écoute les mots qui vibrent. Nous rassurent. Ces mots qui me donnaient tous les courages quand j'étais petite. Je ne veux pas que MA FILLE lave la vaisselle ni qu'elle passe la serpillière ! MA FILLE est une reine. MA FILLE est première en classe. MA FILLE les rendra tous fous. Vous avez vu MA FILLE... Des fois, il dit qu'il en a marre. Qu'il veut aller voir dehors ce qui se passe. Il rabat les couvertures et essaie de se lever. Mais il tombe. Et on doit s'y mettre à deux ou trois pour ramasser ce grand corps d'un mètre quatre-vingt-dix qui n'a plus que des os mais veut encore profiter. On le recouche. Il fait la grimace. Il dit alors que c'est fini. C'est vraiment la fin s'il ne peut plus aller voir dehors.

Comme avant.

— Tu te rappelles, ma fille, les petites serveuses que j'embarquais à la fin des dîners...

Il se rappelle et il fanfaronne. Son œil bleu brille sur l'oreiller blanc, sa grande bouche sourit et il tend la main vers ses souvenirs. Vers un mât de cocagne à souvenirs qu'il secoue et secoue...

Et moi, assise près de lui, j'oublie tout.

Les colères qui me rejetaient, paralysée, contre le mur. Ses mots d'amour qui fauchaient ma rage. J'oublie la guerre. Œil pour œil, dent pour dent. Le couteau que j'aiguisais patiemment pour le lui planter dans le dos, le jour où c'est lui qui aurait besoin de moi. Parce qu'il a bien fini par arriver ce jour-là. Pouce ! qu'il a dit en me tendant les bras. Pouce avec toi. S'il te plaît... Ce jour-là, je lui ai ri au nez. Mais tu rêves, mon vieux ! Tu rêves ! C'est à mon tour d'être jeune et de bouffer la vie par tous les bouts. D'embarquer des garçons et de rentrer au petit matin ! Et je vais pas m'embarrasser d'un vieux papa alcolo et volage. Non, mais qu'est-ce que tu crois ? Chacun pour soi.

Je l'ai planté là. Et il est allé vieillir tout seul, dans un pauvre deux-pièces, à fumer des Gitanes à la chaîne et à boire du Vieux Papes. En tête à tête avec la télé et son cendrier qui débordait. Personne ne savait que je l'aimais tant.

Même pas moi.

Allongé sur son lit d'hôpital, je l'ai vu. Et c'était comme si, tout à coup, il rattrapait son destin et se le taillait à sa mesure. Lui qui, toute sa vie, lui avait couru après...

Il me donnait des instructions pour son enterrement. Le bois du cercueil, clair et bon marché, sans ferrures ni fioritures. L'inscription sur la dalle funéraire : « Que Votre Volonté soit faite. » « En vouvoyant Dieu, ma fille, j'y tiens... On a pas bu des coups ensemble, Lui et moi ! » Sa place au cimetière de Saint-Crépin, le village de son enfance, au pied des montagnes. Le montant de l'assurance vie qu'il avait prise pour ses enfants. Un dernier pied de nez à ceux qui le disaient irresponsable : il nous laissait du pognon ! Ha ! ha !

ha ! Et un paquet, en plus, qu'il disait en se gondolant de rire. Et en se gourant parce qu'il avait foiré ses calculs. Il ne me laissait pas grand-chose peut-être, mais il m'avait légué un truc qui n'a pas de prix et qui s'appelle l'appétit. L'appétit de vivre, de manger, de baiser sans être rongée par la culpabilité et le regard noir des autres.

La maladie nous avait forcés à jeter les masques. On ne pouvait plus tricher : la mort l'attendait au tournant.

C'était ma dernière chance de comprendre qui j'étais. D'où je venais. Si seulement j'avais le courage de l'affronter. De lui demander des comptes et la vérité. Le courage de ne pas tricher et de prononcer les bons mots. De ne pas me laisser aller dans le cocon de la maladie, le pas feutré des infirmières qui rentrent et sortent sans qu'on les entende, le bruit métallique des chariots à pansements qui brinquebalent dans les couloirs...

Le courage de ne rien respecter.

Comme il me l'avait si bien enseigné quand j'étais petite.

A son chevet tout me revenait en mémoire. J'avais sept ans et je regardais les talons noirs tournoyer dans les phares. Je la détestais. Je détestais la robe fendue, les ongles rouges. Je détestais le vieux portail, le petit jardin, leur Frégate verte, leur clébard. On était devenus amis avec les Lériney. Les deux familles avaient fini par sympathiser. Ce qui arrangeait bien les affaires de mon père. Je pinçais au sang la fille aînée des Lériney et déculottais le petit garçon dans les cabinets en le laissant tout nu en plein hiver. Maman me faisait les gros yeux, me privait de dessert, mais je tenais bon. Quand on m'apprit que Mme Lériney avait été renversée par un poids lourd en allant faire ses courses au supermarché, ça ne me fit ni chaud ni froid. J'allai aussitôt mettre un cierge à l'Escroc pour le remercier de me rendre mon papa à moi toute seule. Un dimanche de Pâques, j'avais dix ans, nous passions les vacances chez ma grand-mère dans les Basses-Alpes. Elle avait insisté pour qu'on cache des œufs en chocolat dans le jardin. Pour amuser les petits cousins. On était tous là à la queue leu leu, marchant en canard, s'exclamant devant un papier qui luisait, une touffe d'herbe, une motte de terre en forme d'œuf, nous dandinant du derrière, poussant des « Oh ! » et des « Ah ! », fouillant la terre de nos doigts quand, soudain, j'en ai eu marre et j'ai quitté la file aux canards. Je me suis relevée, j'ai tiré sur ma jupe et je suis allée faire un tour du côté du terrain à pétanque. Y avait personne. C'était l'heure du pastis. Quand j'ai entendu un rire de femme qui provenait de la tonnelle, là où on se reposait quand il faisait trop chaud. En buvant des panachés. J'ai écarté doucement la haie et j'ai glissé un œil. C'était mon père. Avec une cliente de l'hôtel des Sources. Une Autrichienne qui collait au cul de Maman depuis qu'elle était arrivée. Pour se reposer soi-disant. Elle avait perdu son mari et elle était très faible. Il lui prenait des vapeurs. Il faut être gentille avec elle, elle est très secouée, disait Maman qui l'invitait tout le temps à venir en excursion avec nous. Dans quel état ils étaient ! Tout rouges et débraillés. A travers la haie de roses et d'aubépine, Papa a dû m'apercevoir parce qu'il s'est rajusté et lui a fait signe de filer.

« Fissa. » Qu'il a dit. Je me rappelle. C'est la première fois que j'ai entendu ce mot-là. Je l'ai tout de suite aimé. Fissa... Comme « fichu », qui me faisait rigoler : elle a noué un fichu sur la tête et elle est sortie. Ouaf ! ouaf ! ouaf !

Il est venu me trouver. Il a marché à côté de moi. Sans poser son bras comme d'habitude. Ce jour-là, je lui ai demandé, douce et patiente. Comme l'élève qui veut comprendre.

— Pourquoi tu pars et tu reviens, tu pars et tu reviens, et Maman ne dit rien, pourquoi ?

— Parce que c'est comme ça, ma fille. Dis-toi que si ta mère me supporte, c'est qu'elle y trouve son compte. N'oublie jamais ça : ça l'arrange. Sinon elle partirait. Pourquoi elle ne part pas, ta mère ? Pourquoi ? Oh ! Elle te donnerait sûrement de fausses raisons si tu lui demandais. Parce que les vraies lui font honte ou peur, mais rappelle-toi plus tard, rappelle-toi : elle y trouve son compte. Et, quand elle n'y trouvera plus son compte, elle partira. Et elle aura raison.

On a marché encore un moment. Il devait continuer à réfléchir tout seul parce que, tout à coup, il s'est accroupi devant moi, il m'a prise par les épaules et il a ajouté, comme si c'était la chose la plus sérieuse du monde qu'il me disait là, comme s'il fallait que je m'en souvienne toute ma vie :

— Jamais porter les péchés des autres, ma fille, jamais, tu entends ? Leurs péchés de trouille, de lâcheté qu'ils renvoient sur toi pour que tu leur ressembles. Tu comprends ?

Je ne comprenais pas. Je retenais les mots en me disant que, un jour, je comprendrais.

— Chacun a ses raisons, tu sais, pour se supporter, mais personne ne dit vraiment la vérité... On se joue du violon, on prend des airs de martyr, on s'attribue le beau rôle en plastronnant mais au fond... c'est pas propre. Faut pas te faire d'illusion. Chacun pour soi. Chacun défend son petit intérêt...

Et puis, il a continué tout bas, pour lui :

— Ça ne peut plus durer comme ça... Ça ne peut plus durer comme ça...

Je me souviens très bien parce que c'est juste après, de retour à Paris, qu'il nous a annoncé qu'il partait. Elle m'était restée en tête, cette phrase-là...

C'est à l'hôpital qu'elle m'est revenue. Après la radio du docteur Connard, après les premiers jours où je bloquais mes larmes avec les doigts et faisais des grimaces mondaines le dos bien droit contre la chaise, les pieds bien rangés, les genoux serrés. Je me suis juré de le poursuivre, de lui poser des questions, de le forcer à me rendre ce qui me revenait de plein droit : moi.

Moi sans lui.

Sans lui.

J'ai compris aussi qu'il n'était pas trop tard et qu'on pouvait se payer une nouvelle histoire d'amour, tous les deux. Sans qu'il joue le héros et moi la princesse. Une histoire d'amour où je l'aimais pour lui. Pour ses kils de rouge et le cul des infirmières, son chapelet et les chèques distribués, sa main inerte et ses yeux rigolards.

Il m'a appris à aimer.

In extremis.

Et puis il s'est tiré.

Et je me suis retrouvée encore une fois toute seule. Avec le manque de lui. Le manque qui me rend sourde, aveugle, méchante. Qui a dit que la douleur sanctifiait ? La douleur, ça me rend mauvaise, moi. Impuissante.

J'ai dû dire ce mot tout haut parce que, celui-là, je l'entends. Prononcé par l'autre. La fille du blablabla. Je quitte le chevet de Papa et me retrouve nez à nez avec mon crabe mou. Et Allan.

— Et tu ne peux plus écrire ? demande Allan.

— Non. Plus rien. Même pas un article de journal...

Il me demande si je veux un dessert. Un pecan pie. Je fais oui de la tête. Mais c'est par politesse. La tarte à la noix de pecan, je ne supporte pas. Ça colle aux dents, c'est écœurant et on prend un kilo par bouchée.

Le garçon apporte deux pecan pies. Nous souhaite bon appétit :

— Enjoy your pie...

Et je recommence le même manège qu'avec le crabe mou : je

découpe la tarte et planque les morceaux sous la crème chantilly.

Même le café, il passe pas. De l'eau colorée qui a le goût de tisane. De toute façon, la soirée était foutue d'avance. On n'est pas à égalité. Alors je ne vois vraiment pas pourquoi j'essaierais de parler vrai. Je remercie et ajoute que le dîner était excellent.

Autant mentir à tout bout de champ.

Il regarde l'addition. Sort ses cartes de crédit. Une collection de cartes de crédit. Il en a pour tout : l'essence, le supermarché, le téléphone, le parking, son club de sport, Bloomingdales... Il en jette une toute dorée. Sans faire attention. Je me demande s'il va prendre l'addition pour se faire rembourser. Mais il la laisse. Un bon point pour lui, je me dis. Il m'invite. Il ne me fait pas passer sur ses frais généraux. Avec les collants.

On se lève. On traverse la salle. Et j'ai à nouveau envie de me jeter contre lui. C'est énervant, cette manie. Mais je me retiens encore. Je me dis que ça viendrait comme un cheveu sur la soupe si je me pendais à son cou. Je rougis. Il le voit. Je rougis encore plus fort. Essaie de prendre un air détaché mais sens bien que je suis cramoisie. Que je transpire aux racines. Je déteste ça. J'ai l'air de quoi, hein ? Encore un coup de mon âme. Je joue la forte, la pas concernée, et, vlan ! une bouffée de chaleur et je vire au rubicond.

Après on est sortis dans la rue. Et c'était à nouveau la nuit.

— Reste là, je vais arrêter un taxi.

J'obéis. Pourtant je suis la championne pour trouver un taxi dans Manhattan. Je circule à l'aise, sachant repérer les bonnes artères et les croisements propices à l'arrêt du véhicule convoité. Mais j'obéis. Je le regarde s'élancer au milieu de la chaussée et héler le taxi jaune.

A-t-il une petite amie ?

Les taxis passent devant nous sans s'arrêter.

— A cette heure-ci, ils se méfient, explique Allan.

La nuit est calme, douce, déserte. On se croirait dans une forêt quand les arbres craquent, que le vent se faufile dans les branches, que les hiboux s'appellent d'une cime à l'autre et qu'on avance, un peu effrayé, dans l'obscurité. On marche à pas feutrés. En pensant aux loups et aux renards. Aux brigands peut-être embusqués. En s'invectivant et en se traitant de lavette. Le vent glisse le long des murs, les gratte-ciel balancent leur ombre à nos pieds, des papiers volent et se plaquent contre la poutrelle d'un feu avant de repartir se coller ailleurs. Des couvercles de poubelles roulent dans le caniveau. Un homme, les poings enfoncés dans les poches, le col de son pardessus relevé, traverse la rue en diagonale. Shoote dans une canette qui va heurter une poubelle métallique. Puis disparaît au coin d'un building. Au loin on entend un klaxon et le bruit d'une plaque de fonte sur laquelle roule une voiture.

Du bord du trottoir, je crie à Allan :

— Dis, pourquoi elle est verte, la statue de la Liberté ?

Un taxi vient se garer devant nous. Il m'ouvre la porte et je m'engouffre.

— C'est vrai, ça. Pourquoi elle est verte, la statue de la Liberté ?

Le taxi démarre et Allan lance au chauffeur nos deux adresses. La mienne d'abord, puis la sienne sur Central Park West.

— Figure-toi que je ne me suis jamais posé la question.

Il s'est installé au fond de la banquette. Loin de moi. Loin. Il a du mal à caser ses longues jambes et essaie plusieurs positions avant d'en trouver une qui le satisfasse.

— Je déteste ces taxis avec une séparation entre chauffeur et client. Je me sens piégé là-dedans.

— Parce que, à Paris, sa réplique, elle est pas verte, elle est grise.

— C'est possible...

Il me regarde en souriant.

— T'es un drôle d'animal tout de même... Je t'ai bien regardée pendant le dîner et...

Il n'a pas le temps de finir sa phrase que le taxi fait une embardée qui nous projette, front en avant, contre la vitre de séparation. Contre les étiquettes jaunes qui interdisent de fumer, de manger dans la voiture et de payer avec de gros billets. Allan s'est aussitôt porté vers moi et me protège de son bras, la main sur ma tête...

Le même bras.

La même main. Posée sur le sommet du crâne.

Le même poignet couvert de poils bruns.

Les mêmes doigts longs et minces.

Les mêmes ongles transparents et lisses.

La même odeur d'eau de toilette qui part de la joue et remonte derrière l'oreille.

La même chaleur...

Le même sentiment de bonheur clos, aveugle, buté.

Pareil. Pareil.

Je ferme les yeux et reste collée contre lui. Collée à ce bras, à cette main. Je fais semblant d'avoir mal, d'avoir peur pendant qu'il apostrophe rudement le chauffeur. Ce dernier répond en grognant que ce n'est pas sa faute. Fucking hole in this fucking street, fucking city with this fucking Mayor. Il a voulu éviter un trou. Parce que lui, sa voiture, il en est propriétaire et il a pas envie de la casser. Ça fait trois fois qu'il change les amortisseurs ; le moyen de faire des recettes avec toutes ces dépenses ! Le nez dans le cou d'Allan, je supplie le chauffeur d'allonger sa liste d'insultes, de l'étendre au système fédéral, aux impôts, au gouver-

neur, au Capitole, à la Chambre des députés, au Sénat...
Rien que lui et moi, enfermés à l'arrière d'un taxi new-
yorkais. J'enfonce la tête dans sa veste et prie pour que le
chauffeur rebondisse dans d'autres trous, que sa guimbarde
se casse, qu'elle heurte une mine et explose pour que
toujours, toujours il me garde contre lui. Lui et moi. Lui et
moi.
— Ça va ? me demande Allan en défaisant bras et main et en
se calant contre le dossier de la banquette.
Je hoche la tête, incapable d'articuler un mot. Y a plus de
place dans ma gorge.
— Ces types sont fous ! T'es sûre que ça va ?
Pareil.
Pareil.
Dix nuits sans regretter l'œil niais des falots. L'œil niais des
falots. Plus douce qu'aux enfants la chair des pommes sures.
La chair des pommes sures. Fermentent les rousseurs amères
de l'amour. Les rousseurs amères de l'amour. Écoute les
mots, ma fille, écoute comme ils sont beaux...
Pourquoi il a enlevé son bras et sa main ? Pourquoi il est
reparti à l'autre bout de la banquette ?
Est-ce qu'il a une petite amie ?
On se tait.
Je frissonne et me renfrogne dans mon coin de taxi.
Le numéro des rues défile. On se rapproche de chez Bonnie.
Il nous reste peu de temps. La radio fait une pub pour des
avocats. Et si j'en prenais un pour défendre ma cause ? Ils le
recommandent bien dans la pub. « Si quoi que ce soit vous
arrive à vous ou à votre famille, si vous vous sentez lésé,
exploité, mal protégé, si vous ne connaissez pas vos droits,
faites AVOCATS sur le cadran de votre téléphone et un homme
vous défendra. Il viendra même vous voir chez vous.
Gratuitement. Et souvenez-vous, faites AVOCATS sur le

cadran de votre téléphone... » Je regarde par la fenêtre. Je pourrais l'accuser de cruauté mentale. De ne pas me regarder. De me faire la charité... Nous remontons la Soixante-Douzième Rue. Je reconnais ces carrefours, ces feux, ces chaussées où je tourne en rond depuis mon arrivée. Devant l'entrée de l'immeuble de Bonnie, le taxi s'immobilise. Allan descend pour me raccompagner jusqu'à la porte. J'ai enfoncé mes poings dans mes poches et le regarde par en dessous. Têtue. Muette.

Je ne veux pas qu'il s'en aille.

Il dit qu'il va s'en aller. Qu'il est tard.

Je ne veux pas.

Je donne des coups de talon dans le bitume et laboure mes poches de mes poings fermés. Les yeux arrimés au trottoir. Oppressée. Sans voix. Incapable de contrôler la douleur qui me déchire à l'idée qu'il va s'éloigner, remonter dans le taxi et traverser le parc pour retrouver son lit. Emmène-moi avec toi, emmène-moi avec toi, s'il te plaît. Ne pars pas. S'il te plaît. Pas ce soir. Pas ce soir. Je rythme ma demande muette de mes savates mais il ne m'entend pas.

Il est tout près de moi. Nous nous faisons face.

La même dégaine, les mêmes épaules qui me bouchent toute la rue, la même odeur de frais si je m'approche de plus près. Pareil. Pareil.

Je ne veux pas qu'il parte.

Il regarde sa montre.

Je veux qu'il me parle.

Il demeure muet.

Je veux qu'il m'enlève.

Il reste immobile.

Je tends les bras vers lui.

Il ne bouge pas.

Les ramène contre moi comme si de rien n'était.

Il ne sait pas à quel point je suis résolue.

J'oscille sur mes talons, me balance et bascule vers son corps. Sans le regarder. La tête baissée, la bouche gonflée, les yeux toujours accrochés à la pointe de mes souliers. Le front tendu prêt à heurter sa poitrine, à lui donner des coups de bélier, à le défoncer jusqu'à ce qu'il comprenne et me prenne. Prends-moi, prends-moi, supplie la petite voix.

Je me balance encore, me rapproche.

Il ne dit rien.

Il me laisse me balancer en silence. Vers lui. Dans la nuit de Madison Avenue. La nuit douce et menaçante de la forêt. Alors je tombe contre lui. Les yeux fermés pour ne pas voir son visage s'il me repoussait, s'il me remettait à ma place. Les mains le long du corps, à l'aveuglette, je tombe. Il ouvre ses bras et reçoit mon corps contre le sien. M'enferme contre lui et me berce doucement, la bouche dans mes cheveux. Il ne dit rien. Il me tient et me berce. Comme pour m'apaiser.

On reste là, sur le trottoir. Moi, les poings plaqués dans les poches. Pétrifiée. N'osant bouger de peur de m'être trompée. Je ne sais pas à quoi pense l'homme qui m'étreint. L'homme muet et lointain qui a ouvert les bras pour me recevoir. Je ne veux plus le quitter. Plus jamais. Ma place est ici. Je le sais. Je pose les armes. Ce n'est pas seulement ta bouche que je veux ni tes jambes entre mes jambes ni ta poitrine qui m'écrase mais l'abri doux et sûr que tu dessines en me prenant contre toi. Le reste, la volupté, on verra après. Elle me paraît légère, facile à gagner, superflue même à côté de la paix que je goûte.

Mais le chauffeur de taxi klaxonne et Allan se redresse. On lui coûte des ronds, au cab driver, à poireauter de la sorte. Sans même un petit spectacle cochon pour se rincer l'œil. Allan remet ses mains dans ses poches et s'écarte.

Il a une petite amie...

C'était pas prévu par Bonnie, cette fin-là. Il doit être bien embarrassé avec cette fille sur les bras. Cette fille qui ne dit pas un mot pour enchaîner, pour passer de son rêve à la réalité. Qui prolonge le silence pour se donner une dernière chance. Il se gratte la gorge. Cherche une transition. Lance quelques mots au chauffeur pour le faire patienter.

— Et ton pied, ça va comment?

Je m'en fous de mon pied.

Mais j'ai compris. Il n'a rien à faire de moi. Rien à faire du tout. Il a rendu service à Bonnie, un point c'est tout. J'ai la gorge qui se noue et encore envie de pleurer. Le rêve est fini. On rentre à la maison. Chacun chez soi. Lui avec sa bonne conscience. Moi avec mon orteil estropié.

— Ça va, ça va...

Il laisse échapper un soupir de soulagement. Il se dit que je suis à nouveau raisonnable.

— It was nice to see you. I hope to see you again...

De pire en pire. Il sort les formules d'usage. On vous écrira. On a bien reçu votre demande mais pour le moment il n'y a pas d'emploi pour vous. C'est ce que je traduis. Furieuse et désespérée.

— Je suis désolée, je lui dis, désolée de t'avoir fait perdre ton temps.

Mais non, mais non. Il proteste, bien élevé. Ce fut un plaisir pour moi de te revoir depuis cette soirée il y a, il y a quoi? Quatre ans déjà... Comme le temps passe vite! N'est-ce pas? Il dit, tout en lançant des regards vers le taxi, en calculant combien de temps ça va lui prendre avant d'atteindre la porte jaune, de se tirer de ce bout de trottoir avec cette folle qui maintenant en plus fait la gueule.

— Parce que le temps, hein? c'est de l'argent... C'est ce qu'on t'a appris quand t'étais petit...

Il ne répond pas. Il regarde à droite, à gauche. Cherche une relation à héler. Ou une petite vieille à secourir. N'importe quoi pour se sortir de ce guêpier. Mais il est une heure du matin et les rues sont vides. Il n'ose pas déguerpir. Il est trop bien élevé.

S'il croit que je vais lui faciliter la tâche. Faire comme lui et débiter des civilités ! Parler du temps qui file, de la météo et du poulet aux hormones. Au contraire, j'attaque, j'attaque. Je porte l'estocade finale. En le regardant bien droit dans les yeux.

— Hé ! tu sais pourquoi elle est verte, la statue de la Liberté ?

Non, il ne sait toujours pas, et il s'en fiche, pour tout dire. Complètement. Il regarde sa montre.

— Eh bien, moi, je sais... Elle est verte comme le dollar. C'est normal, non... Tu crois pas ?

Là, il est carrément ennuyé. Il sent venir la scène et ne songe qu'à se barrer. Il regrette vraiment d'avoir écouté Bonnie. Se fait le serment de ne plus jamais, jamais rendre service. Va pour me tendre la main pour couper court mais c'est moi qui la lui étreins, la première, le bras tendu, bien raide.

— Merci beaucoup pour tout. C'était très gentil de te dévouer comme ça... Et dis à Bonnie que c'est pas la peine de recommencer. J'aime pas qu'on me fasse l'aumône, moi ! Je peux me démerder toute seule. Suis habituée depuis que je suis toute petite. C'est vrai, quoi, personne m'a jamais fait la charité et c'est pas toi qui vas commencer. Salut !

Je ravale les larmes qui me noient la gorge, tourne les talons et le laisse planté sur le trottoir. Passe sous le nez de Walter le doorman qui roupille en équilibre sur sa chaise de veilleur de nuit, la casquette sur le nez. Bataille contre les verrous de la porte d'entrée et vais me jeter, en gros sanglots, sur mon oreiller.

Glisse dans mes draps de veuve.

Tourne et retourne dans mon lit-canapé.

Maudis la soufflerie du fast-food qui ronfle dans la cour.

Me relève.

Glisse dans la cuisine en quête d'ice-cream qui panse les chagrins.

Aperçois Bonnie par la porte entrouverte.

La télé marche toujours et elle s'est endormie.

David Letterman interviouve Diane Keaton qui gigote sur son siège en faisant des mines de petite fille, s'enroule dans les manches de son pull, les franges de son bonnet, le revers de ses chaussettes. Elle ne parle pas, elle glousse, et louche sur les issues de secours du studio. Bonnie dort, la tête en arrière, la bouche ouverte, la main encore crispée sur son journal. Ses lunettes ont glissé dans son décolleté. Sa peau luit, grasse de crème nourrissante. Je lui enlève doucement son journal, ses lunettes. Lui remets la tête à plat sur l'oreiller. Arrange ses cheveux autour. Elle proteste un peu mais se laisse faire. Elle a l'air perdu quand elle dort. Elle soupire. Une ombre passe sur son visage qui se contracte. Son front se plisse et elle prononce des mots incompréhensibles. J'ai soudain envie de la protéger, de la rassurer. Je suis là, Bonnie Mailer, je suis là. Arrête de faire des cauchemars. Dors tranquille...

J'éteins la lumière de la télé et celle de la lampe. Et pars sur la pointe des pieds. Dans la cuisine, j'ouvre la porte du freezer. Choisis une glace de ma collection personnelle. Une Hägen-Das au chocolate chocolate chips. Il va falloir que je me réapprovisionne, je me fais la remarque, parce que, avec tous ces événements, je n'arrête pas de dévorer. Je reviens me coucher et racle le pot dans le noir.

Le lendemain matin, Bonnie rapplique à mon chevet. L'œil aux aguets. La mine aiguisée de la mère maquerelle qui veut savoir comment a marché la soirée. J'ai la bouche pâteuse. Ce doit être la glace chocolate chocolate chips. Plus la tablette de chocolat et le pot de peanut butter que j'ai ouvert dans la nuit. J'arrivais pas à dormir.

— Alors ? me demande Bonnie, frétillante dans son déshabillé du matin, sa tasse de thé à la main.

Je fais attention. Je fuis l'explication grondeuse. Je réponds que tout s'est bien passé. Que je n'attends plus qu'une chose : qu'il rappelle.

— Ha ! ha ! elle se rengorge en buvant une petite gorgée et en se tapotant le plastron. Mais encore ?

Je raconte. N'importe quoi. La plus belle soirée du monde. Avec le plus bel homme du monde. Et les meilleurs crabes mous du monde. J'en fais tant et tant que je ne suis pas sûre qu'elle ne se doute pas de quelque chose. Elle louche sur les restes de mon festin nocturne. Mais elle ne bronche pas. Qu'est-ce qu'on pourrait en dire ? Elle ne comprendrait pas et ça prendrait trop de temps à expliquer. Autant rester chacune dans son monde.

— Il a une petite amie, Allan ? je demande en étirant mon pied et mon orteil enflé tout au bout des draps.

— Il vient de rompre avec Amy...

— Ah !... Y a longtemps ?

— Six mois peut-être...

— Ah !... Mais depuis ?

— Je ne sais pas. Mais quand je lui ai demandé de sortir avec toi, il n'a pas hésité une seconde... Il a sauté sur l'occasion. Et ça, crois-en mon expérience, je me trompe pas. A mon avis, il n'attendait que ça !

Et alors, à ce moment-là, se produit un miracle. Un vrai

miracle. Tellement miraculeux que je me redresse, éber-
luée, sur mes oreillers, traversée d'un doute horrible. J'ai
envie d'approcher ma main du visage de Bonnie pour toucher
du doigt cet événement stupéfiant : Bonnie me sourit
tendrement. Un vrai sourire qui se réjouit du bonheur de
l'autre. Qui rayonne d'amour.
— Tu le penses vraiment ? je demande pour m'assurer que je
ne rêve pas.
— Comme je te le dis. Il n'attendait que ça. J'en suis sûre. Je
l'ai juste un peu poussé... Il n'a pas l'air, Allan, mais il n'est
pas aussi sûr de lui qu'il y paraît. Et puis, à New York, tu
connais les femmes. Toujours prêtes à se jeter sur le premier
mâle qui passe. Alors il se méfie...
Et elle me sourit à nouveau. Compréhensive. Sereine et
douce. La Vierge Marie penchée sur l'Enfant Jésus qui lui
grignote le sein. Elle me sourit du fond du cœur. Me tapote
l'épaule et murmure :
— Tu vas voir. Ça va marcher...
Le téléphone grésille dans la cuisine, elle regarde sa montre
et disparaît en criant :
— Mon Dieu ! Quelle heure est-il ? Mais je suis affreusement
en retard !
Je m'effondre sur les oreillers et m'insulte. Sans aucun
ménagement. Je me traite de tous les noms. Pourquoi est-ce
que je n'ai jamais, jamais remarqué le vrai sourire de Bonnie
Mailer ?
Pourquoi ?
Pourquoi j'ai pas compris que la moquette blanche et
l'adresse qui pose, c'est sa manière à elle de s'en sortir.
Qu'elle est venue à New York pour se tailler une place au
soleil et qu'elle est obligée de faire comme les autres : de s'or-
ga-ni-ser. Blondir, bondir, maigrir, porter un morceau de
vison, avoir plusieurs amants, un compte en banque bien

rempli et le teint frais le matin au bureau. Épouser un type riche, s'éclaircir les cheveux comme Brooke Shields. Alors seulement elle peut souffler et se dire : « J'ai tout bon : les cheveux, le sourire, la moquette, l'adresse, le compte en banque, les amants, les yaourts maigres, je suis une vraie New-Yorkaise. » Mais, si elle a le malheur de laisser pousser ses racines, de prendre des kilos de plaisir, de baiser toute la nuit à en perdre le souffle et d'être flapie le matin au conseil d'administration des boulettes Kriskies, on ne la loupe pas. Y en a une autre derrière la porte, avec la jupe gabardine, la taille bouteille de lait, le brushing cartonné, les escarpins vernis et le jabot en nœud-nœud, toute prête à s'asseoir sur le fond encore chaud de sa chaise.

Et bien pire... quand elle décide d'épouser l'homme qu'elle aime, quand elle prend ce risque insensé, le prix à payer est terrible. Un vrai mariage d'amour pourtant. La preuve : la photo est toujours là, posée sur la coiffeuse. Bonnie y sourit vraiment. Toute petite accrochée au bras du bel homme argenté. Une vraie communiante en dentelle blanche. Qui se confesse. Lui murmure à l'oreille qu'elle vient de l'Ohio et que des fois encore, quand elle est fatiguée, elle parle avec l'accent. Que son père a le cou rouge et une salopette usée. Qu'elle ne manque pas un épisode de « Dallas ». Que l'eau de sa peau s'évapore. Qu'elle tremble de manquer de dollars sur son compte à la Citibank. Qu'elle voudrait un enfant de lui... Elle lui offre son âme et toutes ses failles. Et lui ? Qu'est-ce qu'il fait en remerciement ? Il prend la poudre d'escampette avec une jeunette lisse et ferme comme un caoutchouc.

Il plaque Bonnie. Après lui avoir volé son fond de vérité. Elle se retrouve dévalisée. De ses souvenirs d'enfance et de son tablier de serveuse plouc. Tous ses trésors qu'elle ne dévoilait à personne. Parce que c'est trop dangereux. Parce qu'un jour

ou l'autre on vous les jette à la tête. Hé, dis donc, Bonnie la plouquette, sers-moi un Sundae bien frappé !
Plus jamais, elle décide.
Plus jamais l'émotion qui vous fait tendre le cou, palpitante. La vérité qui vous déshabille. Elle décide de vivre à l'abri. En pilote automatique.
Et si elle avait pas le choix ?
Si c'était la grande ville qui faisait ça ?
Qui vous interdit de dormir sur vos deux oreilles. Vous oblige à avoir l'œil toujours à l'affût. Et puis il faut qu'elle reste à la hauteur, Bonnie. Parce qu'il n'y a pas qu'elle en jeu. Il y a ses vieux. Ses vieux dans l'Ohio. Qui achètent le journal au drugstore de la rue principale et montrent les photos de New York à l'épicier en disant : « C'est là qu'elle habite, Bonnie... C'est là qu'elle a réussi. » Qui clignent de l'œil et font bruisser leurs doigts pour que l'épicier comprenne qu'elle a vraiment réussi. Et qu'il leur allonge leur feuille de crédit. Elle sert à ça aussi, Bonnie. Quand elle leur envoie ces grandes lettres où elle dit que tout va bien. Très bien. Avec des photos à l'appui. Où elle figure en très élégante compagnie. Des photos à exhiber au drugstore de la rue principale. Et un chèque à glisser sur le comptoir, en douce. On efface tout et on recommence. Tant qu'y a Bonnie, là-bas... Dans la grande ville...
Je pense aux vieux de Bonnie. Et à Bonnie.
Et je m'invective.
Alors quoi, faut que les gens crèvent pour que je me mette à les aimer ?
C'est ça, hein ?
Qu'ils crèvent pour que je les voie pour de vrai ?
Et Allan ?
Il doit me prendre pour une folle. Une hystérique. Une communiste.

J'ai tout gâché.

Je gâche toujours tout. C'est plus fort que moi. Un ordre qui vient d'ailleurs et me rend mauvaise. Alors je décide de lui écrire. Pour effacer le mauvais goût d'hier soir. En gros, j'écris qu'en ce moment je ne vais pas fort. Que c'est pas de sa faute. Que je mélange tout. Que ça va sûrement s'arranger et que, alors, je lui ferai signe. Et s'il n'a pas trop les chocottes, on pourrait se revoir. Et ce soir-là, promis, je lui foutrai la paix avec la statue de la Liberté et le fils d'Hemingway.

C'est bien plus compliqué, ce que je voudrais lui écrire. Mais bon...

Je ne peux pas lui dire, à Allan. Les vraies explications, elles viendront plus tard. Si je dois le revoir.

N'empêche... j'ai drôlement envie de le revoir.

Je gribouille « Je t'aime, Allan » sur tous mes billets verts. Mes petits dollars. En français. Et je vais les dépenser. En ice-creams. Au delicatessen du coin. Au rez-de-chaussée de Bloomingdales. Chez Rizzoli. A Tower Records. En tranches de pizza chez Ray Barri Pizza. Enjoy your day with a Ray Barri Pizza. J'inonde la ville de mes déclarations d'amour à un dollar et j'imagine...

J'imagine Allan, les pieds sur la table, dans son bureau, en train de commander au téléphone des cartons et des cartons de collants et de payer le coursier qui lui livre son sandwich du déjeuner et son verre de Coke glacé. Il lui tend un billet de vingt dollars. Tout en continuant de discuter pourcentage avec le client qui ne veut pas lâcher. Le coursier, empêtré dans son ciré, son casque, son énorme besace en cuir qui déborde de plis, rend la monnaie en petites coupures d'un dollar toutes froissées. Allan remercie d'un geste de la tête, s'empare des billets, soulève une fesse sur son fauteuil italien, est sur le point de fourguer les billets dans sa poche quand, distrait, il jette un œil sur Vieux Washington et reste

coi. Au bic noir, juste au-dessus du pif aquilin de Vieux George, tournicote un petit serpentin qui dit : « Je t'aime, Allan. »
En français.
Il tourne et retourne le billet.
Revient, perplexe, au pif de Washington.
Dit au coursier que oui, il peut téléphoner, mais sur l'autre poste.
Perd dix pour cent de commission avec le client rapace.
Comprend qui a écrit le serpentin qui pend au bout du nez de Washington.
Raccroche.
Attaque un ongle et se demande ce qu'il va faire.
Elle est un peu timbrée cette fille, quand même, il récapitule.
Elle porte des caleçons de garçon, peut pas piffer la statue de la Liberté et graffitise les billets verts.
Où mets-je les pieds ?
Il sourit, dit salut au coursier qui s'en va en heurtant le battant de la porte de son gros sac en cuir.
Se passe la main sur le visage.
Se redresse sur le fauteuil italien.
Ouvre son sandwich plastifié et mord dedans.
Avale une gorgée de Coke glacé.
Il prend un quarter dans sa poche. L'envoie en l'air. Pile, j'appelle. Face, j'appelle pas.
Face...
Il recommence. Il l'a mal lancé...
Face.
Encore une dernière fois...
Face.
Il balance le quarter à la poubelle.
Reprend une gorgée de Coca. Mord dans le sandwich au salami.

Regarde le serpentin sur le nez de Vieux George. Elle est timbrée, cette fille...

C'est une drôle de fille. Un drôle d'animal... Après tout, je ne risque rien. Je suis grand... Il tire le téléphone vers lui, compose le numéro de Bonnie, hésite. Raccroche. Après Amy, je m'étais bien promis de renoncer aux cinglées... Encore une qui me laissera pas tranquille... Qui voudra toujours aller voir derrière. Elle a bien une tête à aller voir derrière, celle-là...

J'aime bien sa tête...

Il recommence. Laisse sonner la sonnerie plusieurs fois.

Entend une voix qui dit « Allô ».

Rit doucement.

Allô. c'est rigolo...

— Si tu m'emmènes sur ta moto comme Maryse, je ferai tout ce que tu voudras...

Monter sur la moto de Gérard, c'est le rêve de toutes les filles de La Fresquière. Il fait chaud. L'eau de la fontaine sur la place coule en un mince filet qu'un souffle d'air de temps en temps fait dévier. Grand-père, Grand-mère, les oncles et les tantes, les cousins et les cousines, Maman et le petit frère font la sieste. La petite fille a attendu sur le banc, devant le garage, que Gérard revienne de Barcelo avec sa moto. Un problème d'embrayage, qu'il a dit ce matin en partant.

Le soleil lui tape dans l'œil, tape sur le guidon, tape sur le réservoir, tape sur la mèche grasse qui barre le front de Gérard.

Gérard rigole et se redresse sur sa moto.

— J'irai même dans ta chambre, si tu veux...

Elle n'a pas baissé les yeux pour dire ça. Elle l'a regardé bien droit et s'est rapprochée jusqu'à sentir le guidon froid rentrer dans son ventre. Après, elle a posé ses bras de chaque côté du guidon et a attendu la réponse. Comme les vamps au ciné.

Alors là, Gérard ne rigole plus. Il regarde la petite fille. Il regarde le bout de ses bottes. Il demande :

— Mais t'as quel âge ?

— Douze ans. Treize dans quatre mois...

Il éclate de rire et la toise.

— T'es pas intéressante, alors !

Il appuie sur la pédale et fait pétarader la moto.

— Reviens me voir quand tu seras intéressante !

Dimanche, il y a bal. Dans le garage. Elle lui montrera qu'elle est intéressante.

Dimanche, il y a bal. Gérard danse avec Maryse. La petite fille se serre contre la chemise rose d'un apprenti charcutier de Marseille qui est monté pour le week-end. Pour le bal. Elle ne voit pas sa tête. Elle n'aperçoit que les bras épais qui la serrent, le ventre fort qui l'oppresse, les poils du torse qui lui chatouillent le nez.

— On va dans la grange ? il dit.

Ils se renversent dans le foin. Il dit qu'il s'appelle Lucien. Et lui demande quel est son petit nom à elle. Elle ne répond pas. Il défait les boutons de son chemisier. Elle n'a pas peur. Il a enlevé le chemisier et la regarde. Puis il se détourne, lui dit de se rhabiller. Elle ne comprend pas. Elle l'agrippe. Il se dégage. Se relève. Enlève la paille sur le pantalon noir, la chemise rose. Elle court vers lui, torse nu. Se colle contre lui. Il la repousse violemment. Elle tombe sur le sol et pousse un cri. Se frotte les coudes, les genoux.

— T'es pas un peu fou ?

— C'est toi qu'es folle ! T'as quel âge ? Tu veux me faire arrêter ou quoi ? Allez, viens, on retourne au bal.

Ils sont à peine rentrés dans la salle de bal qu'il la plante là sans rien dire. Elle reste seule. Sur une chaise. Avec les cousins, les cousines et le petit frère qui font tapisserie. Elle les méprise. Ils ne savent rien faire d'autre que des arcs et des flèches, des barrages et des bêtises. Elle s'évente un moment puis s'agite sur sa chaise.

— Pas intéressant ici... Je rentre à la maison !

Un jour, elle sera grande et ils verront !

Un jour, elle a seize ans.

Son cousin, l'aîné, fait du vélo. Il s'entraîne pour la course du *Dauphiné libéré*. Il a un copain, André, avec qui il monte les cols, graisse les pédaliers, discute petit et grand braquet. Un soir d'été, le cousin et André s'arrêtent à La Fresquière. Il pleut. Ils ont le visage encadré par le capuchon de leur anorak et des gouttes de pluie qui scintillent au bout du nez. Ils sont fatigués. Ils ont faim. Ils veulent de la soupe et dormir.

Grand-mère pousse la soupière vers elle et lui demande de servir.

Elle les sert. Elle regarde André et rougit. Elle est brûlante. Ils ne se disent pas un mot. Il parle en s'adressant aux autres mais toujours son regard revient sur elle. Elle est prête à mourir pour lui. Elle n'ose pas lever les yeux, et, quand elle les lève, il la guette. Sans parler. Elle rougit. Il est beau. Il est grand. Il a des yeux noirs qui brillent. Des joues toutes rouges et des cheveux humides.

Le cousin dit que ce n'est pas tout, qu'ils vont se coucher parce que demain matin, à six heures, l'entraînement reprend. Il faut franchir le barrage de Serre-Ponçon.

Le lendemain à six heures, elle se lève, entrebâille les volets et les regarde s'éloigner. André pédale la tête en arrière. Il la cherche des yeux. Mais elle se renfonce dans l'encoignure pour qu'il ne la voie pas.

Toute l'année, ils s'écrivent.

Des lettres dingues. Il veut l'épouser. Elle baise la lettre et la porte sous son pull. Refuse d'aller danser. Les garçons qui l'approchent la dégoûtent. Elle se lave les dents chaque fois qu'ils la serrent de trop près et essaient de l'embrasser.

Elle l'attend.

Elle dort les bras croisés sur la poitrine pour que son âme ne s'envole pas vers un autre que lui. Pour elle, il est prêt à tout. A travailler d'arrache-pied, à avoir son bac, à faire une grande école, à construire des usines, des ponts, des barrages qui tous porteront son nom. Son nom à elle.

Encore, encore, elle lui écrit.

Il aura une mention très bien. Il rentrera le premier à Polytechnique. Et le jour du bal de l'X, dans le foyer de l'Opéra, ils valseront. Elle et lui. Monsieur et madame. Pour la vie.

Elle baise la lettre.

Pour la vie.

Jusqu'à la mort.

Elle se couche dans son lit. Elle l'attend.

Les bras croisés sur sa poitrine.

Demain, il franchira le col de Vars.

Demain, il sera à La Fresquière. Elle se serrera contre lui et le suivra. N'importe où. Calme, apaisée. Silencieuse.

Si anxieuse qu'elle saute hors du lit et va vérifier dans la glace si elle est bien jolie. Si tout est en place pour son arrivée à lui. Elle se recouche, croise les bras sur son âme une dernière fois. Le soleil se lève à travers les volets. Il va arriver. Elle s'endort, heureuse.

Il pose son vélo et la regarde.

C'est leur secret. Personne ne le connaît. Ni la grand-mère, ni le cousin, ni la maman, ni le petit frère. Le cousin raconte, les petits posent des questions. Oui, oui, répond André en emmêlant son regard au sien. En serrant ses doigts sur le guidon. En la brûlant des yeux. Séparés par les autres qui s'agitent. Qui posent des questions. Mention très bien au bac ! Mais c'est admirable ! L'École polytechnique ! Mais c'est formidable ! Oh ! la ! la ! disent en chœur les tantes et les oncles, le grand-père et la grand-mère, la maman et les cousins. Cet André, alors ! Quel garçon exceptionnel !

Le petit frère la regarde et dit qu'elle est toute chaude. Toute rouge. Pourquoi elle est rouge comme ça ? Elle est toute rouge-eu ! Elle est toute rouge-eu ! Crétin ! Imbécile ! Elle le pince au sang et essuie ses mains moites sur son short. Recule encore un peu pour que plus personne ne fasse attention à elle.

A eux.

Ferme les yeux.

Il est là.

Il la regarde.

Par-dessus les autres. Loin. Derrière son guidon. Derrière ses cheveux noirs. Derrière les exclamations des oncles et des tantes.

La soupe est brûlante. Elle dit qu'elle veut servir.

Le servir.

La tête baissée sur la louche qui vide la soupe dans son assiette.

Elle se rassied. Il cherche sa main sous la table. Elle l'évite et pose ses deux mains sur la nappe. Il avance un genou contre le sien et regarde ailleurs. Elle lui donne son genou, plaque sa cuisse contre la sienne et détourne la tête.

Elle l'écoute parler. Des cols, de la montagne, de Paris, de l'École. De son goût pour l'effort, le travail. Heureuse. Silencieuse.

C'est l'heure de se coucher. Les garçons ont dressé une tente dans la grange. Grand-père dit que c'est une bonne idée. Grand-mère redoute les vipères dans le foin frais. Les petits bâillent. Les oncles et les tantes jouent au bridge. Maman boit sa tisane d'hysope. Elle se retire sans le regarder, lui. « Mais embrasse André ! Embrasse André ! », scande un oncle en frappant la nappe de son manche de couteau. Elle détale et claque la porte de la salle à manger. Les oncles rient. « A cet âge, qu'on est bête quand même ! On a de ces pudeurs ! »

Elle court vers sa chambre.

143

Il la rejoint. Dans le couloir.

Il coupe la lumière et l'attire contre lui.

Il l'embrasse.

Sans un mot.

Les deux mains posées sur le mur, son corps plaqué contre le sien. Sa bouche qui mange sa bouche et sa bouche à elle qui se laisse manger. Sa bouche qui descend dans son cou, ses mains qui l'empoignent, et elle toute molle, toute molle... qui se répand contre lui, enfonce ses mains dans lui, un genou entre ses jambes, son ventre dans le sien.

Abandonnée.

Muette et muet.

A l'écoute du même souffle dans leur bouche, de la même langue, du même plaisir qui monte, monte, monte. Il se tord au-dessus d'elle, il veut la dévorer. Elle se tord en dessous de lui. Tend son cou, ses lèvres, ses seins.

Et puis des pas...

Le cousin cherche André, il l'appelle.

— Je vais lui dire, il faut qu'il nous aide ! Je veux dormir avec toi cette nuit. Il n'y a que lui qui peut nous aider...

— Non ! Non ! supplie-t-elle en lui enfonçant la main dans la bouche.

— Pourquoi ?

— Non ! Il ne faut pas qu'il sache...

— Je vais lui dire...

— Non ! Je t'en supplie !

Elle l'attire dans la chambre et referme la porte. A clef. S'agrippe à lui. L'entraîne sur le lit. Touche sa peau. Veut sa peau nue contre sa peau nue. Le déshabille. Se déshabille. La main toujours sur sa bouche pour qu'il ne parle pas. Ne dise pas. Ils entendent les pas du cousin qui s'éloignent. Sa voix qui crie « André » à l'étage au-dessus. Il soupire. Il s'étend sur elle. Il est chaud et lourd.

144

Elle l'aime. Elle n'aime que lui. Elle l'étreint, muette et désespérée. L'enserre fort dans ses bras de peur qu'il ne lui échappe. Frissonne à l'idée qu'il va repartir. Il va repartir, c'est sûr. Il a sûrement été déçu quand il l'a revue. Elle n'est pas aussi brillante que les autres filles qu'il voit dans l'année. Pas aussi intelligente. Alors il va partir. Il ne dit rien parce qu'il ne veut pas lui faire de peine mais elle n'est pas à la hauteur. Alors quand le reverra-t-elle ? Quand ?

Elle frissonne et se renverse. Prête à pleurer. Renverse la gorge en arrière pour qu'il ait encore plus de peau à baiser. Il la serre contre lui et chuchote dans son cou.

— Je t'aime ! Oh ! Je t'aime ! Je n'aimerai jamais personne d'autre. Tu es ma femme ! Tu es mon amour ! Tu es tout pour moi !

Elle se raidit. Serre les dents. Le repousse des deux bras. Le repousse si fort qu'il tombe. Elle se rejette en arrière. Ramène le drap sur ses épaules. Lui tourne le dos. Étrangère. La haine au bord des lèvres. Elle grince entre ses dents :

— Va-t'en ! Va-t'en ! Je te déteste ! Je veux plus jamais te voir ! Plus jamais !

Et, comme il ne comprend pas et essaie de la reprendre dans ses bras, elle le repousse encore plus fort. Pouffe de rire à le voir stupide, la bouche ouverte, tout nu, la peau irritée par ses baisers, les marques blanches du polo sur ses bras bronzés.

— Mais t'es laid ! T'es laid... Et regarde, regarde, t'avais gardé tes chaussettes !

Elle éclate de rire, saute du lit, lui jette un à un ses vêtements pour qu'il se rhabille. Ouvre la porte toute grande.

— Va-t'en ou je dis à tout le monde que t'as voulu me violer !

Elle le pousse, nu, sur le palier où il se rhabille en quatrième vitesse. Mais pas assez vite pour que le cousin ne le surprenne pas.

145

— Ben ça... André !

— Oui, elle dit, il est culotté ton copain... Allez, dégagez tous les deux ! J'ai sommeil, moi !

Et elle referme la porte. Soulagée. Elle l'a échappé belle. Quelle tronche de crétin ! Et dire qu'il voulait l'épouser ! La garder pour lui tout seul ! Non, mais, pour qui il se prend celui-là ? Mais quelle bêtise, cette histoire ! Qu'est-ce qui m'a pris de croire à tout ça ? D'imaginer que je pourrais vivre avec cet imbécile aux joues rouges et à la tronche de premier de la classe !

Elle se laisse tomber sur le lit et soupire. Elle a mal au ventre. Elle a mal au ventre toute la nuit. Court de son lit aux cabinets. S'endort enfin quand le soleil filtre à travers les volets.

Le lendemain, au petit déjeuner, il est triste.

Et blanc.

Il parle à peine. Il l'évite.

Qu'est-ce qu'il est beau ! elle se dit en rajoutant du miel sur sa tartine. Qu'est-ce qu'il est beau quand il est triste ! Et puis si mystérieux ! Elle se met à trembler et trempe la tartine dans son café au lait.

Elle ne veut plus qu'il parte.

Il parle de reprendre la route, mais les oncles et les tantes insistent. Pas si vite ! Il doit rester encore un peu !

— Non! Non ! il répond en l'évitant toujours. J'ai des trucs à faire. Du travail qui m'attend. Il faut que je prépare mes affaires alors il vaudrait mieux que... D'ailleurs, je vais aller m'assurer que mon vélo est en état et, après le déjeuner, je m'en irai...

— Oh ! font les oncles et les tantes déçus, en secouant la tête. Alors on va vous préparer un bon repas.

Il s'éloigne et part rejoindre le cousin près de son vélo.

Elle le regarde partir.

Elle aime quand il est triste. Qu'il ne la regarde pas. Qu'il s'éloigne sur la route. Elle court vers lui, l'attrape par le bras. Lui demande pardon. Dit qu'elle est folle. Qu'il peut la punir si tel est son plaisir mais surtout, surtout, qu'il la garde avec lui. Il résiste, la repousse. Elle s'accroche, il résiste encore, va pour lui donner un coup qui l'enverrait valser mais elle colle sa bouche à sa bouche et il ralentit le pas. Elle s'agrippe en suppliant :

— Me laisse pas, me laisse pas... Garde-moi. Garde-moi...

Il ne répond toujours pas mais ses pas hésitent.

Elle se pend à son bras et pèse sur lui de tout son poids.

— Je t'aime, tu sais, je t'aime.

Il hausse les épaules et lui demande d'arrêter de dire des bêtises.

Elle tremble. Ce n'est pas des bêtises. C'était plus fort qu'elle, hier. Elle-même ne comprend pas. Elle ne recommencera pas. C'est promis.

Ils passent devant la grange, devant la tente. Elle a glissé son bras autour de sa taille et il n'a rien dit. Elle marche du même pas que lui.

— Tu me crois pas ? elle dit en relevant la tête et en le regardant droit dans les yeux.

Il ne répond pas. Il a toujours l'air triste et mystérieux.

Alors elle l'attire vers la tente. Dans la grange. S'étend sur le tapis de sol, remonte sa robe et lui tend les bras.

— Viens...

Il la regarde. Il n'ose pas. Il reste debout et elle aperçoit ses longues jambes puis son nez. Ses joues rouges. C'est tout.

Elle se redresse, lui prend la main et la pose sur son ventre. Son ventre nu.

Il s'agenouille près d'elle et ferme les yeux.

Se laisse tomber à ses côtés. Encore plus près.

Elle l'attrape dans ses bras et le serre à l'étouffer.

147

— Oh! pardon, pardon... Je ferai tout ce que tu voudras. Tu me crois ?

Il ne répond ni oui ni non. Elle prend sa main et tout doucement la glisse entre ses jambes. Il hésite. Puis ses doigts effleurent l'intérieur de ses cuisses. S'enhardissent. La caressent.

Elle dit oui, oui et ferme les yeux.

Mais avant, juste avant qu'il s'allonge sur elle, elle met sa bouche contre son oreille et supplie :

— Ne parle pas, s'il te plaît, ne parle pas...

Le lendemain, j'ai posté ma lettre à Allan.

Je serais bien allée la glisser moi-même dans sa boîte afin d'être sûre qu'elle lui parvienne mais je me suis dit que trop de zèle risquait d'irriter l'Escroc. Je l'ai donc portée humblement à la poste sur la Troisième Avenue et la Cinquante-Troisième Rue puis j'ai pris le métro. Je suis descendue avec l'express tout en bas de la ville. Jusqu'à Canal Street.

J'avais décidé d'aller consulter Rita.

Sur la banquette, en face de moi, un couple s'embrassait. Elle, blonde, fraîche, rieuse, petit nez retroussé, dents bien alignées, cheveux vitaminés. Lui, brun, sain, musclé machine, sourire plein de vide. De ces beautés standardisées qui, dans les publicités, vantent les mérites du chouime-gomme ou du Coca. Des beautés hygiéniques, vidées d'âme et de sens, qui plaisent à tout le monde et peuvent servir à vendre, au choix, des maisons de maçon, du dentifrice ou la dernière compilation d'un vieux crooner gominé. Ils m'énervaient à se mastiquer la bouche sous mon nez. Pour nous rappeler à nous autres, pauvres transportés, que la romance dans cette ville ne se trouve pas sous le sabot d'un cheval. Et quand on l'a dénichée autant se pousser du col et l'afficher. Je bisquais ferme et monologuais intérieur. Je pensai un instant changer de wagon mais je réfléchis et, pfft ! je me dis, t'énerve pas. T'es pas sûre de retrouver une place assise dans le wagon d'à côté et puis tu n'es pas la seule à hurler à l'amour ! Dans cette ville, buter dans un homme libre relève de la statistique. Le séduire, de la prouesse balistique. Le garder, de la formule cabalistique.

J'en sais quelque chose : j'ai habité ici. Après que mon père m'eut demandé en mâchant sa pizza d'écrire un livre « sérieux », j'ai réfléchi et j'ai choisi l'exil. J'ai dû penser à Hemingway, Miller, Gertrude Stein et Scott Fitzgerald. Je me suis trouvée tout d'un coup très romantique. Ça m'a emporté l'âme et je les ai imités. En sens inverse.

Un jour, c'était au tout début de mon exil, il me vint la fantaisie de soulever le vantail de ma fenêtre et de lancer quelques propos aimables à mon vis-à-vis de voisin — à peu près soixante centimètres — que j'observais chaque jour ahaner sur sa planche à dessin pendant que moi-même je besognais mon Olivetti en me prenant pour Flannery et en suivant le conseil de Nick, scotché sur le mur blanc : « Ne dites pas, montrez. » Bref, à force de voir mon voisin crayonner par-delà mes carreaux, j'eus l'idée de le convier à un petit déjeuner tardif, appelé « brunch » par les indigènes. Il eut l'air fort embarrassé et je dus m'y reprendre à plusieurs fois avant qu'il consente à me rejoindre du bout des fesses autour de deux œufs « sunny-side up » et de french toasts.

Apprenant mon statut d'étrangère dans la ville, il me confessa le pourquoi de son embarras. Mon invitation relevait de la plus grande hardiesse, extrêmement courante hélas ! chez les femmes de cette cité qui ne reculent devant aucune ruse pour enfourner un mâle dans leur lit. Et lui, célibataire ni inverti ni drogué, ne savait plus où se réfugier pour échapper à l'hallali. Force lui était donc d'ouvrir l'œil, de ne point s'attarder en rentrant du journal, de verrouiller sa porte à triple tour et de ne manger ses œufs qu'en bonne compagnie. Ce jour-là, je reçus un véritable cours sur les rapports des deux sexes à New York. Je ne revis d'ailleurs jamais mon vis-à-vis. Peut-être crut-il que mon invitation naïve était un stratagème pour m'introduire dans sa vie... Mais la suite de mes aventures américaines ne fit que confirmer ses pessimistes prédictions. Je rencontrai Terry dans un autobus. Un soir de cohue. Serrée de tous côtés, cramponnée à ma poignée en cuir, je me sentis soudain déséquilibrée : une sacoche d'étudiant (la sienne en l'occurrence) venait de verser dans ma sacoche Bloomingdales. Il s'excusa. Je l'excusai. Il se présenta. Je me présentai. Ma nationalité française parut l'intéresser et il s'enquit de ma culture avec une exquise bienveillance.

Terry avait une voix bien placée, un savoir kilométrique, des joues cireuses, des yeux bleus de poupée, de longs cils et des ongles bien soignés. Il ne portait jamais de manteau. Il était contre. Il étudiait à Columbia University la coutume du potlatch chez les Indiens migrateurs. En vue d'une thèse de doctorat. On se revit. Au cinéma, où il m'emmenait voir des films gutturaux de sociologues chevronnés et chevrotants. Au concert, où je luttais contre la monotonie des harmonies de John Cage. Au musée d'Art moderne, où il m'apprit la différence entre un Jasper Johns et un Rauschenberg. Dans des cafés en bas de la ville, où il m'expliquait sans relâche le rôle du potlatch dans les civilisations primitives. Je frissonnais sous sa prunelle bleu glacier. Ses propos étaient empreints de sévérité et il dissertait avec l'affectueuse condescendance du prof pour l'élève un peu niais. Je n'osais le toucher, de peur de rompre l'enchantement livresque dans lequel il m'avait plongée, mais attendais, attendais et écoutais. Enfin, au bout de quinze cafés, cinq cinémas et trois concerts, il se résolut un soir à m'embrasser puis à se glisser dans mon lit.

Je n'en revenais pas. Cela me parut même irréel, pour tout dire.

Sur le point de m'enlacer, ses deux bras blancs brillant dans la nuit, ses lèvres si convoitées se rapprochant de mon oreille, une odeur de chair ferme flattant mes narines soumises, il marqua une pause, s'appuya sur un coude et me dit qu'il voulait que les choses soient bien claires avant de se laisser aller à des transports où l'esprit, il faut le reconnaître, perdait de son emprise : il avait une petite amie. Depuis quatre ans précisément. Il m'énonça son âge, sa religion, son métier. La qualité des poèmes qu'elle écrivait sur des cahiers cartonnés. Et l'excellence des brownies qu'elle lui cuisait chaque dimanche matin en écoutant le grand Schubert sur sa mini-chaîne. Il ajouta qu'il l'aimait tendrement et que Violet était son nom. Il existait entre eux une convention qui stipulait une certaine liberté de part et d'autre, et je devais à cette annexe au contrat le fait de me trouver là, dévêtue, à ses côtés. Il attendit que j'acquiesce de la tête pour montrer que j'avais bien compris quelle place me revenait dans sa vie puis il s'allongea sur moi et me fit l'amour avec le sérieux et l'attention qu'il prodiguait à tout ce qu'il entreprenait.

Déconcertée par cette mise au point tardive, je ne ressentis rien. Absolument rien. Pas le moindre frisson ni le plus léger abandon, et pus, à loisir et les yeux mi-clos, étudier sa physionomie dans le plaisir. Il me lutinait avec tout le zèle et la technique que le vingtième siècle et sa documentation abondante offrent aux amants consciencieux. Aucune zone érogène n'échappa à son érudition. Aucune technique ne lui était inconnue, et il exécuta chaque variante avec la même virtuosité, le cœur plein d'allant, le rein ondulant, l'allure cadencée et la langue précise. Je n'eus même pas besoin de simuler et de battre des poignets, affolée, sur ma couche : il était trop occupé à ne rien oublier, trop soucieux de m'éplucher de A jusqu'à Z pour remarquer mon absence. Enfin, ayant conclu par un léger effleurement de mon zygomatique droit, il eut un petit sourire qui signifiait « Alors, heureuse ? » et se retira aussi délicatement qu'il s'était introduit. Je récupérai mon corps. Le tâtai pour vérifier qu'il m'avait bien tout rendu. Puis regardai Terry. Que s'est-il passé au juste ? me dis-je.

Je viens de faire l'amour. Avec cet homme assis au bout de mon lit. Qui enfile ses chaussettes, rentre sa chemise dans son pantalon, se lisse les cheveux. Cet homme est mon amant.

Ah bon ?...

Terry comment ?

Terry où ?

Je ne sais pas. Je ne sais rien de lui. Presque tout de sa petite amie et tout, tout, tout sur le potlatch et les Indiens transporteurs de teepees.

Je ne devais pas en apprendre davantage.

Ce soir-là, après un dernier baiser très doux, il me quitta. Pour toujours. Sans laisser de traces. Même pas un cheveu sur l'oreiller à faire analyser. J'attendis en vain un coup de fil. Une lettre. Un pneu. Un faire-part d'hôpital. Un entrefilet dans le *New York Post*. Je remis sérieusement en question ma libido. Reniflai mon haleine. Examinai un par un tous mes défauts physiques et conclus que je n'étais pas à la hauteur. Violet, elle, devait avoir tout bon.

Deux ans plus tard, de passage à New York, alors que je faisais la queue chez Dean et Deluca, un assortiment de fromages français dans les bras, j'aperçois un homme de profil aux joues cireuses, aux yeux bleus ombrés de longs cils, qui ramasse sa monnaie de ses doigts aux ongles soignés. Il se retourne, me demande pardon car son sac à provisions vient de heurter mon sac à provisions. Je l'excuse. Souris.

153

Repousse mon sac, mes fromages. Lui tends une main amicale. Prête à me rappeler à son bon souvenir. Sans rancune. Pleine de curiosité pour le déroulement de son éducation et de sa romance avec Violet.

Il était déjà parti...

Mon regard revient se poser sur les deux cannibales du baiser et je pense à Allan : a-t-il une petite amie ?

Rita me dira.

Rita sait tout parce que Rita « voit ». Elle tire les cartes dans une échoppe au rez-de-chaussée de mon dernier domicile new-yorkais. A Forsythe Street. Là où j'habitais quand je m'escrimais à écrire un livre « sérieux ». J'essayais de savoir ce qu'il entendait par « sérieux ». C'était pas évident. Il citait des noms. Toujours les mêmes. Chateaubriand, Émile Zola, José Maria de Heredia, Jean Valjean. « Mais c'est pas un écrivain, Jean Valjean », je m'écriais, ravie d'avoir marqué un point. « Tu vois qui je veux dire, il répondait en balayant mon objection. Et puis tu vas te ruiner en téléphone pour pas grand-chose... » Je raccrochais, au bord des larmes. Allais me planter devant la glace. Me trouvais moche. Inutile. A la douzaine...

Pimpin, devant mon désarroi, me cita une phrase de Montesquieu qui disait grosso modo : « La gravité est le bouclier du sot. » Je ne me suis pas gênée pour la lui envoyer. Soigneusement calligraphiée. Par recommandé express. Il n'a pas moufté.

Mais c'était trop tard. Il avait semé le doute dans mon esprit. Je regardais mon livre, le second, celui que j'étais en train d'écrire, et je me disais : C'est pas un livre sérieux. Je l'écris trop facilement. C'est louche. Je me posais des questions qui m'égaraient encore davantage. Par exemple : Est-ce que Chateaubriand écrivait comme il causait ? Oui. Sûrement. Et comme il n'avait pas la télé et toutes ces conneries pour lui faire fourcher la langue, il causait sérieux. Et il écrivait sérieux. Il n'avait que ça à faire : du sérieux. D'ailleurs, la France se prenait très au sérieux en ce temps-là. Et lui, dans son grand château de Combourg, il collait à son époque. Et quand il allait prendre le thé avec sa copine Récamier, ils devaient tous les deux emprunter des mots châtiés, de belles tournures et se faire mille grâces de conversation. Un vrai régal. Un chapelet de subordonnées, un envol de subjonctifs et de descriptions romantiques.

Et Paul Valéry, plus proche de nous ? Alors là, ça se complique. Disait-il à son pote : « Je vais prendre un repos de quelques instants », ou : « Je vais piquer un petit roupillon ? » A mon avis, il disait « roupillon ».

Il le disait mais il ne l'écrivait pas.

Parce qu'il voulait faire sérieux.

Et moi, j'étais là, le cul entre deux chaises. Écrire comme je parle ou écrire comme on parlait il y a deux cents ans... Décrire un lit à baldaquin dix pages durant ou filer droit à l'émoi de la petite bonne qui se fait renverser par le fils du patron ?

Dans le cours de Nick, les étudiants ne se posaient pas toutes ces questions. Eux, leur critère, c'était l'émotion. Et l'émotion... Il suffisait de regarder la tronche des élèves une fois que vous aviez fini de lire tout haut votre texte pour savoir si vous aviez bon ou faux. Et souvent Nick, tassé sur ses pompes avachies, nous répétait : « Oubliez le " comment ", pensez plutôt au " quoi ". » J'étais extrêmement perplexe et j'écrivais de moins en moins, perdue dans ce dilemme insoluble. Le temps passait, je réfléchissais, et mes économies fondaient. Au début de mon séjour, je sous-louais dans les quartiers chics puis, le franc reculant devant le dollar, je m'étais repliée dans les beaucoup moins chics. Jusqu'à échouer dans ce studio assez minable sur Forsythe Street en face d'un parc qu'occupaient les clochards et qu'arpentaient les petites putes.

J'avais été obligée de changer de dégaine. De passer inaperçue. Vieux jean, vieille parka, vieilles baskets. Les cheveux dans les yeux, les yeux dans les épaules, les épaules frôlant les murs, les doigts crispés sur de la menue monnaie, prête à la donner au premier venu qui me la demanderait avec un peu d'insistance. Et la pointe d'un couteau.

Pas de doorman dans ma petite maison de trois étages. Ni d'interphone : on m'appelait de la rue et je balançais les clefs par la fenêtre. Dans un gant ou dans une chaussette. Il s'agissait de bien viser et de ne pas les envoyer dans les poubelles sur les escaliers. Pas de WC privés non plus. Je partageais les commodités avec un peintre quinquagénaire tout le temps constipé et une jeune immigrée polonaise qui habitaient sur le même palier.

Elle s'appelait Katya et faisait partie de ces gens qui pensent avoir une vision du monde car ils possèdent deux ou trois idées fixes qu'ils répètent à tout propos. Elle m'horripilait mais j'avais besoin d'elle : elle connaissait le voisinage et m'aidait à lutter contre les cafards. C'est elle qui m'indiqua les « motels à cafards ». Des boîtes en carton de la taille d'une grosse boîte d'allumettes, coquettes et pimpantes à l'extérieur, tapissées d'une infâme glu à l'intérieur. L'insecte était supposé y entrer et y périr empêtré. « They check in, they never check out », disait la publicité. La publicité ne mentait pas mais les cafards pénétraient rarement dans les motels. Pas bêtes : ils se méfiaient de ces petites boîtes à l'enseigne alléchante, et ne s'y pointaient que les gagas, les dépressifs et les distraits. Un pourcentage infiniment petit chez le cafard, espèce robuste par excellence, qui survit à tout même à la bombe atomique.

J'avais survécu.

Très bien.

Je finis même par aimer ce quartier.

Ses habitants. Les messes en espagnol et orgue électrique qui me tiraient hors du lit trois fois par semaine, les mères qui harcelaient leur progéniture, le ventre lâché dans leur tablier, les gamins qui faisaient gicler les bouches d'incendie et se déhanchaient devant d'énormes transistors qu'ils arrivaient à peine à soulever, les clochards qui poussaient leurs caddies débordant de bouteilles consignées et de cartons, les putes qui tiraient sur leurs joints ou, quand les affaires prospé-raient, se faisaient des lignes de coke sur le capot des épaves abandonnées dans la rue sous l'œil indifférent des flics qui patrouillaient. On se lançait des « Hi! Sweetie, how are you today? Fine and you? Fine, thank you ». Je me voûtais un peu, elles faisaient éclater leur soutien-gorge et le soir, vers minuit, quand à court de cigarettes je descendais à La Bodega en bas de chez moi, je les retrouvais. Entre deux passes, appuyées d'une hanche sur le comptoir, elles posaient du vernis rouge sur leurs bas filés, s'écaillaient un ongle, mâchaient leurs gommes et discutaient de leurs clients. Pour la plupart des petits Blancs en costume et cravate serrée qui profitaient d'un battement entre deux rendez-vous d'affaires pour se payer une tranche de sexe sale. Ce que leurs femmes blanches, parfumées et manucurées, leur refusaient. Pour les « blow-jobs » elles préféraient les Américains. Mais pour le reste elles étaient bien plus à l'aise avec les ethniques.

« Les Américains, c'est propre dans le calbar et tordu dans la tête », résumait Maria Cruz, une petite Portoricaine de dix-huit ans, baraquée, moulée dans un jean serré et des bottes en vynile rose à talons pointus. Maria Cruz jouait les chefs de file. « Des boutonnés, j'te dis, des boutonnés! C'est nous qu'on les déboutonne ici à grands coups de langue. »

Ses copines se marraient. Maria Cruz donnait une grande claque sur le comptoir et offrait un café à la ronde. Maria Cruz était une vedette. Elle s'était enfuie de chez elle, dans le Spanish Harlem, à l'âge de quinze ans. Avait rejoint une des bandes de gosses qui pullulent dans le Bronx, vivent de chapardage, descendent dans les beaux quartiers commettre leurs larcins puis remontent se partager le butin. Un soir, Maria Cruz n'était pas remontée. Elle avait traîné sur la Cinquième Avenue, les mains dans son blouson piqué sur Broadway. Avait épié les limousines qui ramenaient les belles robes et les smokings devant des immeubles avec portiers engalonnés. Elle s'était promis qu'un jour elle poserait ses fesses dans ces voitures rembourrées. Elle s'était sentie toute légère après cette promesse. Comme si elle avait déjà changé de statut social. Avait glissé un escabeau sous ses pieds et pris de l'altitude. « Faut jouer à faire comme si... S'entraîner à être une autre. Plus forte. Comme ça, le jour où ça t'arrive, t'es prête. Pas étonnée. Tout à fait à la hauteur de la situation. Et puis, en jouant à faire comme si, tu apprends l'audace... Et quand t'as l'audace... »

Elle avait rêvé ce soir-là, Maria Cruz. Son seul soir de liberté. Elle avait fait comme si. Comme si elle était miss Maria Cruz. La fameuse miss Maria Cruz. La célèbre coiffeuse-esthéticienne qui a son institut sur Madison Avenue. Trois étages de petites cabines bleu ciel, une moquette gris clair... non, bleu ciel... bleu ciel aussi la moquette et les portes soulignées d'un léger filet gris avec, sur chacune d'elles, le nom de l'esthéticienne écrit en lettres d'argent. Toute légère, portée par son rêve, elle descendait la Cinquième Avenue. Heureuse de ne plus être en bande, de n'entendre résonner que le bruit de ses bottes à elle, de ses talons pointus sur le macadam. Vers deux heures du matin, elle s'était allongée sur une marche d'escalier d'une de ces petites maisons riches de l'Upper East

Side et s'était assoupie en choisissant les rideaux de son institut, l'uniforme des esthéticiennes, des réceptionnistes, des coiffeuses, en établissant les tarifs, la grille des salaires, les heures d'ouverture. Le lendemain, pour se payer un café et deux œufs au plat, elle avait suivi un homme. « Ma première passe : deux dollars soixante-quinze ! Ah ! on peut dire que j'ai réussi depuis : j'ai fait monter les prix. Et pis j'habite Manhattan. Pas dans les quartiers chics, mais ça viendra... Quand je prendrai ma retraite avec José, que j'aurai mis de l'argent de côté et que je pourrai me le payer, mon institut... »

Je l'aurais écoutée toute la nuit, Maria Cruz. S'il n'y avait pas eu José qui la surveillait. José et les autres. Planqués dans de longues voitures, ils tournaient autour du parc. Maria Cruz avalait son café à toute allure, ajustait son collant, lissait sa mini-jupe en skaï, faisait gonfler ses joues comme un vieux pro de la trompette et repartait au turbin, suivie bientôt de toutes ses copines.

Il y avait une autre raison pour laquelle je descendais à La Bodega la nuit : c'était Rita. Elle souffrait d'insomnie et tirait les cartes sur le comptoir. Elle était dans un sale état à l'époque, Rita. Elle essayait de maigrir et ça ne lui réussissait pas. Elle était malade des nerfs, passait ses nuits à La Bodega, juchée sur un tabouret à roulettes, et se déplaçait en donnant des coups de reins. Elle était si faible qu'elle avait tout à portée de la main : ses cartes, son café, ses bâtonnets de carottes, son tofu à zéro pour cent, ses cigarettes, ses Kleenex et son blush. Quelquefois, le propriétaire de La Bodega lui laissait garder le magasin toute la nuit. Ce n'était pas une très bonne idée. Parce que, à cause de son régime, Rita n'arrivait pas à se concentrer. Par exemple, vous lui demandiez du salami en tranches et elle vous donnait une cartouche de Salem. On n'osait rien dire parce qu'elle nous tirait les cartes gratis. Et, pour les visions, elle était toujours très forte. Le régime ne l'affaiblissait pas. Bien au contraire : il affûtait ses flashes. « Y a pas à dire, pontifiait Katya, la nourriture alourdit l'esprit. Mens sana in corpore sano... Savent pas se nourrir, ici. Ils ne mangent que des conserves qui leur polluent la tête. »

Katya voulait savoir si elle réussirait un jour, si elle habiterait uptown avec les riches et les nantis... et moi si j'arriverais à écrire un livre « sérieux ». Rita ne comprenait pas ce que j'entendais par là. Et, comme je ne pouvais pas lui expliquer, on n'était pas très avancées toutes les deux. La réponse des cartes demeurait obscure. En échange, elle me prédisait des romances et des amants, des ruptures et des avions. Un homme brun, deux hommes bruns, trois hommes bruns et... le grand amour. Je frétillais derrière le comptoir. Quand ? Quand ? Le grand amour ?

Les dates, elle les voyait pas.

Rita, elle va me dire pour Allan.

Tout. S'il rappelle demain dans la soirée ou si j'ai le temps d'attaquer l'*Iliade* et l'*Odyssée*.

Je descends à Canal Street, longe le quartier chinois, remonte vers l'est. Passe à Mott Street devant la chinese laundry où je portais mes sacs de linge sale. Avec le proprio on se parlait en agitant les doigts. Il ne connaissait pas un mot d'anglais. Traverse Bowery à toute allure. Et tombe sur Forsythe Street.

La boutique de Rita est toujours là. Les affaires doivent marcher. Elle s'est payé une nouvelle enseigne. Une belle main avec les lignes dessinées en vert et rouge et un jeu de cartes peint en doré. « Rita Morena, fortune teller. » Je pousse la porte et Rita lève la tête de son magazine. Pousse un cri et se dandine jusqu'à moi.

Rita, elle marche pas, elle se dandine. Tellement elle a de

160

lard à déplacer. Des kilos de lard qui la freinent quand elle avance, la font pencher un coup à droite, un coup à gauche en une masse menaçante. Quand elle se lève, c'est tous les loukoums de l'Orient qui ondulent jusqu'à moi. J'avais oublié qu'elle était si grosse.

Elle ne veut plus maigrir. Elle affirme que sa graisse la protège. Que, sans ce rempart gélatineux, elle serait livrée au monde. Sans défense. Elle sait ce qu'elle dit : elle a essayé. Effarée, qu'elle était. Au bord de la panique parce que les gens, soudain, lui parlaient de très près. La frôlaient. Et ce n'était pas supportable. Le médecin ne l'avait pas prévenue des vicissitudes de la vie des maigres : toujours convoitées, toujours demandées, tirées à hue et à dia. Rita avait compris très tôt que le monde était hostile. « Quand mes parents m'ont offert un toaster pour jouer dans mon bain », disait-elle en riant. Aujourd'hui, avec ses pneumatiques à la taille, aux cuisses, aux mollets, elle ne craint rien. Elle domine la situation. Elle m'enlace, me soulève de terre, m'embrasse, me repose par terre et gigote de joie en me pinçant au sang. Ouais ! T'es là ! C'est super ! Deux ans sans nouvelles ! Mais qu'est-ce qui t'est arrivé !

— Attends, attends, ne dis rien, j'ai un flash... Tu vas rencontrer un homme. Ici à New York. Je le vois... Il est grand, il est beau. Il va tomber fou amoureux de toi... Si, si... Je le vois. Je vois des avions, des avions... Un mariage... Un étranger, un homme brun, et toi tu porteras un chemisier vert dans une grande fête... Oui, c'est ça... Et un palmier dans un coin...

Je m'agrippe à son cou, je l'embrasse. Encore, encore des flashes. Mais elle se rassied, épuisée. Fin du flash.

— Et après ?

— Ça va marcher... Je le sens. Ça va marcher. Vous allez vous marier et...

— T'es sûre ? T'es sûre que tu te goures pas ?

Elle se vexe. Replie son double menton. Ne me regarde plus. Se raccordéonne sur sa chaise.

— Excuse-moi, c'est l'émotion... Tu comprends, j'en ai rencontré un comme celui que tu vois et j'ose pas y croire. Surtout que c'est plutôt mal emmanché... Je l'ai déjà envoyé bouler...

— Il reviendra, il reviendra... Mais raconte-moi encore. Ton papa ? Il est mort, hein ?

Je fais oui de la tête et j'ai la gorge qui se noue. Ça me fait un effet terrible quand j'entends résonner ces mots tout haut. C'est comme si c'était officiel. Qu'il n'y avait plus rien à faire. Je frissonne et me ratatine comme une petite vieille frileuse.

— Et t'es triste... Très triste ?

Ben oui...

— Mais faut croire en Dieu, tu sais. Faut croire qu'Il est là-haut et qu'Il te regarde.

Je secoue la tête, butée. Il n'en est pas question.

— Mais si... Mais si... Il faut que tu pries la Sainte Vierge.

Elle me montre du doigt la Vierge en plastique qui trône sur une étagère au-dessus de sa tête, un coude sur la radio, l'autre sur le ventilateur.

— Elle comprend tout, elle. Et s'il est parti, ton papa, c'est qu'il avait fini son temps sur terre...

— J'y crois pas, Rita. J'y crois pas. J'arrive pas. Quand il est mort et qu'il y avait toute sa famille qui priait autour de son lit, j'étais pâle d'envie, tu sais. Je les regardais et je voulais prier comme eux. De toutes mes forces, j'avais envie de croire. Parce que, alors, c'était plus triste du tout qu'il soit mort. J'irai le retrouver, un jour...

Je dis et je pleure.

Rita se lève, se dandine jusqu'au frigo et sort une glace. Une Health Bar Crunch ice-cream.

162

— Tu la connais, celle-là ? Elle est toute nouvelle...
Je hoquette « oui ». Je les connais toutes. En trois semaines, j'ai rattrapé tout mon retard. Elle pose la glace avec deux cuillères sur la table et se laisse tomber sur le pouf.
— Allez, allez... Je vais te faire le grand jeu, tu vas voir.
— Attends, attends, donne-moi des nouvelles des autres avant... Katya. Maria Cruz. Et le vieux peintre tout le temps constipé ?
— Oh ! lui... il a pas changé ! Il est toujours là.
Elle bat les cartes. Un jeu spécial qu'elle s'est confectionné en lamé doré et en forme de cœur.
— Et Katya ?
— Elle est repartie en Pologne. Elle a fait que des bêtises. Elle avait plus le droit de rester, alors elle s'est mariée. Pour avoir ses papiers. Avec un escroc. Un spécialiste du mariage avec des étrangères. Il en était à son huitième mariage et, chaque fois, il palpait deux mille dollars... Ils l'ont arrêté. Il l'a dénoncée. Ils sont bien plus durs maintenant. Ils font subir des interrogatoires et des contre-interrogatoires aux jeunes mariés pour bien vérifier qu'ils vivent ensemble. Ils lui ont demandé où était l'interrupteur de la chambre à coucher et si son mari mettait un pyjama. Elle a été incapable de répondre... Ils l'ont emmenée à l'aéroport... Entre deux flics...
Rita hausse les épaules. Je l'imite pour bien montrer la vanité de tout ça.
— Elle m'a écrit. De Varsovie. Ses parents s'étaient ruinés pour qu'elle vienne vivre ici...
Elle me fait couper les cartes, les dispose sur la table, repousse le pot de glace.
— Et Maria Cruz ?
Là, ce doit être grave parce qu'elle s'immobilise, le jeu en l'air, avant de me répondre. Et puis elle le repose et attrape la glace. La trifouille avec le bout de sa cuillère.

— Qu'est-ce que tu veux que je te dise ? Depuis que t'es partie, on n'a eu que des malheurs, ici... Et c'est pas fini. Je le sens bien...

Je la laisse suçoter une ou deux bouchées de crème glacée puis reviens à la charge, doucement. Je l'aimais bien, moi, Maria Cruz. Pas vraiment belle, mais éclatante, avec des gencives roses qui brillaient dans sa bouche... ses cheveux, on aurait dit une perruque tellement ils étaient raides et tirés... Du crin noir et lustré. Elle me faisait entrer dans un monde inconnu. De plain-pied avec la réalité. Je l'écoutais, j'apprenais, et c'était comme si j'en savais plus sur moi. Je me sentais exister intensément. Je pouvais presque toucher mon âme. Ça me fait toujours cet effet-là quand j'apprends... Un jour, je lui avais demandé comment elle faisait pour sucer tous ces types qu'elle ne connaissait pas et qui, si ça se trouve, ne se lavaient même pas avant de venir la trouver. Elle m'avait regardée de haut, presque méchante, et elle avait rétorqué : « Hé, dis donc, comment tu fais, toi, pour rester des heures entières assise devant ta machine à écrire ? Hein ? Comment tu fais ? C'est pas un boulot de bonne femme, ça ! C'est un boulot de mec ! C'est vrai quoi ! Faut avoir des couilles pour écrire, une grosse paire de couilles ! » Ses mains avaient soupesé une énorme paire de couilles imaginaires et toutes ses copines avaient rigolé. J'avais piqué du nez dans mon café et plus jamais je ne lui avais parlé de son boulot. Je m'étais contentée de l'écouter.

— Elle s'est mise à la coke puis au cheval... C'est son mec qui l'y a poussée. Pour qu'elle travaille plus. Elle avait des idées de grandeur, qu'il disait. Elle voulait s'émanciper. Alors couic... Maintenant il la tient et, quand il l'aura bien essorée, il la jettera. Elle est pas belle à voir, tu sais... Il la fait travailler uptown pour qu'elle ne voie plus ses copines... Allez, concentre-toi. Pose-moi une question...

— Mais t'as rien pu faire ?

— Qu'est-ce que tu voulais que je fasse ? Hein ? J'étais pas de taille à lutter contre lui, moi. Et puis elle l'a bien voulu aussi. Je l'avais prévenue. J'avais vu dans les cartes ce qui lui pendait au nez. Mais elle se croyait la plus forte...

Elle se laisse aller contre le mur. Comme si elle était très lasse. La joie de me revoir est passée et maintenant ce sont tous les petits soucis, les soucis qui vous mangent la tête, vous cisaillent l'humeur au jour le jour qui lui reviennent.

— T'as vu le quartier là-bas, dans les avenues A, B, C, D ? Je lui fais signe que non. Je suis descendue en métro à Canal.

— Il change à toute allure. Ils sont en train de tout rénover. Un de ces jours va falloir que je déménage. Ils expulsent à tour de bras. Les avenues A, B, C, D... Tu te souviens ? Personne ne voulait y habiter. Eh bien maintenant la mairie a décidé d'y mettre son nez et les promoteurs fourmillent. Ils retapent les vieux taudis et les revendent à prix d'or. Y a plus un artiste qui peut vivre ici... Ou alors il faut qu'il réussisse, et vite ! Moi ça va être mon tour un jour ou l'autre ! Et j'irai où ? Toute ma vie est ici...

Sa bouche tombe et dessine une drôle de moue.

— Mais les cartes ? Qu'est-ce qu'elles disent les cartes pour toi ?

Elle hausse les épaules. Les cartes, à elle, elles lui disent rien. Mais sa tête lui rabâche qu'il faut qu'elle se prépare à s'installer ailleurs. A Brooklyn ou dans le Queens.

— Allez, on va voir où il est, ton papa ? Hein ? Tu veux ? Quand on a eu fini les cartes et le pot de crème glacée, il faisait nuit et j'étais aussi triste que Rita. Malgré la bonne nouvelle de l'homme brun que les cartes avaient confirmée. Mais je me demandais si je pouvais faire confiance aux visions de Rita. Parce qu'elle m'avait affirmé aussi que Papa était au Ciel. A côté de Dieu. Mon œil, je lui ai dit. Je le vois comme

je te vois, elle m'a dit. Calme et serein et le regard posé sur toi.
— Je te crois pas.
— Il faut me croire et en attendant il faut prier...
— Ah, non alors ! Pas question !
— Et pourquoi ?
— Parce que j'y crois pas... Et puis pourquoi Il ne fait pas un effort, Lui, pendant qu'Il y est. Un tout petit miracle, par exemple, pour que je me mette à croire. Tiens, qu'Allan appelle demain... C'est pas compliqué, ça.
— Ce serait trop facile...
— Ben voilà. C'est toujours pareil. C'est à nous de prendre tous les risques, d'encaisser tous les coups pendant que, Lui, Il se les roule, tranquille...
On en reparlera, elle m'a dit, Rita, d'une petite voix douce. On en reparlera.
Je la connaissais, cette voix. C'est celle des évangélistes qui font du porte-à-porte pour vous vendre du boniment de Dieu. Qui veulent vous attirer dans leurs filets. Lorsqu'ils sentent que vous vous raidissez, ils lâchent du lest et laissent tomber. Juste un instant. Pour mieux vous ferrer ensuite.
On est sorties ensemble. Rita m'a accompagnée. Un bout de chemin. On est remontées vers les avenues A, B, C, D. Ghetto en bas de la ville, avec ses petites maisons de brique rouge délabrées et noircies par les incendies, rongées par la rouille. Plantées dans des terrains vagues envahis de mauvaises herbes, de carcasses de voitures brûlées, d'ordures abandonnées. Quartier autrefois jeté en aumône aux sans-fric, boudé par la municipalité qui ne s'était même pas donné la peine de baptiser les rues.
— Et c'est ce quartier-là qu'ils sont en train de récupérer ? j'ai demandé à Rita.
Elle a hoché la tête en s'appuyant sur mon bras et en soufflant un peu.

166

— C'est déjà fait. Regarde, il y a des flics partout. On peut se promener tranquillement maintenant, alors qu'avant...

Elle avait raison. Des flics étaient postés à chaque coin de rue, la ceinture alourdie par les menottes, le flingue, la matraque en cuir et le talkie-walkie. Le petit doigt sur la gâchette, prêts à abattre l'ombre tremblante qui tente de se faufiler jusqu'à son dealer ou le clodo innocent qui change de place pour ronfler. Rita a continué à m'expliquer. La mairie a réussi son coup, elle m'a dit, bientôt il n'y aura plus une seringue de drogué, plus une godasse de clochard, plus un petit cul qui tapine. Les rues seront prêtes à accueillir leurs nouveaux propriétaires : des costumes trois-pièces et leurs petites femmes aérobiquées. Il n'y aura plus dans la ville un seul mètre carré pas rentabilisé. J'ai pensé à la statue de la Liberté. A ce qu'elle signifiait avant et maintenant... Elle s'exhibe toujours à Staten Island, le flambeau tendu, la toge plissée tergal, le sourire aux lèvres : « Welcome au pays de la Justice et de l'Égalité. » Avant on pouvait encore y croire, tandis que maintenant le dollar fait la loi, le gros écrase le petit, les promoteurs virent Rita. Mais elle reste figée sur son socle, adulée comme le Veau d'or par tous ceux que son sourire berne, indifférente.

On a continué un moment en silence avec Rita et puis on s'est séparées. Elle est repartie en se dandinant vers sa boutique. J'ai pris l'autobus pour retourner uptown dans le monde de Bonnie Mailer.

Il faisait complètement nuit.

Dans l'autobus, je me suis dit que s'il se retrouvait assis à côté de l'Escroc, mon papa, c'était que la porte du paradis était vraiment ouverte à tout le monde. A deux battants, même. Avec un type devant qui fait la retape. Parce que, quand même, fallait pas charrier...

Elle ne comprenait pas.

Elle ne comprenait pas ce qui se passait avec les garçons.

C'était toujours la même histoire. Elle les aimait quand ils étaient loin. Muets. Mais dès qu'ils se rapprochaient, c'était terrible. Le pire, c'est quand ils disaient : « Je t'aime. » Alors là... Elle avait du mal à se contenir. Elle courait aux cabinets où elle se vidait en pleurant. En se posant plein de questions. Assise sur la lunette, en regardant ses pieds et le jean tombé de chaque côté.

Elle ne voulait pas cette haine.

Elle voulait qu'on l'aime. De toutes ses forces. Elle s'endormait en rêvant à un mari, des enfants, un toit de chaume et du Van Houten le matin au petit déjeuner. C'est ça que tu veux. Alors fais un effort, ma vieille. Elle s'exhortait en regardant ses pieds. Domine-toi. C'est quand même pas une injure, « Je t'aime ». Quand même pas une infamie qu'on remette sa vie entre tes mains... Qu'on te dise que tu es le bout du monde.

Des fois elle y arrivait.

Un jour, une semaine.

Elle écoutait, en serrant les mâchoires, l'autre lui dire et redire son amour, faire des projets, s'attendrir sur des bébés. Choisir l'étage, la toile cirée, le quartier, la marque de la télé. Elle patientait. Elle patientait. Elle maîtrisait son corps qui se

169

raidissait. Se laissait embrasser. Répétait les gestes de l'amour, les mots de l'amour, mais elle ne sentait rien. Plus rien. Elle faisait de son mieux pour ressentir quelque chose : elle se disait qu'il ne l'aimait pas, qu'il mentait, qu'il allait la quitter, la battre, la livrer au premier venu. L'homme cessait alors d'être familier, reculait de trois pas, devenait un étranger, et le sang chaud recommençait à bouillir dans ses veines...

Mais ça ne marchait pas toujours. Il la regardait avec trop d'amour... Disait trop de mots. Elle ne voulait pas abandonner si vite. Elle se répétait que c'était juste un moment à passer, après ça irait mieux...

Après j'accepterai. Les mots d'amour et les projets. Sans ricaner.

Elle patientait.

Et puis, un beau jour, sous un prétexte ou un autre, elle s'éloignait et ne revenait plus jamais.

Plus jamais.

Débarrassée.

Elle gambadait. Allégée d'un poids insupportable.

Il rappelait. Il suppliait. Explique-moi, explique-moi. Qu'est-ce que j'ai fait ?

Comment pouvait-elle lui expliquer ?

C'était plus fort qu'elle. Désolée...

Parce qu'elle était sincèrement désolée.

C'était pas du chiqué.

Elle partait le retrouver, lui. Au Royal Villiers où ils se donnaient rendez-vous pour manger des huîtres. C'était sur sa ligne de métro.

Elle racontait.

C'est un pauvre type. C'est de sa faute, qu'il lui disait. Une fille comme toi... Il croyait qu'il allait te garder pour lui tout seul ! Quel imbécile franchement, mais quel imbécile ! Il a cru que tu l'aimais ! Que tu n'aimerais que lui ! Non mais il est fou ce mec-là ! Et il t'a dit « Je t'aime » ! Mais il a rien compris à l'amour ! Tu veux que je te dise : il est mal parti dans la vie... Tu les zigouilles tous, ma fille. Tu les zigouilles tous, mais c'est comme ça que ça doit être. L'amour, c'est une histoire de zigouillage. C'est tout.

Ah !... elle lui disait.

Elle était triste tout à coup.

Une histoire de zigouillage...

Elle se frottait les yeux. Elle se frottait les mains. Elle avait envie de se débarbouiller.

Mais elle était bien forcée de reconnaître qu'il avait raison. Et quand ce n'était pas elle qui les zigouillait, c'était lui. Il venait les massacrer. Chez elle. Sans prévenir. Deux petits coups de sonnette très brefs, et le carnage commençait. Il les bousculait, les insultait, leur demandait : « Et pourquoi vous voyez ma fille ? Hein ? Pourquoi ? Vous ne répondez pas ? Pourquoi ne répondez-vous pas ? Vous voulez savoir pourquoi ? Parce que, ma fille, vous ne la voyez que pour la baiser. Rien que pour ça. Pour la baiser. Vous ne l'aimez pas. Vous ne savez pas ce que c'est que d'aimer ma fille... » Le garçon se tortillait, gêné. Il lui ordonnait de le regarder dans les yeux, bien droit dans les yeux comme un type correct qui n'a rien à se reprocher... et, comme l'autre ne savait plus comment se tenir, comment se défendre, il lui laissait un dernier instant de répit, un dernier instant où il pouvait se croire sauvé, libéré, et puis, juste quand il commençait à souffler, à relever la tête, à sourire, un sourire presque de connivence, alors là il prenait son souffle et se mettait à crier. A crier. Il hurlait, ses yeux sortaient de leur orbite, ses veines saillaient, il était rouge, il était blanc, il montrait le poing. Il avait de la salive qui lui coulait de chaque côté de la bouche et des plaques rouges sur tout le visage. Le jeune homme reculait, s'excusait, disait que c'était un malentendu, prenait son imper et partait. En lui faisant un petit signe à elle. Comme ça. On se téléphone. On se revoit.

Souvent elle ne le revoyait pas.

Quelquefois aussi le jeune homme ne partait pas. Il restait planté là.

Ça rendait l'homme encore plus furieux. Il s'agitait encore plus. Faisait tourner ses bras et ses mains dans tous les sens. Il se mettait à bégayer. Il donnait des coups de pied dans la porte, des coups de poing dans le canapé. Et il scandait : « Pour la baiser... pour la baiser. Vous baisez ma fille, monsieur, et c'est tout ce que vous savez faire. »

Alors il fallait se mettre à plusieurs pour le sortir.

Parce qu'elle n'en pouvait plus, elle.

Elle faisait claquer la porte et elle se réfugiait dans sa chambre. Se plaquait contre le mur. Avec les mains sur les oreilles, les genoux repliés sous le menton, les yeux fermés, les dents serrées. Elle ne voulait plus voir, plus entendre, plus savoir

Mais l'homme continuait à gueuler.

Elle l'entendait. A chaque palier.

Il s'arrêtait, se retournait, prenait sa respiration et gueulait : « Pour la baiser... pour la baiser... c'est tout ce que vous savez faire... la baiser... ma petite fille. » Et tout l'immeuble l'entendait. Des portes s'ouvraient et des têtes criaient : « Assez ! assez ! Vous savez l'heure qu'il est ? » Il leur faisait un bras d'honneur et il repartait.

Jusqu'au prochain palier...

Et elle, dans sa chambre, toute seule avec son amant, écroulée sur ses talons, collée contre le mur, elle lui criait comme s'il pouvait encore l'entendre : « Mais je ne t'appartiens pas ! Fous-moi la paix ! Je ne t'appartiens pas ! Je n'appartiens à personne ! Foutez-moi la paix, tous ! Foutez-moi la paix ! »

Dans sa chambre, avec son amant qui ne comprenait pas, qui n'y comprenait plus rien, qui se demandait s'il lui fallait partir ou rester, se justifier ou oublier, la consoler ou lui demander des explications. Qui tripotait son col de chemise. Se levait brusquement. Restait debout les bras ballants. Se rasseyait sur le lit. Et la regardait bizarrement. Elle se mettait à aboyer : « Arrête de me regarder comme ça ! Arrête ! Tu m'as jamais vue ! Tu veux ma photo ! Dis plutôt ce que t'as dans la tête ! Ose un peu pour voir ! » Il ne disait rien, et elle se remettait les mains sur les oreilles parce qu'elle l'entendait encore. Elle l'entendait encore dans l'escalier. Il ne s'arrêtera jamais. Jamais, elle pensait en se collant contre le mur. Comme pour disparaître dans le mur. Pour ne plus exister. Pour lui échapper une bonne fois pour toutes.

Et quand, après avoir gueulé à chaque palier, s'être retourné et avoir gueulé encore, avoir pissé dans la rue entre deux voitures et avoir montré le poing vers son étage, s'être reboutonné en les maudissant tous, tous ces hommes qui n'étaient bons qu'à ça, qu'à la baiser, qu'à lui voler sa petite fille, sa petite fille... Oh ! ma petite fille à moi, il pleurait dans la rue affalé sur le capot d'une voiture... quand finalement il s'éloignait, quand la concierge avait refermé ses volets et rapporté la nouvelle à ses filles, et les gros mots et le monsieur qui pissait dans la rue, elle ôtait ses mains de ses oreilles, elle essuyait ses yeux, sa bouche, et elle se retournait vers son amant.

Elle ne le reconnaissait plus.

Il était tout blanc.

Tout blanc.

Tout petit.

Il avait rétréci.

Inconsistant. Ridicule même.

Qu'est-ce qu'il foutait là ? Qu'est-ce qu'elle avait bien pu lui trouver, à celui-là ?

Il essayait de la prendre dans ses bras.

Elle hurlait qu'il la lâche. Que surtout il ne la touche pas. Surtout pas. Il la dégoûtait. C'était dégoûtant cette envie qu'il avait d'elle.

Sale. Sale.

Elle lui criait de se tirer.

Elle ne voulait plus le voir.

Elle en avait marre. Marre qu'on lui colle à la peau. Qu'on réclame un bout d'elle comme si c'était un dû. Mais je lui dois rien à celui-là! Pas plus qu'à un autre, d'ailleurs. Je leur dois rien. Je les déteste. Ils me dégoûtent. Je hais leurs mains, leurs bouches, leurs envies de mecs... Alors qu'il se casse lui aussi et qu'elle ne le voie plus. Elle le poussait vers la porte. Elle lui refermait la porte au nez. C'est ça! Bon débarras !

Elle voulait la paix. De l'espace. De l'air.

Elle étouffait. Elle arrachait son pull, son chemisier. Les envoyait à l'autre bout de la pièce. Arrachait son jean. S'enroulait dans le dessus-de-lit. Toute nue. Toute nue. Elle se couchait étranglée de larmes. J'y arriverai jamais. Jamais. C'est toujours pareil. Elle se répétait en pleurant.

Alors elle se promettait de ne plus jamais, jamais le revoir, lui qui faisait tout pour la bousiller depuis qu'elle était petite. Avec application. Comment bousiller sa petite fille pour que plus jamais, plus jamais elle ne puisse aimer un autre homme que son petit papa ? Comment bien utiliser son pouvoir de papa tout-puissant pour qu'elle ait envie d'aimer de toutes ses forces, de tout son ventre, mais que toujours, toujours ce soit le fiasco et qu'elle revienne vers son petit papa chéri ?

Qui l'attendait.

Parce qu'il était seul lui aussi. Il avait beau se marier, faire

174

des enfants à droite, à gauche, il se retrouvait sans compagnie. Il disait que c'était normal, il attendait sa fille. Aucune femme au monde n'arrivait à la cheville de sa fille. Il préférait encore rester seul.

Elle se forçait à se rappeler tous les mauvais coups qu'il lui avait faits. Toutes ses trahisons. Elle concoctait des plans de vengeance. Ne plus le voir. Le faire payer.

Elle tenait bon.

En comptant les jours, les semaines.

Puis en ne les comptant presque plus.

Comment va ton père ? Oh, il va très bien. Ça fait longtemps que je ne l'ai pas vu, vous savez, parce que lui et moi c'est comme ci, comme ça. Elle ne se forçait pas quand elle disait ça. Elle le claironnait d'une petite voix heureuse. Une nouvelle petite voix. Légère, légère. Une voix de petite fille qui n'a plus de papa à porter. Elle se demandait même comment elle avait pu l'aimer si fort. C'est parce que j'étais petite, sans défense, qu'il faisait de moi ce qu'il voulait. Aujourd'hui, ça ne prendrait plus. Aujourd'hui, je suis balaise. Il ne m'impressionne plus. C'est à peine si je me rappelle qu'il existe, tiens... Je vis très bien sans lui. Il ne me manque pas le moins du monde. Alors là... Pas le moins du monde ! Et moi qui croyais que, sans lui, j'étais perdue. Elle paradait, alerte. Elle brandissait sa nouvelle liberté comme un étendard. Elle plastronnait même...

C'est à peine si elle remarquait quand le manque revenait. Sournois et souterrain. Enfoui tout au fond d'elle. Comme une petite bouche qui happait l'air et l'appelait.

QUI L'APPELAIT, LUI.

Une petite bouche vorace et têtue. Qui pleurait et réclamait. Papa, mon papa, mon petit papa. T'es où, là ? Tu fais quoi ? Où tu les balances, tes grands bras, tes grandes jambes ? Avec qui tu discutes le bout de gras ? A qui tu les racontes,

tes bêtises, en te croyant le plus intelligent du monde ? Elle étouffait la petite voix.

L'étouffait en galopant vite, vite dans la ville. Le plus vite possible. A tour de bras, à tour de jambes, à tour de mots. Elle se mettait à parler comme un moulin. N'importe quoi. A n'importe qui. Répétant bien haut et bien fort que c'était fini. Fini. Elle l'étouffait, la petite voix sous les oreillers, quand la nuit venait. Elle se tournait et se retournait dans le lit. Répétait à voix haute : « Rappelle-toi : c'est un salaud, un salaud. Oublie-le. Oublie-le », mais c'était trop tard : il lui manquait. Elle le sentait. Son corps ne lui obéissait plus. Sa main empoignait le téléphone et il fallait qu'elle l'arrête juste à temps... Ses yeux le cherchaient partout dans la rue. Ses jambes la rapprochaient de chez lui...

Sans arrêt, il fallait qu'elle surveille son corps.

Elle prenait un nouvel amant. Elle se serrait contre lui. Le suppliait de la serrer encore plus fort. De la faire rentrer en lui pour que jamais, jamais elle ne se déprenne de lui. Elle lui tirait les cheveux, elle le mordait. Je n'aime que toi. Pour toujours. Que toi. Que toi. Emmène-moi avec toi. Loin. Loin. Elle devenait folle, enragée. Elle s'encastrait dans lui fort, si fort pour y laisser son empreinte. Pour qu'il ne reparte pas sans elle le lendemain. Parce qu'elle se méfiait toujours de ça : qu'il reparte et qu'il la laisse. Il ne comprenait pas. Il la raisonnait. Il disait qu'elle l'étouffait à le serrer comme ça. Alors elle accrochait ses doigts, enfonçait ses ongles, écrasait ses lèvres, pressait ses jambes, frottait son sexe sur le sien, arrimée à ses hanches, elle frottait, frottait, imprimait sa peau sur la sienne. Lui donnait tout le plaisir qu'elle savait donner. La bouche sur sa peau, toute sa peau. Courtisane, pute, esclave. Tout le plaisir. Pour lui. Pour qu'il ne reparte pas. Ses jambes dans ses jambes. Pas me laisser, pas me laisser. Emmène-moi avec toi. Emmène-moi avec toi.

Il riait de sa violence. Elle le suppliait de lui dire qu'il l'aimait. Qu'il l'aimait plus fort que tout. Parce que, s'il ne l'aimait pas, elle n'était plus rien. Plus rien du tout. S'il ne lui donnait pas la force de son amour, elle ne pouvait plus rien contre l'autre... Il haussait les épaules. Il ne comprenait pas. Elle n'était pas un peu exaltée comme fille ?
Elle le poursuivait. Ne lui laissait pas un instant de répit. Réclamait.
Il restait.
Elle avait gagné. Elle se promenait à son bras, éclatante de fierté. Propriétaire. Souveraine. Reconnue.
Il se laissait faire.
Elle le suivait partout de peur que... de peur que... Une peur déchirante et délicieuse. Une peur qui la transportait comme un conte de fées, la faisait galoper comme une folle, trébucher jusqu'à lui et se raccrocher, rassurée, essoufflée. La nuit, elle rentrait dans lui, la tête dans ses bras, la bouche sur sa poitrine, les yeux fermés sur ce corps d'homme qui ne parlait pas, ne la retenait pas, qui était grand ouvert. Ce corps dur, carré, large, qui lorsqu'elle le tenait à pleines mains la remplissait de bien-être. Elle n'avait pas besoin des mots. Ou plutôt si. Elle répétait toujours les mêmes. Comme une chanson qu'on chante à l'enfant pour l'endormir, le rassurer. Ces mots-là, elle les chantonnait dans sa poitrine, les dents sur sa peau, les ongles dans ses épaules, dans ses hanches, comme une phrase magique, dans la chaleur de sa peau. Je t'aime, je t'aime, je t'aime. Je t'aime, je t'aime, quand il la prenait en bas du lit, sur le plancher en bois, contre la porte, dans la voiture, partout. Je t'aime, je t'aime, je t'aime, je t'aime, je t'aime. Prends-moi, prends tout de moi, emmène-moi, meurs-moi. Les yeux fermés, les mots aveugles.
Il la regardait.
Elle devait être folle pour tenir à lui comme ça.

Pour le tenir comme ça.

Je t'aime, je t'aime, je t'aime. Elle continuait à psalmodier jusqu'à ce qu'elle soit repue. Pleine. Pleine de son amour pour lui. Pleine de lui. Pleine de la force qu'il lui donnait à la serrer comme ça, de la force qu'elle sentait monter en elle quand il s'abandonnait, qu'il laissait tomber les bras et la tête et les lèvres sur elle. Qu'il se cassait. Qu'il se rendait. Elle pénétrait sous sa peau avec ses mots, avec ses ongles, avec ses dents. Elle lui remontait dans la tête, elle faisait le vide de tout ce qui n'était pas elle, elle aspirait sa force, ses entrailles, ses bras, ses jambes. Il ne disait rien mais il l'emmenait avec lui. Partout. Elle se suspendait à lui. Elle était la reine du monde. Elle n'avait plus peur de le revoir.

L'autre.

Elle se disait même qu'elle était assez balaise. Que ça ne lui ferait ni chaud ni froid. Elle n'était plus seule pour l'affronter maintenant...

Elle pouvait tout aussi bien le voir.

Pour tester, qu'elle clamait.

Parce qu'elle en mourait d'envie, en vérité.

Mais il lui fallait un alibi.

Elle cherchait une excuse, un prétexte. Elle voulait avoir une bonne raison pour l'appeler. Elle cherchait, elle cherchait, et la petite voix continuait à réclamer au fond du ventre. Elle était pressée, la petite voix, elle ne voulait plus attendre. Elle ne pouvait plus. Elle disait : Rien ne t'empêche maintenant. T'es costaud. T'as plus peur. Attends, attends, elle lui disait, je vais bien trouver quelque chose. Quelque chose qui tienne debout parce que, tu comprends, je ne veux pas avoir l'air de lui courir après... Alors ça, pas question ! Mais je vais trouver, t'en fais pas... Elle se retenait encore un peu, mais, lui, il devait sentir qu'elle faiblissait. Que la petite voix le réclamait. Parce que pas longtemps après, un beau jour, il sonnait.

Deux petits coups brefs, très brefs. Dring, dring, c'est moi.
Il sonnait. Il ouvrait les bras.

— MA FILLE !
— MON PAPA !

Ils se précipitaient l'un contre l'autre, ils s'entrechoquaient,
il la faisait tourner, tourner et gueulait : ma beauté, mon
amour, mon amour de fille. On va pas se disputer pour un
mec, toi et moi, hein ? Ça n'en vaut pas la peine ! Mais qu'est-
ce que c'est qu'un mec, hein ? Qu'est-ce que c'est, je te le
demande ? Je peux t'en parler, moi qui ai eu toutes les bonnes
femmes du monde. Ma reine, ma beauté, allez, va t'habiller.
On va aller manger des huîtres tous les deux. On va célébrer
ça avec un petit coup de muscadet. Un bon petit blanc sec de
derrière les fagots. Allez, fais-toi belle et on y va...
Ils y allaient. Bras dessus, bras dessous.
Il frimait en entrant dans le restaurant. Il frimait en
commandant le vin. Il frimait en payant. Il l'avait récupérée.
Et à la fin du repas, quand ils étaient tous les deux un peu
gris, un peu assoupis, il se penchait vers elle et, la bouche
dans son oreille, la bouche si près de son oreille qu'elle
frissonnait et s'écartait, qu'elle lui disait : Arrête, Papa,
arrête, ça me met mal à l'aise quand tu me serres comme ça, il
demandait, l'œil bleu et lourd :

— Alors, ton nouveau jules, il s'appelle comment, hein, dis-
moi ? Parce que je suppose qu'il y en a un nouveau, hein,
depuis le petit morveux que j'ai sorti la dernière fois ?

— Non, Papa. Non. Laisse-moi. J'ai pas envie.

— Pourquoi ? Il est pas terrible non plus, celui-là ?

— Arrête, Papa. Arrête. Tu sais comment ça va finir...

— Mais j'ai rien dit. Tu vois, tu prends tout mal. On peut
même pas plaisanter avec toi. T'as pas le sens de l'humour.
C'est terrible, ça ! La fille de ta mère, tiens, je peux pas
mieux dire !

— Je t'en supplie, Papa, recommence pas, s'il te plaît, s'il te plaît...

Elle le suppliait en le regardant dans les yeux. Mais c'était plus fort que lui. Il aspirait une huître, une autre, un verre de blanc et il reprenait :

— Allez, dis-moi à quoi il ressemble... Qu'est-ce qu'il fait, hein ? Qu'est-ce qu'il fait ? Mais pourquoi ? Tu as honte de lui ? Hein ? T'as honte de lui ?

— Papa, je t'en supplie, dis. Arrête. Arrête.

— Bon, d'accord, j'arrête. Mais si je le croise par hasard dans la rue... Hein, j'aurais l'air de quoi si je le croise et que je le reconnais pas ?

Elle baissait la tête et demeurait muette. Il apercevait les doigts crispés sur le bord de la table, le regard rivé au bord de la table, les bras raides qui tenaient le bord de la table... Alors seulement il renonçait.

— Ah ! mais si on peut plus se marrer, toi et moi ! Même pas savoir un petit nom... Allez, bois un coup, ma fille, et on oublie ça...

Elle se forçait à sourire. Se forçait à lever son verre avec lui. Se forçait à parler d'autre chose. Se disait qu'il était comme ça, elle ne le changerait pas. Elle était grande maintenant, il fallait l'accepter comme il était... Mais elle avait la haine dans le ventre, la haine dans la bouche, la haine dans tout son corps qui se retenait pour ne pas trembler, pour ne rien montrer. Elle le détaillait et elle le trouvait horrible. Repoussant, presque. Son long nez, sa grande bouche, ses poches sous les yeux, ses dents toutes déchaussées... Dégoûtant, cet amour pour elle qui n'en finissait pas de dégouliner, de l'engluer, de la bousiller ! Elle le haïssait en silence.

Il n'y avait pas de solution. Pas de solution...

Alors elle renfonçait la haine. La haine et le désespoir aussi : jamais elle ne s'en sortirait. Jamais. Lui vivant, jamais. Il finirait toujours par la rattraper. Elle finirait toujours par se laisser faire. Elle n'était pas de taille à lutter contre lui. Elle mangeait ses huîtres et ils parlaient de choses et d'autres. Il parlait de ses affaires à lui, de ses chantiers, de ses collègues, comment il les avait mouchés. Elle ne l'écoutait plus. Elle faisait semblant. Elle regardait l'heure. Elle calculait combien de temps encore il lui faudrait attendre avant de retrouver l'autre. L'autre qui l'attendait à la maison. Elle souriait, heureuse. Il l'attendait à la maison. Il la prendrait dans ses bras et il lui dirait qu'il l'aimait, qu'il n'aimait qu'elle. Et elle oublierait tout...

Elle arriverait à le lui faire dire. Elle y arriverait. Il fallait qu'il lui dise. Qu'il l'aimait parce que, sinon, elle n'était rien. Elle n'était rien.

Le lendemain du jour où j'avais consulté Rita, je suis allée acheter un chemisier vert. Chez Charivari. Sur Colombus et 72. Un magasin chic et cher qui ne vend que des articles français ou italiens. Pour mettre toutes les chances de mon côté. J'en ai trouvé un, tout ce qu'il y a de plus attirant. Long, droit, en soie, d'un vert chaud, sombre. Idéal pour poireauter sous un palmier en attendant le Prince charmant qui ne va pas tarder. J'avais décidé d'ignorer le prix jusqu'à ce que je sois dans la rue. De peur de faiblir. Une fois dehors, j'ai jeté un œil sur le reçu de ma carte de crédit et je me suis félicitée d'avoir signé les yeux fermés. Si je continuais à le dilapider de la sorte, mon pécule n'allait pas tarder à fondre. Mais bon... Avec un truc au rabais je risquais de ne pas être à la hauteur. Après, je n'avais plus qu'à attendre. Qu'Allan lise ma lettre et qu'il appelle. Ou qu'il tombe nez à nez avec George Washington et son pif graffitisé. Cela risquait de prendre du temps, et je ne suis pas très douée pour attendre. Est-ce qu'il a une petite amie ?

J'ai oublié de demander à Rita ! Et, par téléphone, les flashes ne marchent pas. Ou leur qualité est douteuse. Je m'efforçais à tout prix d'être patiente. De ne pas m'échauffer en attendant sa réponse. J'ai beaucoup d'estime pour les gens patients. A mes yeux, ce sont les vrais sages d'aujourd'hui. Des presque saints. Il faut garder son âme bien groupée pour atteindre l'état de patience. Cela m'arrive. Très rarement, faut être honnête. Quand l'issue m'est à peu près indifférente. J'ai l'impression alors de mettre la main sur mon âme. De la sentir palpiter entre mes doigts. C'est moi qui décide, le monde m'appartient et j'y ai ma place retenue. S'infiltre alors en moi un détachement quasi oriental. La sagesse punaisée au coin des lèvres, le regard énigmatique et la démarche aérienne, je baguenaude, sereine.

Pour m'exhorter à attendre en bon ordre, j'ai descendu Colombus Avenue. Autour de moi, ce n'était que fébrilité, gros mots, encombrements et coups de klaxon. Un placard publicitaire vantait « la boisson la plus rapide du monde ». Un autre, les mérites d'un médicament qui coupe court aux malaises car « aujourd'hui, on n'a plus le temps d'être malade ». Moi, je faisais exprès de le prendre, mon temps. De ralentir le pas, mon chemisier porte-bonheur sous le bras. J'étais bien la seule à musarder de la sorte. En Amérique, ça ne se fait pas. Ou alors on vous demande vos papiers. En Amérique, il faut réussir. Frénétiquement. On appelle ça « to make it ». N'importe quel plouc qui débarque à Grand Central avec trois quarters en poche s'exclame en baisant le quai : « I am going to make it », puis part roupiller sur un banc en spéculant sur ses chances de réussite.

Dans la rue, on s'étourdirait à compter les marchands ambulants qui viennent de baiser le quai. Sur une planche et deux tréteaux, ils vendent n'importe quoi. Des passe-montagnes, des cerfs-volants ou des parapluies. La marchandise n'a pas grand intérêt. C'est le principe du « make it » qui compte. Et le principe est simple. Vous attrapez un tour de reins en déchargeant un camion de morues au Fish Market et vous gagnez cinq dollars. Avec ces cinq dollars, vous achetez deux passe-montagnes au prix de gros, vous guettez un soir de blizzard et vous disposez vos cagoules sur le trottoir. Dix dollars pièce. Faites le bilan : vous avez gagné quinze dollars. Vous achetez alors huit nouveaux passe-montagnes (vous négociez le prix avec le vendeur, en l'assurant que les affaires marchent et que, bientôt, c'est par centaines que vous les achèterez, ses passe-montagnes de merde), vous disposez artistiquement vos bonnets et vous les revendez douze dollars pièce. Un vent glacé accroche des stalactites au nez de vos clients qui s'arrachent votre marchandise, pestent contre les intempéries et les prévisions de la météo. A la fin de la semaine, vous avez gagné une coquette somme. Que vous réinvestissez aussitôt. Dans un lot de passe-montagnes importés de Corée. Ils grattent un peu mais c'est pas grave. Vous n'êtes pas un spécialiste de l'eczéma. Ni chargé du service après-vente. Vous vous retrouvez alors face à un sérieux problème : vous ne pouvez plus vous en tirer tout seul. Vous ne faites ni une ni deux, vous louez une petite boutique que vous baptisez « Chaud dedans » et vous y installez votre stock. Vous engagez une vendeuse et deux tricoteuses — de préférence vietnamiennes, elles prennent moins de place — que vous faites accroupir dans l'arrière-boutique. Il vous vient alors la brillante idée de fabriquer des moufles, des chaussettes et des écharpes assorties. Vous imprimez des mots très chics sur votre camelote, du genre « Paris, New York, Forever, Nevermore, Oh ! là ! là ! », et vous la vendez plus cher. En devanture vous collez la photo d'une star qui s'est arrêtée un jour devant votre boutique pendant que son chien pissait. Vous demandez à la vendeuse de s'habiller plus court et aux Vietnamiennes de se pousser un peu car désormais elles seront quatre. La bise méchante souffle toujours derrière les carreaux et vous vous lancez dans le collant de laine fantaisie. Avec des prénoms en surimpression. Et le mot « chéri ». Le succès est immédiat. Votre local trop petit. Vous louez la boutique d'à côté. En un rien de temps, les commandes arrivent de tous les coins du pays. Des journalistes viennent photographier vos articles, sautillent en prenant des notes et s'exclament : « Diviiine, diviiine ! » Ils veulent une paire gratuite pour leur fille aînée. Vous la monnayez contre une seconde parution à l'œil. Vous empilez une ou deux Vietnamiennes en sus. Vous les choisissez de plus en plus menues. Ça vous pose un vrai problème. Vous les entreposez au sous-sol. Elles ont le droit de sortir respirer toutes les deux heures, mais le temps des pauses est retenu sur leur salaire. Vous vous payez une camionnette avec un livreur pour les commandes des grands magasins. Vous vous achetez une maison à Southampton et vous vous plaignez des bouchons du week-end. Surtout l'été, c'est in-cro-ya-ble ! Vous dites aux Vietnamiennes qu'elles ont bien de la chance de ne pas connaître cet enfer et que les plages publiques de New York sont bien plus accessibles que ces foutues plages chics soi-disant non polluées. Même si elles n'y vont jamais, à la mer, parce que, le week-end, il faut bien que la boutique tourne... Mais comme elles n'ont pas leurs papiers, elles sont bien obligées d'être d'accord avec vous. Et de se serrer encore davantage dans la cave. Sinon, vous leur faites comprendre avec un sourire adorable que vous les dénoncerez et qu'elles retourneront vite fait sur leur bateau d'origine. Mais si, au contraire, elles sourient et abattent deux fois plus d'ouvrage sans monter respirer une seule fois, elles pourront, elles aussi, caresser l'espoir d'ouvrir une boutique de passe-montagnes. Ou de pagnes. En un mot : elles réussiront. C'est pour ça qu'elles sont ici, non ? C'est ça, l'Amérique, vous expliquez en déchiquetant un cigare et en recrachant la fumée dans leur réduit de quatre mètres carrés. Dans ce seul but que les gens rappliquent de tous les coins du monde.

Comment a-t-il fait fortune, Allan ? Est-ce qu'il entasse des Vietnamiennes en sous-sol ? Ou est-ce son papa qui s'est

186

chargé de la sale besogne? Un type qui fait de l'import-export de collants. Quelle drôle d'idée! Une fille qui se verrouille les chevilles pour ne pas plonger contre lui dès qu'elle l'aperçoit, quelle drôle de fille! C'est vrai, quoi... Je titubais de détresse, me glucidais de désespoir quand Allan est apparu, et, hop! mon deuil est devenu aussi léger qu'un voile de crêpe noir retroussé sur un canotier.

Il a suffi d'un poignet avec des poils bruns...

D'ongles bombés, transparents...

D'une main posée sur ma tête...

D'un sourire tout blanc...

D'un poitrail d'homme qui plastronne et prend toute la place...

De grandes jambes qui lui cognent le menton dans un taxi qui dérape...

C'est ainsi : mes histoires d'amour ne tiennent souvent qu'à des petits détails. Insignifiants et légers. Un signal qui se met à clignoter au-dessus de la tête d'un homme et m'intime l'ordre de le suivre. Il a suffi qu'Allan me regarde, qu'il m'emmène dîner un soir chez Chatfield's pour que je me ragoûte aussitôt et que le monde reprenne ses couleurs. Que je saute à pieds joints dedans.

Dans la vie. Tout sonne juste. Je participe à tout. Si j'étends le bras, j'attrape un morceau de vie comme un bout de barbe à papa et je le mâche... Sans ce morceau de barbe à papa, la vie n'est rien. Ça ne vaut pas le coup d'être vivant.

Tandis que là...

Je ne suis plus en colère. Je déambule. J'observe. Je m'intéresse. Je regarde chaque passant comme s'il était un livre ouvert où je m'instruirais. Et chacun, soudain, prend du relief. Existe. M'apporte une information qui satisfait ma curiosité, m'ancre encore plus dans la réalité. Je sais pourquoi ce bonhomme-là ferme sa chemise sous le menton.

Pourquoi celle-ci porte ses affreuses Nike aux pieds. A quelle heure et après quelle beuverie s'est couché ce mal réveillé qui froisse un journal près du kiosque. Je leur invente des histoires. Je les connais. Je ne suis plus jamais seule. J'appartiens au mouvement universel. Mon cœur vibrionne d'amour pour tous ces inconnus. J'ai envie de les embrasser. De les remercier de me sauter aux yeux avec leur vie en bandoulière. Je pourrais écrire une page sur chacun d'eux. Une histoire originale et forte. Comme Flannery avec le pépé retraité et le géranium. Je pense une seconde à m'acheter un carnet à spirales et à consigner tout ça par écrit attablée devant un milk-shake dans une cafétéria. Mais l'ivresse du dehors est plus forte, et je continue de marcher...

Même moi, je me saute aux yeux. Me saisis en plein vol. Me prends en flagrant délit. Je repense à toutes les fois où je me suis élancée contre un homme. Je me force à les évoquer parce que, si j'écoutais la crétine qui pérore en moi, je prétendrais qu'avec Allan, c'est la première fois. Je me parerais d'une amnésie dégoûtante. J'affirmerais mordicus que jamais, jamais, avant lui je n'ai ressenti ce trouble exquis, ce transport de l'âme et des reins réunis, cet abandon allègre, cette soumission suspecte et délicieuse... Ce n'est pas la première fois. C'est même une répétition assez navrante.

Acte 1 : Entrée sur scène du héros. Je le vois, je rougis, je pâlis à sa vue. JE LE VEUX. URGENT. Il ne me regarde pas. Je dépéris. Je déploie des tactiques de Sioux, construis des pièges sophistiqués pour qu'il tombe dans mes filets.

Acte 2 : Il m'aperçoit enfin. Je n'en reviens pas, me prosterne à ses pieds, lui jure amour torride et fidélité. C'est le plus beau, le plus intelligent, le plus... Je tremble à l'idée de le perdre. De ne pas être assez belle dans mon miroir. Tremble qu'une autre passe par là et me le pique. N'ose lever les yeux vers lui de peur qu'il ait déjà disparu. Mets le paquet pour paraître à mon avantage et m'épuise en stratagèmes de guerrière.

Acte 3 : Bonheur ! Il m'a vue ! Pour de bon ! Il se penche sur moi, me ramasse et m'étreint. J'ai la voix et les socquettes de la petite fille, m'endors dans ses bras et remets ma vie entre ses mains. Je serai boulangère s'il est boulanger et petite mitronne s'il est petit mitron. Acte qui dure selon la personnalité de l'élu entre deux jours et six mois et pendant lequel le spectateur accablé est libre d'aller aux toilettes, de fumer une cigarette ou de lire le *Journal officiel*.

Acte 4 : Il se déclare. Il m'aime, met un genou à terre et m'offre une rivière. Je me fige, me hérisse. C'est quoi ces rabâcheries ? C'est pas la règle du jeu, ça ? Faut pas qu'il m'aime. Ça casse tout. Faut qu'il reste loin. Ténébreux et indifférent. Je le déteste. Je le méprise. Regarde ailleurs, un autre que lui. Il se rembrunit. Je ris. C'est pas grave, je suis comme ça. Va falloir t'y faire. Je n'aime que les absents. Il s'y fait. Souffre en silence. M'exaspère.

Acte 5 : La mise à mort. Subite et foudroyante. Un ordre qui vient de je ne sais où et m'ordonne de trancher le cou à l'amant répandu à mes pieds. Ordre qui transforme mes plus belles romances en massacre à la tronçonneuse. Personne n'y échappe. Même pas moi qui reste sur le carreau, hébétée, les doigts rougis, répandue sur la dépouille exsangue de mon amour. Je l'aime. Je n'aime que lui. Que ferais-je sans lui ? Mais pourquoi je l'ai tué ? Plus fort que toi, dit une petite voix.

Chaque fois c'est pareil.

Remarque bien, je monologue in petto, que, cette fois-ci, j'ai une chance. Une chance de sauter les quatrième et cinquième actes.

Peut-être....

C'est maintenant que je vais pouvoir vérifier si...

Si l'au-delà existe et s'il y siège bien, comme le prétend Rita. Quand il est mort, j'ai glissé une lettre dans son cercueil. Une lettre où je lui répétais que je l'aimais. Pour qu'il n'oublie pas et qu'il ait de la lecture. Et puis j'ai fait un pas en arrière, j'ai regardé le cercueil bien en face et je lui ai demandé d'exaucer deux prières. Deux petites suppliques de rien du tout. Des cacahuètes à côté de l'immense chagrin que me causait la vue de son couffin rembourré...

Premièrement : me libérer du cauchemar. Celui que je fais depuis que je suis toute petite : un homme se glisse la nuit dans ma chambre pour me liquider. Il s'approche, s'approche encore, sort un grand couteau de sa poche, va pour me découper... Il va me tuer, c'est sûr. Je vais mourir... Je pousse un hurlement et... me réveille. Trempée. Le cœur millevolté. Les bras glacés. J'allume, je vérifie : il n'y a personne... Je me lève pour en avoir le cœur net. Fouille derrière les rideaux, derrière la porte, sous le lit. Éternue. Me recouche, essoufflée. Garde les yeux grands ouverts dans le noir. Je ne veux plus ça, j'ai dit devant le cercueil, et, si tu as un peu de poids là-haut, dispense-moi de ce mauvais rêve. Et puis aussi, deuxième supplique, tâche de repérer un type bien et de me l'envoyer fissa. Mon petit papa chéri. S'il te plaît. Tu connais mes goûts : un peu comme toi, quoi, grand, brun, flegmatique et qui m'en fasse voir de toutes les couleurs. Un avec qui faire la guerre. Et la paix. La guerre. Et encore la paix. Un qui ne se rende jamais...

— Vous savez, moi, je n'ai aimé que des hommes cruels, m'avait déclaré Louise Brooks. Les hommes gentils, c'est triste, mais on ne les aime pas. On les aime beaucoup mais sans plus. Vous connaissez une femme qui a perdu la tête pour un gentil garçon ? Moi non.

J'étais assise dans sa chambre, dans son petit deux pièces de Rochester, et je ne pouvais plus m'arracher à cette chaise tricotée plastique, à ce chevet de lit où elle reposait toute droite dans sa nuisette rose, les cheveux tirés en arrière en une queue de cheval poivre et sel. Le seul homme auquel elle se soit jamais attachée était un homme cruel. Elle prononçait « cruel » avec gourmandise, nostalgie, les yeux plissés en un fin sourire d'éternelle reconnaissance. Elle ressemblait alors à un ex-voto animé où l'on aurait gravé en lettres dorées : « Merci mon amour de m'avoir tant fait souffrir. »

— Un homme cruel est léger, riche, infiniment mystérieux... Imprévisible. Il vous fait passer par toutes les couleurs de l'arc-en-ciel et on s'étonne de découvrir chaque fois de nouvelles souffrances, de nouveaux délices de souffrance et d'amour. Alors qu'on finit par en vouloir à un homme à qui on peut toujours faire confiance... Mais vous aussi vous aimez les hommes cruels, n'est-ce pas ? Vous n'aimez pas qu'ils vous approchent ?

J'avais hoché la tête.

Hélas ! les hommes cruels ne courent pas les rues. Pour être cruel, il faut être oisif. Gamberger sans fin les petites ruses qui vont égratigner puis saigner l'autre à blanc, le forcer à attendre, à supplier, à se rendre, lui instiller le poison sous la peau même et l'enchaîner à vous pour l'éternité.

Et voilà. Je salive. Je frétille. Je suis prête encore une fois à croire à l'amour.

J'ai retrouvé mon corps. Mes yeux voient, mes oreilles entendent, mon nez renifle, et je regarde, j'écoute, je respire avec étonnement. Ça remarche. J'ai retrouvé le goût. Le goût de l'autre. Envie de toucher de la peau nue, de coller mes lèvres sur des lèvres chaudes, d'étreindre un corps d'homme contre moi. Un vrai corps d'homme avec des poils, des muscles, une langue qui fourraille, des dents qui déchiquettent, des bras qui écrasent, une bite...

Bite. BITE ? BITE !

Je viens de penser « bite »!

Je freine net et, stupéfaite, dévisage dans la vitrine de B. Dalton la fille qui a articulé ce mot de la nuit, horizontal et lourd.

Elle est en face de moi. Elle me sourit. La bouche large et voluptueuse. L'œil plutôt gentil et entraînant. Rouge la bouche, noir l'œil. Moulés les seins, la taille, les cuisses, dans un jean de bonne confection. Je l'avais perdue de vue, celle-là ! Je me rapproche, colle le nez contre la vitre, scrute la diseuse de gros mots. Hé, dis donc, je lui dis, t'es revenue ! Enchantée de te retrouver. Elle jaillit de la vitre et m'emboîte le pas. Nous repartons bras dessus, bras dessous. Ça fait un moment que je ne l'avais pas vue ! Je l'avais même complètement oubliée.

La démone...

Retirée des affaires depuis un moment déjà ! Comme effarée par le cortège de la maladie et de la mort. Pas vraiment copine avec l'hôpital, l'église, l'enterrement, le prêtre, le deuil et le chagrin. Écœurée par la petite fille à la guimauve qui prenait toute la place et réclamait son papa en geignant. Mais là, soudain... elle s'est réveillée, la démone. S'est ébrouée dans tout mon corps. A rué. Donné des coups de sabot. Fait tourner le sang à toute biture. Elle voulait sortir pour voir dehors.

La tête me tourne. Je suis bien contente de la retrouver parce que, avec elle, je me sens exister. Je touche du doigt la réalité. Une autre réalité...

Qui me fait peur.

Me fait envie...

Me fait honte.

Me fait plaisir.

Beaucoup plaisir, même.

La vie revient, ma vieille, et tu vas en profiter, me siffle à l'oreille la démone. Aie confiiiiance. Aie confiiiance. Tu vas voir comme elle est bonne, la vie, quand tu vas jusqu'au bout de ta petite folie portative. Regarde tous ces hommes qui passent. Ce grand, là, avec ses épaules de vitrier et sa mèche noire. Et cet autre, là ? et celui-là, t'as vu ? Comme ce doit être bon de rouler sous lui, qu'il te tripote, te léchouille, te mignote ! Il y a des millions et des millions d'hommes sur terre, et forcément il y en a un pour toi.

Tu crois ? je soupire.

Mais je veux pas de n'importe quel homme, moi ! tape du pied la guimauve. Je veux le Prince charmant. Et, justement, on a rendez-vous sous un palmier à minuit.

Taratata, réplique la démone. Tu me fais marrer avec tes histoires de Prince charmant. Un homme, ça sert à quoi, hein ? Dis-moi, la guimauve ?

Un homme, c'est comme dans un rêve, papillote la gui-mauve en se trémoussant dans sa robe en dentelle. Je veux qu'il me construise un toit, me chauffe la nuit, me fasse danser au clair de lune, m'engrosse le ventre, m'emmène au cinéma, mette son bras autour de mon cou et me paie un esquimau. Je veux aussi qu'il rentre tous les soirs à la même heure. Qu'il ferme les volets, me raconte sa journée et éteigne la lumière en murmurant : « Je t'aime et je t'aimerai toujours. Tu es la femme de ma vie. »

Ouaf ! ouaf ! s'exclame la démone en se tenant les côtes. Du bidon tout ça ! Un homme, ça se fourre dans un lit et on s'y frotte toute nue. On se lèche, on se fricote, on s'affriande de plaisir, on se noue, on se dénoue, on a peur, on tremble, on crie, on supplie, on tend la peau du dos pour se faire battre, on ouvre les cuisses pour se faire manger et on le mord à l'épaule pour y enfouir son plaisir. On dit « Oui, oui », on hurle « Non, non ». On se traîne à écorche-cul. Hé, la guimauve ! C'est ça, un homme !

Et l'âme, qu'elle réplique la guimauve, hein ? Qu'est-ce que tu en fais, de l'âme et de la beauté intérieure ? Par exemple, dis-moi ? J'en vois pas le moindre bout dans ton programme. Alors là, la démone, j'arrive plus à la tenir. Elle se roule par terre sur Broadway, elle s'étrangle, elle tire la langue, frappe des sabots, martèle le bitume de ses cornes. Fait une java d'enfer et crache des flammes. Elle n'en peut plus.

Mais elle est partout où tu la mets, l'âme ! Elle ne crèche pas seulement dans le Prince charmant et les gants blancs, sainte Thérèse de Lisieux et les santons, le pavillon plein d'enfants et la Renault garée devant ! Y a même rien de mieux pour la perdre, ton âme, que de la gaver de bons sentiments ! Elle est toute molle après. Et sans goût. Du flan qui a fondu. Alors que si tu la saisis et la mets sur le grill, que tu l'assaisonnes à tous les péchés de l'enfer, tu vas en apprendre, des choses sur toi, ma pauvre guimauve ! Même que tu ne pourras plus dormir tellement tu seras secouée ! T'oseras plus te mirer dans la glace ! Hé ! la guimauve, tu connais le meilleur moyen de la rencontrer, ton âme ? Non ? Tu sais pas ? Eh bien, c'est en passant par le cul. Si, si, ma vieille, LE CUL. LE CUL. LE CUL, J'TE DIS ! Une bonne empoignade toutes défenses baissées et tu te retrouves nez à nez avec ton âme. Tu n'es plus jamais la même ! Tu te dis : « C'est moi, ça ? Ce ragoût noir de désirs lubriques ? C'est la même que celle d'hier soir qui se tortillonnait devant son Prince charmant ? » Tu détournes la tête, effarée. Mais tu en as appris, des choses ! Pas toujours belles, bien sûr. Des que tu aurais préféré ignorer. Qui te réveillent la nuit et te font galoper le cœur. C'est pour ça que la plupart des gens se méfient de moi. Ils ont peur de la démone ! Ils me ligotent, ils me bâillonnent. Ils m'enferment dans une boîte et verrouillent le couvercle. Ils ont autre chose à penser, qu'ils disent comme excuse en plastronnant, l'air important. Ils se raccrochent à tout ce qui peut les rassurer :

aux enfants en tablier qui vont à l'école, au crédit sur quinze ans, aux tiers provisionnels, aux dossiers bien rangés, aux factures payées, à la maison de campagne, à la carrière, à leur notoriété... Et pendant ce temps, moi, je pourris dans ma boîte. Je m'agite comme une folle au fond du bocal. Je leur cause bien du souci, note ! Un petit cancer par-ci, une tumeur par-là, des aigreurs d'estomac, des ulcères, des maux de tête, des sueurs froides, des tics, des bégaiements, des hernies qui s'étranglent, des plaques qui grattent, des abcès qui suppurent, des zonas qui flambent, des pattes qui s'enrayent, des hanches qui se déboîtent, des poumons qui crachent, des rates qui dégorgent... Je fournicote, je ramifie, je bile noir, je bourgeonne, je baudruche, je ballonne, je racle tout mon fiel et le distille dans leurs veines, je me venge mais ne sors toujours pas de ma boîte. J'étouffe. Je moisis. Je guette la faille où je vais pouvoir me faufiler et reprendre du service. Comme aujourd'hui. Sur Broadway. Ha ! ha ! T'avais cru que tu m'avais fait la peau, la guimauve ? T'avais cru ça ? T'avais tout faux. Il a suffi que je lui souffle « bite » à l'oreille pour que son sang s'échauffe et qu'elle reprenne goût à la vie. Pour que la salive lui coule entre les lèvres et que l'envie revienne... Ce goût que tu essayais de lui édulcorer, vieille guimauve. C'est raté. Regarde comme elle se requinque. Comme elle redresse les épaules, bombine du torse, mouille entre les jambes, louche sur le mâle... Envie de n'importe qui. Du premier quidam qui passe par là avec ses couilles ballantes. Tu t'en remets pas, vieille guimauve... Allez, viens, elle me lance, la démone, en guise de clôture de discours. Viens, je vais te la montrer, ton âme. Comme avant. Au bon vieux temps. Tu te rappelles ? C'était bon, hein ? Souviens-toi, elle me siffle à l'oreille. Cet homme brun qui te donnait tant de plaisir que tu ne mangeais plus, ne dormais plus, que les journées et les nuits s'écoulaient à t'user la peau contre la sienne, à mélanger vos deux sueurs, à faire couler des pleurs, à hurler des merci... Tu disais « Oui, oui » quand il refermait ses doigts bruns autour de ton cou. Qu'il serrait, serrait encore. Qu'il te faisait jurer de n'être qu'à lui ou sinon... Oui, oui, tu haletais, oui. Ça m'est égal, tout m'est égal. Tout m'est égal tant que tu me prendras, m'enfourcheras, m'écarteras les jambes et les cuisses, m'éperonneras et me feras gémir.

Tu te rappelles ?

L'homme brun...

L'homme brun...

Le temps figé par des doigts agiles et doux qui faisaient gicler le plaisir de chaque millimètre de peau... la nuque qui ployait, qui disait oui, qui disait encore, qui disait comme tu veux... les larmes qui sourdaient comme pure source étonnée, son ventre brun sur ma peau blanche, cette chambre d'hôtel où j'acceptais de mourir, où j'acceptais de n'être plus personne que cette glaise amoureuse et soumise...

Tu te rappelles, hein ?

Tu te rappelles ?

Comme tu tremblais quand il disait « attends, arrête, tais-toi », qu'il donnait des ordres qui te mettaient à genoux, rampante, qu'il glissait sa main et... Comme tu titubais quand vous sortiez de la chambre pour prendre l'air après des jours et des jours dans des draps froissés, à boire des théières de thé vert sucré et à écraser des cornes de gazelle sur vos peaux énervées par les baisers...

Par les coups...

Tu te rappelles, dis ? Allez, viens, suis-moi...

Je me rappelle et je la suis. Je descends dans la ville. Je chaloupe sur Broadway. Passe Colombus Circle. Passe encore la Cinquante-Septième. Arrive dans Times Square. C'est l'heure des théâtres. Des music-halls. Les taxis klaxonnent

196

comme des fous dans les rues avoisinantes, tentent de s'engouffrer dans Broadway et s'agglutinent en un gros nœud jaune qui bourdonne.

L'homme brun...

La dernière fois, quand sans rien dire il m'avait empoignée, m'avait appuyée, jupe retroussée, contre le carrelage froid et blanc des chiottes de La Mamounia. Je gémissais en roulant de la nuque, en le serrant entre mes bras, entre mes cuisses. Enroulée autour de lui comme un vieux lierre accrocheur. C'était bon... C'était bon... Je ronronne au pâle soleil d'hiver et lève le nez vers les publicités géantes au néon. J'ai la bouche sèche et les genoux qui cognent. Je m'arrête pour boire un Coca et achète le journal. Pour savoir où je pourrais aller. Ce soir. Pour rencontrer un homme à enfourcher.

J'aime pas les bars. Trop évidents. Et les types accoudés devant leur bière... On peut rien imaginer avec ceux-là : ils sont là pour servir de halte, un soir. C'est écrit sur leur visage : « Bite à saisir », dès qu'on pousse la porte. La fête est finie avant d'avoir commencé.

J'aime pas la rue. Trop pouilleuse. Surtout ce quartier-là. Avec ces cinémas pornos et ces petits mecs qui vous reluquent en mâchant un chewing-gum et en crachant de longs jets de salive pour prouver qu'ils sont des hommes. Le regard lourd et propriétaire, la jambe repliée contre le mur en béton. Prêts à vous mettre la main au cul et à vous faire monter dans un de ces hôtels minables. A vous baiser sans imagination. Mécaniquement. Avec des gros mots qu'ils répètent pour se faire bander et qui vous cassent les oreilles comme un disque rayé.

Du silence. Du silence. Pas parler. Pas parler.

On parle tout le temps. Ça suffit comme ça, non ?

Le Coca est si froid que j'ai mal aux dents. Le *New York Post* signale un concert au Bottom Line. Tout en bas de la ville.

Avec un vieux de la vieille. Bo Didley, qu'il s'appelle. Le Bottom Line, c'est un endroit bien. Pas un de ces endroits bidons pour aérobiquées ou Nikées.

Quand j'arrive, c'est encore la première partie. Un orchestre de country. La chanteuse a une choucroute Marie-Antoinette et de gros seins à la Dolly Parton. Des faux cils, aussi, et tout le tintouin des poupées sexy. Elle suce le micro, et les hommes tapent sur leurs cuisses. Des joints circulent, et je commande une bière. Ça va bien. Même très bien. La guimauve s'éloigne, écœurée. Elle est pas d'accord. Je le sais. Elle dit que c'est dangereux, ce genre de bar. Surtout dans une ville comme New York avec tous ces cinglés qui circulent en liberté. Elle est pas d'accord mais je sais qu'elle s'en toquera si je lui ramène un cinglé. C'est comme toutes les filles sucrées, elles aiment bien quand c'est risqué mais elles n'osent pas faire le premier pas. Elles, ce qu'elles veulent, c'est profiter en douce sans perdre la face.

Dans la salle, des types se sont mis à danser. Avec des filles en jean aux fesses plates. Pas bandantes, les filles. Elles se donnent un mal fou pour garder le rythme. Je commande une deuxième bière. Une serveuse blonde, débordée, qui dévisse sa tête dans tous les sens et porte un tablier à deux poches, me la pose sous le nez. Je souris. Je connais le coup du tablier à deux poches. Une pour les pourboires, l'autre pour encaisser le juste prix. C'est Katya, la Polonaise, qui me l'avait appris. Un jour où je l'avais remplacée au pied levé dans la cafétéria où elle travaillait sur Canal Street. Le temps qu'elle se débarrasse d'une mauvaise grippe. Le patron me zieutait tout le temps, de peur que je ne confonde les poches et détourne ses bénéfices. Il veillait au grain, M. Stanislas. Et ses serveuses trimaient dur entre le comptoir et la salle. Je bois à la santé de Katya.

C'est en levant mon verre que je l'aperçois. Tapi derrière un pilier. Pas vraiment beau. Un blouson de cuir noir, des cheveux noirs retenus en queue de cheval, des yeux noirs et le menton posé dans la main. Nonchalant. Absent. Il regarde les gens danser dans la salle. Les filles aux fesses plates qui se trémoussent. Et puis il me regarde.

Ça dure un moment.

A la fin, je baisse les yeux.

Et, dans mon corps, ça se met à tourbillonner. Comme du sang frais. Dans les joues, sous les cheveux, dans les cuisses, entre les jambes. Une vraie centrifugeuse. Mon cœur bat partout. J'ai même un petit nerf qui vibre au bord de la paupière. Mes mains sont moites, je les essuie sur mon jean. La serveuse aux deux poches m'apporte une autre bière. Elle me fait signe que c'est le monsieur derrière le pilier qui me l'offre. J'agite la main pour remercier et esquisse un petit sourire niais. Un sourire de coquette honorée, alors il détourne la tête et je m'insulte. Qu'est-ce qu'il fait là, ce sourire mécanique ? C'est pas l'endroit ni le moment...

Et puis le vieux Bo Didley entre en scène. Il tient sa guitare serrée contre lui et son corps s'ébranle. Comme un poteau qui swingue. J'ai l'impression qu'il ne bouge pas tellement il est massif. Lourd. Puissant. Et pourtant il frissonne de partout. Des ondulations dans tout le corps, des trémousse-ments dans les épaules. Dans les reins, dans les genoux. Mince alors ! Tout le monde s'est arrêté de boire et de danser. Même le type derrière son pilier. Il a posé sa bière et il fixe la scène où Bo Didley et sa guitare swinguent. Je me dis que je l'ai perdu. Qu'il est venu là pour écouter Bo Didley. Qu'il n'a aucune envie de se lever une fille. Il m'a envoyé une bière comme ça, pour tuer le temps, mais maintenant que le Vieux est là il ne me regarde plus. J'ai comme un énorme creux dans le ventre. Un creux de douleur, de désir. De plaisir aigu à l'idée qu'il m'abandonne. Il me rejette et je le veux de toutes mes forces. Prête à ramper jusqu'à son siège. Mais je me dégonfle. Et je reste sur ma chaise à siroter ma bière. La guimauve en profite pour reprendre du service. Elle dit que c'est bien fait. On ne se jette pas à la tête des hommes qu'on ne connaît pas. Et puis il y a Allan. Je l'ai déjà oublié, celui-là ? Si je succombe devant le premier venu, je ne le mérite pas et le Bon Dieu, là-haut, il ne manquera pas de me le rappeler. Et de me le faire payer. Je peux en faire mon deuil, de ma belle romance. Je dis rien. Je pense qu'elle a raison. J'essaie vainement de discuter, de soutenir qu'Allan, c'est différent. Allan, c'est du sérieux, du pour de bon, tandis que, l'homme à la queue de cheval, il ne sert qu'au plaisir. Un soir. En passant. Elle ne veut rien entendre, la guimauve. Elle demeure intraitable. Alors je l'écoute et me lève, me dirige vers la sortie. En traînant les pieds. Je vais au vestiaire où j'ai laissé mon manteau et mon chemisier vert dans sa poche en papier. Très lentement, pour lui laisser encore le temps de se retourner et de me rattraper. Mais il ne quitte pas la scène des yeux. Je détaille ses cheveux noirs, ses larges épaules, son cou fort et droit, et je n'arrive pas à partir. Je marche à reculons vers la porte. J'entends même plus la musique tellement je découpe son dos, sa nuque, ses épaules. Je heurte un couple qui danse. Je m'excuse.

Mais il n'a rien à voir là-dedans, Allan ! éructe la démone en tapant des sabots. Il n'en saura rien, d'abord. Arrête de te laisser estourbir par cette sucrée qui a peur de tout et recule au moindre danger. Et puis ce n'est pas du sentiment que je t'offre là. Tu le sais bien ! C'est du plaisir, et du meilleur encore ! De celui qui n'engage à rien, justement ! Avec un inconnu. Baiser avec un inconnu !

Il faut croire que je n'attends que ça : une intervention de la démone, parce que je ne fais ni une ni deux, je tourne les talons et vais me placer juste derrière lui. Contre le pilier. En serrant mon chemisier contre moi. Il doit sentir ma présence parce qu'il se laisse aller dans sa chaise. Tout contre le dossier. Il remue des hanches, des épaules, se balance un peu en arrière et lance un bras vers moi. Sans cesser de regarder le vieux Bo Didley. Il étend un bras et m'attrape. M'attire sur lui et me fait asseoir sur ses genoux. Sans rien dire. Sans me regarder. Il continue d'écouter la musique avec sa botte qui martèle le sol, son genou qui me soulève, en cadence, et moi je n'écoute plus rien. Je suis sourde. Je ne vois plus rien. J'ai sa main sur ma cuisse et j'ai envie qu'il l'enfonce entre mes jambes.

C'est dur d'attendre.

J'attends.

Il me tend sa chope de bière. Je lui fais signe que non, j'ai assez bu, mais il appuie la chope contre ma bouche et je bois. La bière coule un peu au coin des lèvres et il l'essuie, délicatement, avec un doigt. Son bras se resserre autour de moi et je me serre contre lui.

Quand Bo Didley s'est incliné pour la dernière fois, que les lumières se sont rallumées, l'homme à la queue de cheval m'a emmenée. J'ai pas demandé où. De toute façon, il ne parlait pas et moi non plus. On a marché un moment le long de Washington Square. Il avançait sans me regarder et je le suivais. A n'importe quel moment, je pouvais tourner à gauche, tourner à droite, le semer, et il n'aurait pas fait un geste pour me rattraper. Il gardait les mains dans les poches de sa veste et je serrais les miennes. Je n'étais pas vraiment rassurée. J'avais même la trouille. Une drôle de trouille qui ne m'empêchait pas d'avancer mais qui, au contraire, me poussait à aller voir.

Il s'est arrêté devant un hôtel assez minable. Avec une lumière verte au néon à l'entrée. Un peu comme mon chemisier. Il devait occuper une chambre là parce qu'il possédait la clef de la porte d'entrée. Et celle de la porte du bas. J'enregistrais tous les détails pour m'empêcher de penser. M'empêcher de me dire que je suivais un étranger. Un type que je ne connaissais pas. Ramassé dans un bar, derrière un pilier. On est montés dans l'ascenseur. Il me tenait par le cou. Pour me faire entrer ou sortir de l'ascenseur. Pour me faire marcher le long d'un couloir. Tous les dix mètres, il y avait une ampoule. Une sur deux était pétée. Je sais parce que je les ai comptées...

Il a poussé une porte avec la pointe de ses bottes et je suis entrée dans une chambre. Il me tenait toujours par le cou. Comme s'il voulait me forcer à regarder. Sa chambre. Une chambre d'hôtel qui n'avait plus de couleurs tellement de gens y étaient passés. Il y avait même un chemin tracé sur la moquette, de la porte au frigo, du frigo au lit. Un frigo entrouvert qui servait de placard pour ranger des affaires. Des chaussettes et des caleçons dépassaient du tiroir à légumes. Et j'ai eu la trouille. Une trouille terrible. La guimauve hurlait que j'étais folle. T'as pas vu les films sur les cinglés à New York qui découpent les femmes à la tronçonneuse après les avoir baisées ? Tu lis pas le *New York Post* ?

Si, justement...

Je me demande si je vais mourir. Je me demande s'il a un couteau planqué sous l'oreiller et s'il va me l'appuyer sur la gorge... Je me demande si c'est un cauchemar et si je vais me réveiller.

J'ouvre la bouche pour crier. Pour hurler au secours mais aucun son ne sort.

Il me pousse sur le lit. Si fort que je me renverse en arrière. J'essaie encore une fois de crier, j'ouvre la bouche mais rien ne sort. Que de l'air.

Il dit :

— J'aime pas les jeans.

Je fais un geste pour me redresser. Pour filer. J'ai peur, j'ai trop peur. Il faut que je parte, cet homme va me tuer, je le sais.

Il dit :

— Bouge pas. Je t'interdis de bouger !

Et me frappe sur la bouche. Je retombe en arrière et je n'ose plus bouger. Je le regarde, les yeux écarquillés. Je me demande quand il va sortir son couteau et me le planter dans la gorge.

Il s'est rapproché et commence à me déshabiller. Comme une poupée.

Il veut pas que je bouge.

Il me le dit. Très fort.

— TU BOUGES PAS. T'AS COMPRIS. TU TE LAISSES FAIRE. T'ES LÀ POUR ÇA. TU M'OBÉIS. TU M'ENTENDS ? TU M'OBÉIS ET TU PARLES PAS. T'AS COMPRIS ? JE VEUX PAS T'ENTENDRE.

Je fais oui de la tête. Submergée par une émotion, une émotion étrange qui me rend molle et bébé chiffon.

Et, soudain, je n'ai plus la trouille.

D'où vient cette émotion qui me supprime la trouille ? Qui fait de cette chambre minable un royaume ? Et de moi cette poupée molle qui hoche la tête, prête à obéir ?

C'est quoi, cette émotion-là ?

Ses mains soulèvent mon tee-shirt. Ses doigts caressent mes seins.

S'attardent sur le bout de mes seins.

Il sourit :

— T'AS PEUR, HEIN ?

Pincent le bout de mes seins. Si fort que je tombe à genoux devant lui. Je crie. J'ai mal.

Il me dit :

— JE VEUX QUE TU CRIES ENCORE. C'EST POUR ÇA QUE TU M'AS SUIVI... TU VAS CRIER ENCORE.

J'ai plus de tee-shirt. J'ai plus de jean. Je suis nue, à genoux, devant ce type. Il donne un coup de pied dans la penderie, en face du lit, libérant la porte qui s'ouvre, et il dit :

— REGARDE-TOI.

Je ne veux pas. C'est une autre. Ce n'est pas moi. Je baisse la tête. Sa main droite agrippe mes cheveux et me force à relever la tête, à me regarder. Je vois la fille dans la glace : elle a encore ses chaussettes et elle est agenouillée.

Elle me vient d'où, cette émotion qui me courbe devant cet inconnu, toute nue ? Sans plus de volonté. Mouillée. Niée. Sur la moquette, il y a des roses fanées. Des roses qui baissent la tête et forment comme une ronde. Je tends un doigt et dessine une rose à la tête baissée.

Il reprend le bout de mes seins et les écrase entre ses doigts. Je m'écroule à ses pieds. M'enroule à ses bottes. Me mords les lèvres pour ne pas crier, me tords les mains de douleur mais ne proteste pas.

— T'AS MAL, HEIN ? C'EST POUR ÇA QUE TU M'AS SUIVI. DIS-MOI MERCI.

Je baisse la tête et je le remercie. A voix basse. Comme si je faisais une prière. Il peut me faire n'importe quoi, je trouverai ça normal. Faites de moi ce que vous voulez.

Pourquoi ? A quelle douleur délicieuse, à quel plaisir jamais avoué me renvoie cet inconnu dans cette chambre minable ? Il est toujours debout, et la pointe de ses boots écarte mes genoux. S'enfonce entre mes cuisses. Sa main droite me renverse. Il dit qu'il me regarde de haut et que je ressemble de plus en plus à une poupée. Et qu'est-ce qu'on en fait, des poupées ? il demande en agitant le bout de ses bottes entre mes cuisses. En appuyant sur mon sexe.

On s'en sert.

On s'en sert pour se faire plaisir.

C'EST POUR ÇA QUE T'ES LÀ. POUR MON PLAISIR À MOI

La pointe de sa botte se pose sur mon ventre nu et sa main empoigne mes cheveux. Me hisse jusqu'à sa ceinture. Appuie ma bouche sur la boucle de son ceinturon. Il descend son jean. Ses mains enserrent mon cou, plaquent ma bouche. Il regarde dans la glace et il raconte qu'il voit une fille ramassée dans un bar, une inconnue en somme, à genoux. Il y en a plein, à New York, des suceuses à la petite semaine, des baiseuses, des vicieuses, des laborieuses qui en crèvent de leur air convenable, de leur chemisier à nœud-nœud, de leur ensemble en gabardine, de leur nine to five, de leur commuting, et qui viennent se faire soulever à la sauvette dans des bars, le soir. Je ne vaux pas mieux qu'elles. Je ne suce pas mieux qu'elles. Il ajoute que, si je lui fais mal avec mes dents, il me battra. Il m'attachera et il me battra.

IL A TOUT CE QU'IL FAUT DANS L'ARMOIRE.

Il dit que je peux m'attendre à ce qu'il me fasse mal. Très mal. Mais que je dois le laisser faire, n'est-ce pas ? N'EST-CE PAS ?

I'M GOING TO TIE YOU UP AND I'LL BEAT YOU.

Encore des mots, encore.

Encore des menaces, encore.

Encore du danger. Du danger...

Encore la peur. La peur qui rôde dans cette chambre et me donne à lui. Mes mains caressent ses cuisses, ses fesses, les empoignent, les écartent. Je suis là pour lui faire plaisir. Pour lui obéir. Je lève les yeux vers lui et rencontre son regard.

Un regard plein d'amour.

Il me regarde comme s'il m'aimait. Ses mains caressent mes cheveux doucement.

J'avais raison de ne pas avoir peur...

Le lendemain matin, au petit déjeuner, dans la cuisine de Bonnie Mailer, la démone et la guimauve s'empoignent dur. Chacune défend son bout de gras et reproche à l'autre de me mener en bateau.

Elle ne vivra rien avec toi, persifle la démone. Tu vas me la transformer en pot-au-feu, en mémère à confiture, en fontaine de lait à bébés, en voyage organisé.

Et toi, t'as vu où tu la traînes ? Dans un hôtel minable downtown aux pieds d'un mec à bottes ? Tu trouves cela plus exaltant, peut-être ? Et encore, t'as de la chance qu'elle revienne intacte parce que, un de ces jours, elle va y rester, dans l'hôtel borgne... Transpercée d'un coup de poignard.

Oui mais au moins elle vit, elle respire à pleins poumons, elle s'explore, elle explose...

Et ça la mène où, hein, dis-le-moi ? Comment se réveille-t-elle le lendemain ? Tu crois qu'elle est heureuse ? Honteuse, qu'elle est, je te le jure.

Pas si honteuse que ça, je t'assure. La peau pleine de plaisir, les jambes molles... Elle aime ça. Elle aime ça. Elle a besoin de souffrir, besoin d'avoir peur, besoin de la douleur.

C'est faux, réplique la guimauve. Elle est heureuse dans les bras d'Allan. Elle attend qu'il rappelle. Elle tremble qu'il l'oublie... Demande-lui. Demande-lui. Ça, c'est de l'émotion propre. De l'émotion comme il faut. Ça peut même finir par un mariage si tu t'en mêles pas.

Un mariage ! Tu ne penses qu'à ça. Depuis qu'elle est toute petite tu lui rabâches ce refrain. Un mari, des enfants, traderidera. Tu me barbes, la guimauve. Tu geins tout le temps. Nian-nian-nian-nian. Tu me la raccornis, me la plies en quatre, me la glisses dans une enveloppe bordée de noir... Moi, au milieu, j'en mène pas large.

Je ne sais plus qui je suis.

206

Où j'en suis.

Je tourne ma petite cuillère dans mon bol de café et je les entends s'époumoner. Je suis trop hébétée pour suivre l'une ou l'autre. Ma vie va singulièrement se compliquer si la démone s'installe. Chaque fois que j'ai fait un bout de chemin avec elle, je suis passée par de drôles d'états. Des hauts vertigineux où j'ai l'impression que mon âme sort de mon corps, rejoint mon essence, mon principe même. Je me refais le coup de la sainte Trinité, trois dans Une, et j'éclate de bonheur d'être ainsi réunie. Unifiée. Pacifiée. Je n'ai plus à choisir, à faire semblant, à paraître correcte et tout. Je peux téter mon pouce comme un bébé, rouler dans la fange et ensorceler. C'est pas difficile : je peux tout. J'ose tout. Mais faut presque toujours que ça passe par le cul, mes hauts et mes bas. J'ai l'extase extrêmement libidineuse. Même si, le lendemain, je meurs de honte. Je n'ose plus me regarder dans une glace. Je me jure de ne plus recommencer. J'en veux à mort à celui qui m'a emmenée si haut, si fort. Je file, tête baissée, retrouver une dignité perdue.

Comme ce matin...

J'ai quitté l'hôtel de Washington Square à l'aube. Repoussé un bras qui pesait sur moi, enfilé à toute allure mon jean et poussé la porte. Sans oublier d'emporter le chemisier du Prince charmant.

Une fois dehors, je me suis assise sur un des bancs de Washington Square et j'ai regardé les écureuils courir le long des troncs. Il y en avait tellement que je finissais par ne plus les trouver attendrissants. Pour tout dire, à force de les voir grouiller sur les pelouses pelées du square, je leur trouvais même une tronche de rat. Après tout, ils appartiennent à la même famille... Et ils rongent les mêmes glands avec leurs petites dents de devant, pointues, voraces, précises. Leurs petites pattes s'agrippent à leur proie, leurs yeux vifs et malins repèrent le butin, leur estomac résiste aux déchets qu'ils ingurgitent à fond les quenottes.

Mais qu'est-ce qui m'a pris ? je me suis demandé en suivant des yeux les écureuils qui fourgonnaient à leurs affaires. Qu'est-ce qui m'a pris ? Qui je suis pour de bon dans tout ça ? Les étudiants se pressaient vers les portes de l'université, des cahiers sous les bras. Je les enviais. Les murs rouges en brique de NYU avalaient des flots et des flots de jeunes gens pressés, bien éduqués. Depuis des mois, je me tenais. Convenable. Murée dans ma douleur. Protégée par le souvenir d'un mort. Ointe de dignité. Je faisais même l'unanimité. La douleur m'intégrait, me rendait honorable, fréquentable. Et puis voilà que j'envoyais tout promener... Que je devenais cette autre. Rampant dans une chambre d'hôtel minable pour quémander un plaisir inavouable, un plaisir qui me renvoyait à l'émotion, l'émotion pure... L'émotion originelle que des années et des années de polissage, de vie en société, n'arrivaient pas à effacer.

Alors, ça sert à quoi qu'il soit mort ?

S'il n'emporte pas la douleur avec lui. La douleur dont je ne peux me passer, la douleur qu'il m'a instillée goutte à goutte. Je lui avais pourtant bien demandé de m'en débarrasser.

Mais qu'est-ce qu'il fout là-haut ?

Je ne m'en sortirai jamais. Ce sera toujours la même chose. Toujours, toujours. Il ne me lâchera pas. Il me suivra. En ricanant. Et jamais, jamais un autre homme ne fera l'affaire... Parce qu'il n'y a que lui qui sait ce dont j'ai besoin. Ma petite ration de douleur... Y a que lui pour me la mesurer, me la concocter, me la distiller, me la faire payer cher. Très cher.

Les jours passaient. Je n'avais toujours pas de nouvelles d'Allan. Je savais que c'était une erreur d'attendre qu'il appelle. Je le savais. Mais qu'est-ce que j'y pouvais ?
Bien sûr, j'y pensais. A sortir. A traîner. A retrouver l'homme à la queue de cheval. J'y pensais. Je n'y allais pas. Je n'avais pas le choix.
La douleur était là. Près du téléphone, à attendre.
Il faisait froid. De plus en plus froid. A la télévision, le journaliste présentait la météo avec un bonnet, une écharpe, et faisait mine de réchauffer ses doigts engourdis en leur soufflant dessus. Le présentateur des nouvelles locales annonçait des catastrophes qui battaient tous les records. Des petits vieux cryogénisés, des bébés refroidis net dans leur berceau, des voitures transportant de jeunes parturientes renversées dans la neige, des secours qui n'arrivaient pas, des ponts soulevés par les rivières en crue, des chaussées fendillées par le gel, des canalisations éventrées... Ed Koch, le maire de New York, emmitouflé dans son col de fourrure, affirmait qu'il était urgent d'agir, que des mesures seraient prises sans tarder. Son administration allait se mettre en quatre. Cinquante-deux lits seraient offerts aux sans-abri et trois cent vingt-deux repas distribués midi et soir. Interrogés par les journalistes, les candidats aux largesses municipales soufflaient de la vapeur et disaient, des glaçons plein la

209

bouche, qu'ils avaient faim, qu'ils avaient froid, qu'ils en avaient marre de faire la queue sur Bowery. Que le bouillon qu'on leur servait était transparent, ainsi que les manteaux qu'on leur distribuait gratuitement. Que, tous les hivers, ils entendaient les mêmes promesses, que la Ville ne faisait rien. LA VILLE NE FAIT RIEN ! hurlait maire Koch dans le micro du reporter, ÇA C'EST LE PLUS FORT ! Et il sortait de sa poche un papier officiel gribouillé de chiffres. LA VILLE NE FAIT QUE ÇA : PENSER A SES PAUVRES. A SES VIEUX. A SES NÉCESSITEUX ! LA VILLE OUBLIE LE PROFIT AU PROFIT DE SES PAUVRES ! LA VILLE SOUFFRE POUR SES SANS-ABRI ! Il gesticulait et secouait son bonnet en fourrure sur le perron de sa grande maison aux colonnes blanches.

J'écoutais, allongée sur le grand lit de Bonnie Mailer, en me gavant de bananes et de cookies au chocolat. Je pensais aux avenues A, B, C, D. Il charriait, le maire ! C'est un coriace, ça c'est sûr. Un type implacable. Comme tous les hommes politiques. Il serre la main des pauvres devant la caméra mais dans son for intérieur il doit penser que c'est bien de leur faute s'ils se retrouvent à grelotter dans le froid, autour des braseros pourris de Bowery, parce que, en Amérique, si on veut, on s'en sort. A tous les coups. Alors les pauvres, c'est des gens qui ne veulent pas s'en sortir, et lui, ces gens-là, il s'en fiche comme de son premier col en fourrure. On pouvait lire tout ça dans son regard pendant qu'il serrait du bout de ses gants fourrés les doigts des sans-abri agglutinés sous les dix mille watts de la caméra.

C'est quoi, la vie sexuelle du maire ? je me demandais en l'observant. Néant. Poussières. Sauve qui peut derrière les rideaux. Il est toujours tout seul sur son vaste perron à colonnes blanches. Il doit pas aimer le sexe, lui. Il aime le pouvoir. Et quand on baise bien avec quelqu'un, c'est son pouvoir qu'on met en jeu au risque de le perdre.

Et Allan n'appelait pas.

Ma lettre n'avait pas suffi à le dérider. Il se méfiait. Il avait dû la parcourir et la poser sur son bureau au milieu des factures et des bons de commande. Demander à sa secrétaire de lui sortir le dossier « bas à varices made in Clermont-Ferrand » et le poser sur ma lettre. Elle risquait d'y rester un moment, sous la pile, parce que, petit à petit, d'autres dossiers s'y ajouteraient. Et il l'oublierait, ma lettre. Il ne me faisait pas confiance. Il préférait garder ses distances.

Il ne me restait plus qu'à m'apitoyer sur moi-même. Et je ne m'en privais pas. Je versais toutes les larmes de mon corps en engloutissant des bananes et des cookies au chocolat. Ma gorge s'étranglait de sanglots étouffés par les morceaux d'aliments, et je me soulageais en injuriant maire Koch à la télévision. Je m'abrutissais complètement. Je ne sortais plus du tout. Je demandais à Bonnie des nouvelles de l'extérieur. Comment sont habillés les gens ? Est-ce qu'ils marchent pliés en deux ? J'avais remarqué ça. Surtout aux coins des rues où le blizzard donne des coups de rasoir. Le seul moyen de survivre est de se courber comme un boomerang pour renvoyer le froid à perpète. Pour qu'il ne vous fende pas la tête. Bonnie Mailer soupirait. Elle n'aimait pas me voir prostrée. Elle tournicotait et me jetait des regards nettement désapprobateurs. Elle poursuivait cependant une idée fixe : m'organiser des dîners. Pour que je sorte de mon marasme et collisionne un mâle intéressant. Je ne voulais pas la contrarier mais j'avais posé une condition : qu'elle invite tous les hommes SAUF ALLAN. Ça suffisait comme ça. J'avais mon quant-à-moi. J'attendrai qu'il extirpe ma lettre de sous la pile et compose mon numéro. Bonnie n'arrêtait pas. Elle me présentait ses relations. Des hommes charmants, des grincheux, des riches, des célèbres, des divorcés sans enfants, des bilingues, tous bien mis, certains grisonnants avec nœud papillon, d'autres noirs de jais et barbus, d'autres enfin juvéniles et entreprenants. Je jouais l'ingénue. Souriais. Répondais aux questions, m'exclamais, questionnais, m'intéressais à Wall Street, aux blue chips, à l'immobilier, aux joint-ventures, aux démocrates, aux républicains, au Sida, au Nicaragua, à Israël, aux bonsaïs, aux vins californiens, à l'exportation du coulommiers, au mobilier de bureau, etc. J'écoutais, appliquée, leurs tortillages et faisais mine de réfléchir. Opinais. Encourageais.

Mais le cœur n'y était pas.

Je laissais la crétine de service pérorer à ma place et repartais rêver à l'absent.

Pourquoi n'appelle-t-il pas ?

A-t-il une petite amie ?

S'endort-il en la tenant serrée contre lui ou seul dans son coin de lit ? Lui pose-t-il la main sur le crâne quand le taxi dérape ? Porte-t-il un bas ou un haut de pyjama ? Embrasse-t-il les lèvres retroussées ou à plat ?

Un soir, lassée de conjecturer en vain, je téléphonai à Rita. Je voulais des détails sur les circonstances de la rencontre sous le palmier. Elle me dit de garder espoir. Elle était formelle : ce n'était qu'une question de patience et longueur de temps.

J'avais réveillé de vieux fantômes en revenant à Forsythe Street. Quelques jours après ma visite, elle avait reçu une lettre de Katya et un coup de fil de Maria Cruz. Qu'est-ce que je pensais de ça ? N'était-ce pas une formidable coïncidence ? Une chaîne d'amour qui se reconstituait ? C'est dans l'amour de son prochain qu'on trouve son salut. Aimez-vous les uns les autres. Il faut garder l'espoir, il faut garder l'espoir, répétait-elle en bonne évangéliste qui ploie sous le poids des documents à distribuer de porte en porte. Et l'espoir est en toi. Rappelle-toi. Jésus a dit : « Si vous matérialisez ce qui est en vous, ce qui est en vous vous

212

sauvera. Si vous ne matérialisez pas ce qui est en vous, ce que vous ne matérialisez pas vous détruira. » Je ne voyais pas bien le rapport mais je me taisais de peur de l'offenser et d'enrayer ses flashes, qui, somme toute, m'étaient plutôt favorables.

J'appris ainsi que Katya allait se marier. Avec un Américano-Polonais de Chicago rencontré à Varsovie. Elle réalisait enfin son rêve : vivre légalement aux États-Unis. Mais il lui fallait auparavant obtenir le divorce de son premier mari qui croupissait en prison. Maria Cruz demandait à me voir. Elle travaillait maintenant près des docks. José l'avait installée dans un studio. Elle n'avait plus la force d'arpenter la rue comme avant. Ses gambettes ne la portaient plus. Si je voulais passer la voir un soir... Mais il vaudrait mieux que j'y aille accompagnée, ajouta Rita, parce que les docks la nuit... Elle me donna quand même l'adresse.

Je regardais mon chemisier vert qui pendait sur un cintre. Il m'arrivait de le mettre et d'aller m'asseoir sous le yucca, pas loin de l'espagnolette et de la statuette maya.

J'attendais.

J'attendais que le téléphone sonne.

Je n'y croyais pas vraiment mais ça me donnait un but pour l'après-midi. Je me demandais si toute cette histoire n'était pas une erreur, une gigantesque erreur, mais je me disais que s'il y avait une chance, même infime, je voulais la saisir.

J'attendais.

J'attendais.

Et cette attente prenait toute la place. Je perdais le fil de la réalité. Je n'osais même pas m'occuper à autre chose de peur d'être distraite et de ne pas entendre la sonnerie du téléphone. Je ne sers qu'à ça : à attendre. Posée sous mon yucca. Chose curieuse : plus je l'attends, plus je l'aime. Alors que si d'aventure je piétine au bureau de la poste, j'en viens à détester le préposé et lui aboie au nez quand mon tour est venu de faire peser ma lettre pour l'étranger.

Bonnie Mailer soupirait que je devrais me changer les idées. Je n'avais pas envie de me changer les idées. Ça me convenait d'être triste. De pleurer sur mon sort. De me dire que j'étais tombée sur un homme vraiment coriace.

Cruel.

A cette pensée, l'air se raréfiait dans mes poumons et la lame d'un couteau me tranchait le ventre. Je redoublais de sanglots qui coulaient sur mon chemisier vert en faisant des taches. Je regardais la tache s'élargir et je pleurais encore plus. Mon chemisier était foutu avant même d'avoir été amorti.

La démone s'était assoupie. Repue. Depuis la nuit à l'hôtel avec l'inconnu, elle n'avait plus réapparu. Lâchement je m'en félicitais. Elle m'accordait un répit. Je pouvais me consacrer à l'entretien de mon chagrin. La guimauve se taisait. Elle gardait un œil sur moi mais n'intervenait plus. Il n'y avait plus que la crétine qui babillait en société. Celle-là ne me dérangeait point. Sauf quand elle débitait trop de sornettes. Elle me servait de bouclier contre l'extérieur et me laissait vagabonder à ma guise.

J'avais la paix.

Mais je n'étais pas plus avancée pour cela.

J'attendais.

J'attendais.

J'écrivais à Toto. Je lui demandais des nouvelles de sa verrue. J'écrivais à Pimpin. Nos pantoufleries me manquaient, et je réitérais ma proposition de l'épouser. Je m'enquérais du chien Kid, de sa cataracte, de son appétit, de la cohabitation avec les trois chats. Je lui racontais l'histoire d'Allan et comment, une fois de plus, je me retrouvais transformée en porte-clefs. Elle me répondit en m'encourageant à épistoler : c'est ainsi que Herbert Selby Junior avait, paraît-il, décou-

214

vert le goût d'écrire. Peut-être, ajoutait-elle, finaude, que toi aussi ça t'aidera. Et puis au moins ça t'occupera.

Je noircissais des pages et des pages pour que le goût me revienne. A la fin j'étais tellement fourbue que je ne me relisais plus. Et je jetais tout. Ou je brûlais les feuillets dans l'évier de la cuisine. Je me pris pour un écrivain maudit et ça me requinqua quelques instants. Dans « écrivain maudit », il y a « écrivain »... Puis je m'en allais rognonner sous mon yucca : qui ça empêche de dormir, le fait que je ne puisse plus écrire ? Personne. Personne. Tout le monde se fiche que je sois devenue un gâte-papier. Alors ?

Bref, je n'étais plus grand-chose à mes yeux.

Je rejoignais Job écroulé sur sa carpette avec la vermine qui lui mange la tête et pas la moindre miette à se mettre sous la dent. Dieu m'avait mise au piquet. Il n'avait pas supporté que je lui manque de respect.

Je me nourrissais très mal. Du cottage cheese en pagaille, des salades de fruits toutes préparées dans des emballages transparents avec deux fraises appétissantes sur le dessus et du melon sans goût en dessous, des After Eight et des glaces chocolatées. Mon corps ne m'intéressait plus du tout.

Et Bonnie Mailer tournait et virait en soufflant que c'était un gâchis.

Qu'il fallait me sortir de là à tout prix. Je ne la contrariais pas. Ce que je ne voulais surtout pas, c'est qu'elle me console, qu'elle soit douce et tendre avec moi. Ça me déprimait encore plus.

J'attendais.

J'attendais.

Un soir, elle rentre avec une proposition formidable : Et si on allait à une grande fête à l'Area, hein ? Une fête donnée par une agence de publicité pour remercier ses clients de leur fidélité. Qu'est-ce que j'en pense ?

215

Franchement ?

Pas grand-chose. J'attends que le téléphone sonne, un point c'est tout. Et puis, c'est l'heure des nouvelles locales et je veux savoir où en est le froid. Vérifier encore une fois qu'il y a plus malheureux que moi. Mais Bonnie Mailer ne renonce pas facilement. Les obstacles, c'est son pain quotidien. Mon refus ne l'impressionne pas et elle commence à faire des plans pour savoir comment je vais m'habiller et tout ci et tout ça. Là, je l'arrête immédiatement. Si j'y vais, et c'est pas encore décidé, je m'enroulerai dans une écharpe qui fera office de mini-jupe. Les frais s'arrêteront là. Je n'ai pas l'humeur à me pomponner. C'est à prendre ou à laisser.

Je lis dans son œil qu'elle est catastrophée. Elle se demande si ça vaut encore le coup de me produire attifée de la sorte. Elle hésite. Puis, anodine, s'enquiert :

— Et c'est tout ?

— Non. Des collants de laine, mon chemisier vert, une grosse ceinture et des talons plats.

Elle soupire, effondrée.

— Mais pourquoi ?

— Parce que ça me plaît. Que je me sens bien comme ça. Que je n'ai pas envie de me déguiser en proie sexuelle pour trois peigne-culs de publicitaires...

J'ai l'impression de parler à ma mère : j'avais dix-huit ans et elle voulait m'envoyer danser chez les riches pour que je rencontre un mari. « Un quoi ? », je demandais, hallucinée. « Sais pas, bredouillait Maman, prise en flagrant délit de mère maquerelle. Un jeune homme bien, quoi, avec lequel tu converseras, vêtue de ta plus belle robe de fête, et qui, ensuite, demandera à te revoir. » Bonnie Mailer, c'est pareil : à tous les coups elle me cache quelque chose. Elle a un jeune homme riche sous le coude et elle ne sait comment me le présenter.

216

En fine tapinoise, je l'observe. Que mijote-t-elle ? Va-t-elle avoir le courage de s'afficher avec moi ? Je la sens hésitante. Réticente. Mais il est trop tard et elle laisse tomber, désabusée :
— Après tout, c'est de toi qu'il s'agit. Et si tu tiens absolument à t'exhiber ainsi... A décourager les gens...
Je la prive de romance. Je la punis. Sa manie, à Bonnie Mailer, c'est de me refiler un béguin qu'elle pourrait vivre en copropriété. Histoire d'avoir le cœur qui bat par procuration. Sans se mutiler le sentiment. Elle essaie alors de m'appâter en ouvrant grandes ses penderies, en jetant sur son lit des tenues affriolantes, mais je m'entournicote dans mon écharpe, me faufile dans mon chemisier vert, glisse dans mes collants sans prêter attention à son manège.
Ce n'est que bien plus tard que je compris pourquoi l'écharpe enroulée en pagne ne servait pas du tout ses plans...

Il neige dru sur New York. Un brouillard épais encotonne la ville et décapite les gratte-ciel. On n'y voit pas plus haut que le deuxième étage et, pour un peu, je me croirais dans un petit village de Bavière. Manquent les traîneaux à clochettes, Heidi et son abruti de grand-père. La neige rétrécit les rues, adoucit les angles, emmitoufle les voitures, étouffe les bruits. Je me sens soudain en confiance, prête à chanter « Douce nuit, sainte nuit... » le nez dans la litière du petit Jésus.
Ce n'est pas l'avis du chauffeur de taxi : il s'échauffe, parle tout haut et commente chacune de ses manœuvres. Alors là, je vais déborder sur la gauche pour le doubler et essayer de le coincer avant le feu sinon je serai obligé de m'effacer et ça ne me dit rien qui vaille parce que, avec cette saleté de chaussée

glissante... A moins que je ne le serre sur ma droite pour l'obliger à me laisser la place. Non, mais qu'est-ce qu'il fait ce taxi-là ! Il est fou ! Encore un enculé de chauffeur importé d'Haïti ou d'ailleurs... Un gâcheur de métier. Les jeunes d'ici, ils veulent plus faire le taxi ! Ils rêvent d'être avocats... Pour dix ingénieurs dans ce pays, on fabrique cent avocats ! Bonnie Mailer me fait signe qu'il est fada et visse son index sur sa tempe. Il doit la voir dans son rétroviseur car il se retourne aussitôt et, avec un grand sourire, lui lance :

— Vous pensez que je suis cinglé parce que je parle tout seul, hein, c'est ça ?

Nous protestons poliment. Mais non ! Mais non ! Pas du tout ! Pensez donc ! C'est un tic qu'a ma copine. Elle se gratte la tempe aux feux rouges.

Faut se méfier dans cette ville, une susceptibilité froissée, et, hop ! le vexé dégaine et vous foudroie sur place. Y a qu'à lire le *New York Post*. C'est rempli de cadavres morts gratuitement.

— Je parle tout seul parce que c'est le seul moyen d'éviter l'ulcère dans ce putain de métier. Si je gardais tout ça en moi, ça ferait longtemps que je serais à l'hôpital ! Vous avez vu celui-là ? Il roule à tombeau ouvert et les rues sont verglacées... Mais vas-y, mon petit vieux, vas-y, fonces-y tout droit, au service des urgences, et tu verras la note !

Nous, on fonce tout droit à l'Area. En bas de la ville. Bonnie n'y met jamais les pieds, d'habitude, dans ces quartiers-là.

L'Area. Un vaste entrepôt où les bouchers, autrefois, entreposaient leurs veaux sans tête, leurs carcasses de bœufs sanguinolentes, les abats ficelés et les poulets égorgés. Aujourd'hui, les noctambules de New York s'y agitent en paquets serrés, après s'être traînés aux baskets du portier pour avoir le droit d'entrer.

Ce soir, comme tous les soirs, un troupeau de personnages

218

bigarrés et bizarres attend que Tony daigne poser un doigt intronisateur sur leur chef courbé. Foule androgyne parée de ses plus beaux atours où l'élégance se marque aussi bien par les savantes déchirures au rasoir d'un jean noir que par la crinière vert et rose dressée sur un crâne nu ou l'ample veste italienne déstructurée. Meute compacte et soumise, sur le qui-vive, qui guette sans broncher le privilège d'être remarquée, sent le cuir et l'eau de toilette bon marché. On n'attend pas longtemps avec Bonnie Mailer : elle brandit son invitation et fend la foule en grimaçant.

A l'intérieur, c'est la cohue du vendredi soir. Des projecteurs éclairent au hasard un angelot vivant figé en statue qui pisse dans une vasque argentée à l'aide d'un tuyau dissimulé sous sa jupette, un Noir ruisselant hissé sur un podium, un jeune éphèbe déguisé en papillon suspendu au plafond, en tutu rose, et la masse noire de tous ceux qui, mécaniques, lancent bras et âme au ciel de ce vacarme menaçant. La musique assourdissante nous réduit au silence et nous progressons coudes au corps. Mon écharpe ne détonne pas ici. C'est Bonnie qui a l'air déplacé avec sa tenue à étiquettes.

« Tu m'attends là ? Je vais faire un tour... » Elle me parle comme à une petite cousine de province qu'on sort pour la première fois en ville et à qui on demande de faire le piquet près des cabinets. Je hoche la tête et la regarde s'éloigner, se frayant un chemin, repoussant d'un air exaspéré tous les malotrus qui lui barrent la route. Je m'appuie sur une colonne blanche et contemple l'assistance. Elle a tout faux, Bonnie Mailer. C'est ici que je me sens chez moi. Bien plus que dans les quartiers huppés du haut de la ville. L'Area, le Palladium, les nuits de New York et ses protagonistes, les toilettes où on se bouscule pour attraper un bout de miroir pendant que des dos penchés sur la cuvette des chiottes remontent une ligne de coke, un billet d'un dollar roulé dans la narine, ou se refilent des doses d'héroïne dans de petits papiers pliés en quatre. On n'utilise pas des mots distingués ici, de belles phrases emperlousées, mais, au moins, je ne suis pas intimidée. Je ne fais pas semblant. Je préfère les conversations des fêlés. Des sans-vocabulaire. Ça tient souvent pas debout mais il y a toujours un bout de vérité qui dépasse. Qu'on attrape au vol et qui fait gamberger.

Je me redresse sur la colonne et m'étire.

— Si j'étais pas aussi pété, je vous ferais l'amour.

Je le distingue mal mais il ressemble à la foule. Ses cheveux brillants et roux, sa peau blanche et ses sourcils en bataille lui donnent un air de gamin monté en graine trop vite. On dirait Lucky Luke tombé de sa jument.

Il tire sur son joint et me le tend. Je refuse poliment.

— C'est bien, votre tenue. Ça vient d'où ?

— C'est fait maison.

— Ah !... Vous êtes pas américaine, vous !

— Non. Française.

Je le clame au porte-voix. Plus fort que moi. Telle une majorette, j'arbore le drapeau national à tour de bras dans ce pays où chaque façade affiche sa bannière étoilée, où l'on entonne l'hymne national à la moindre occasion, la main sur le cœur et la mine grave.

— Vous êtes française du Nord ou du Sud ?

— De Paris.

— C'est au nord ou au sud ?

— Plutôt au nord...

Doit même pas savoir où se trouve la France. Au mieux, si c'est un fin lettré, à deux pas de l'Allemagne.

— Et vous habitez où, ici ? Au nord ou au sud ?

— Plutôt au nord...

— Vous connaissez Voltaire ?

Je ne connais que lui. Pas plus tard que ce matin, nous

devisions au téléphone. Il rit, et son visage se plisse, avalant ses yeux et ses sourcils dans un tremblement jurassique. Il tète son joint qui lui brûle les doigts. Le spot tourbillonnant vient l'éclairer un instant. Il est tout de noir vêtu et encore plus roux que je l'imaginais.

— Moi, je connais bien les écrivains parce que j'écris... et vous, qu'est-ce que vous faites ?

J'écris aussi. Enfin...

— Et vous écrivez quoi en ce moment ?

— Une plaquette sur mes états d'âme et sur l'Amérique...

— L'Amérique du Nord ou du Sud ?

C'est un obsédé de la boussole ! Je cherche un moyen de me débarrasser de ce sécotineur géographe quand une main se fiche dans mon épaule et me ramène trois pas en arrière. Je heurte un buste d'homme, me retourne, lève le nez et reconnais Allan. Respire Allan. M'abîme dans la vision d'Allan. Bloque genoux et mollets pour garder contenance devant Allan. Je n'ai pas le temps de dire un mot que l'écrivain se présente :

— Hi ! My name is Michael...

Allan tend le bras et s'exécute. Je ne suis pas mécontente qu'il me trouve en galante compagnie plutôt que ratatinée sous mon yucca à racler mes pots de crème glacée en scrutant le téléphone. Pour un peu, je ferais même la fière. Le lutin roux continue de pérorer sur le Nord et le Sud, Fitzgerald et Faulkner, le fried chicken et la Big Apple. Allan broie les glaçons de sa vodka entre ses dents, et je peux entendre le bruit de ses mâchoires qui concassent la glace.

— Vous savez où on peut boire ici ? demande-t-il soudain à Michael.

— Oui. Juste derrière, répond le rouquin lettré en faisant des signes d'auto-stoppeur en détresse en direction du bar.

— Vous ne voudriez pas aller chercher un verre à cette charmante demoiselle qui se dessèche à vous écouter ?

— Euh... Oui. Si vous voulez...

Il se tourne vers moi et me demande ce que je veux boire. Un tonic, je lui réponds, en lui tendant un billet de dix dollars. Il l'empoche et fait signe qu'il revient tout de suite, qu'on l'attende bien sagement : il a un truc passionnant à nous révéler sur Abraham Lincoln et la case de l'oncle Tom. Mais Allan m'a déjà entraînée à l'autre bout de la salle. A grands pas dans la foule. Sa carrure de bûcheron lui ouvre le chemin. Il me remorque d'une main ferme, et je ressens l'allégresse un peu niaise du colis pris en charge. Pour un peu, je ferais la nique à toutes les filles de l'assistance. Vous avez vu qui je me dégotte, moi, avec une simple écharpe nouée autour des reins ? C'est pas consigné dans vos livres de recettes, ce moyen de séduire ? C'est le style, ça, pauvres plouquettes, et le style, il en faut, des années et des années de civilisation, avant d'en hériter.

Allan tranche sur cette foule unisexe et maquillée de mode. Il domine la salle de son menton carré, et ses yeux rétrécis se font pépins de raisins. Il cherche un coin où poser son butin. Je me surprends à l'observer comme si je ne le connaissais pas. Un regard de servante espiègle qui note pour la première fois le nez interrompu en bec d'aigle, les pommettes un peu trop plates, les mâchoires prêtes à dévorer et la chevelure trop lissée sur les côtés. Je résiste à l'envie de lui donner une bourrade de copine à qui on ne la fait pas, mais il se retourne pour vérifier que je le suis de près et le charme agit à nouveau. Balaie mes défenses : je retombe en état de guimauve. Pour me reprendre aussitôt, furibarde. Ce n'est pas parce qu'un conquistador me harponne par le bras que je dois me métamorphoser en mendiante honorée d'être regardée !

— On va où ? je demande en esquivant deux malabars qui, menton contre menton, discutent fermement.

Il ne répond pas et continue de me remorquer.

— Dis, tu fais exprès de te coiffer comme ça ou c'est bon pour les affaires ?

Il s'arrête et me toise. Ses yeux m'épluchent avec irritation et leur lueur devient presque méchante. On se mesure.

— Non... parce que je connais des gens qui trouvent ça très joli, les cheveux bien ramenés en arrière avec un peu de brillantine dessus. C'est un style, c'est tout... Suffit de le savoir... J'en connais même qui...

Il a repris son parcours de combattant et se faufile à l'esquive comme un joueur de rugby qui veut à tout prix poser son ballon entre les deux poteaux. Ballottée derrière lui, le bras tendu, je rebondis dans la foule. J'ai envie de le lâcher mais il me tient si fort que je ne peux me déprendre. Et puis ça lui ferait trop plaisir que je crie : « Pouce ! arrête, je suis fatiguée. » Il me toiserait avec régal. C'est incontestable : cet homme est mon plus cher ennemi. Je l'irrite. Il m'en veut, il s'en veut de m'en vouloir, et dans ses mâchoires crispées, dans sa main qui broie la mienne, dans ses regards exaspérés je lis les preuves les plus éclatantes de son désir. S'il pouvait me traîner par les cheveux, m'estourbir contre le premier pilier et me consommer toute cabossée, il ne s'en priverait pas.

J'aperçois le mot « Toilettes » qui clignote et crie à la pause-pipi. J'ai besoin de reprendre souffle, de me masser le bras et le poignet, de défriper mon écharpe, de revoir mon visage, de vérifier qu'il n'a pas changé, qu'il est prêt pour l'assaut.

— Je t'attends ici, grogne Allan en désignant un fauteuil en rotin sous une haie de plantes vertes.

Dans les toilettes pour femmes, il y a des hommes. Deux rastas rajustent leur embrouillamini de nattes sous des bonnets de laine puis échangent des pilules qu'ils comptent gravement. Un blanc-bec mal en point s'ébroue sous le robinet d'eau froide, soutenu par sa copine. Un grand Noir travesti en Marilyn caresse son corps devant la glace.

Immobile.

Immense.

En équilibre sur des talons dorés, la perruque platine et le regard caché derrière de lourdes lunettes noires. Ses mains épaisses et larges montent et descendent sur sa poitrine plate, charbonneuse, aux poils crépus, aux muscles bandés, effleurent les hanches, effacent le sexe qu'on devine gonflé sous la robe fourreau, appuient sur les cuisses dures, les fesses plates. L'épaule avance en un geste de séduction dérisoire. Il oscille. Perdu dans une danse solitaire et douloureuse. Seul, face à la glace. A la recherche d'une identité impossible. Ses bras rudes ont l'air d'avoir déchargé le dernier camion de Howard Street. Sa peau couverte de fond de teint rose craquelle par endroits. Ses lèvres boursouflées par le rouge écarlate murmurent des mots d'amour. « Baby, baby, I love you, baby ». Et ses longs cils battent, alourdis par la colle. Personne ne le dérange ni d'un regard ni d'un sourire, et des filles babillent d'une voix criarde en se maquillant près de lui. Parlent de leur « date », se contorsionnent, s'empruntent leur rouge et font des plans pour le dimanche suivant.

Je n'arrive pas à détacher mes yeux de lui. Qui est-il, lui, dans sa tête ? Marilyn ou nègre blanchi ? Débardeur ou poupée Barbie ? Petite fille paumée ou armoire à glace balafrée ? Combien sont-ils à vivre sous son toit ?

Je me regarde dans la glace.

C'est comme moi...

Mais moi je trompe mon monde : je ne me travestis pas. Je garde toujours les mêmes apparences pour la crétine, la guimauve, la démone, la petite fille ou l'assassine. C'est toujours la même bouche qui parle. Les mêmes jambes qui s'ouvrent ou se ferment. La même voix qui supplie ou commande. Les mêmes mains qui caressent ou poignardent. Aux autres de s'y retrouver.

Moi, je m'y perds.

Où est-elle passée, la vraie ?

De temps en temps, elle apparaît. Quand je ne m'y attends pas. Elle pousse la porte, dit « Hello ! », s'assied en tailleur en face de moi. On se retrouve nez à nez. Et je la reconnais. Le bonheur me saisit à la gorge. Je suis la reine du monde. Personne ne peut me piquer mon trône, mes cailloux, mon sceptre d'Ottokar. D'ailleurs, je n'ai besoin de personne quand je lui mets la main dessus. J'ai l'éternité pour moi. J'existe. Je remplis la pièce. J'éprouve la sensation étrange d'adhérer à moi-même. Aux milliers de petits détails qui font que je suis moi. Unique au monde. Un petit bijou ciselé d'or fin, de pierres véritables. Je n'ai pas besoin du regard des autres. J'ai la conviction d'exister. Chaque chose est à sa place. Je sais exactement où je suis. Qui je suis. Pourquoi je suis là. Où je vais.

J'ai tout mon temps.

Sauf qu'elle reste jamais longtemps. Au moindre faux mouvement, à la plus petite bavure, à la première intonation un peu fausse, à l'esquisse d'un sourire paresseux, fabriqué, elle s'éclipse. Il faut travailler dur pour la mériter. Refuser la facilité. Ne rien se laisser passer. Ne pas faire semblant. S'arrêter net dans le chapelet de mensonges flatteurs, dans la moue de petite fille qui se fait roseau charmeur, dans le récit enjoliveur. Revenir à la réalité, à la vérité, et ne plus la lâcher jusqu'à ce qu'elle vous permette d'accéder à la vérité unique : soi-même. Je ne veux pas passer à côté de moi. Sinon je serais obligée de me mentir pour continuer à vivre.

Alors, côte à côte avec le Noir travesti sur ses chaussures

dorées, les deux mains appuyées sur le lavabo et le nez dans la glace, je me fais un serment solennel, celui de ne plus rien trafiquer. De coller au plus près de ma vérité. De coïncider avec moi-même. Je me regarde droit dans la glace : ça ne va pas être facile, je me préviens. Va falloir renoncer à des automatismes. A des facilités. Ne pas dévier d'un millimètre de la bonne route. Être intransigeante.
Oui mais si, au bout, il y a une terre neuve à explorer...
La fille en face a l'air d'accord pour essayer.

Allan m'attend. Assis sur son fauteuil en rotin. Emboîté dans un maintien distant. Il me tend un verre et je le vide doucement, reprenant mes forces, devinant que je ne dois rien attendre de lui dans cette épreuve de vérité décidée avec moi-même. Il ne sera certainement pas mon copain ni le confident sur lequel je reposerai, lourde et encombrée. Celui qui vous débarrasse une à une de vos affres, s'ôtant par là même le pouvoir de vous séduire et de vous emporter.
— Ça te rassure de te faire draguer par des minables comme ce petit rouquin ?
Je ne dis rien et m'assieds sur l'accoudoir de son fauteuil. Sous la haie de verdure. Repousse une palme qui me rentre dans l'œil. Il ne bouge pas d'un pouce. Ne fait pas mine de se lever pour me céder la place.
— Il t'en faut combien par soir pour que tu te sentes bien ?
— Et toi, avoue ! C'est encore un coup de Bonnie Mailer, cette soirée ! Vous vous êtes consultés, cette fois-ci, ou elle a agi toute seule ?
— J'ai su que tu étais là quand j'ai vu Bonnie au bar. Mais, si ça peut te rassurer, je ne suis pas tout seul...

226

— Ah !...

C'est tout ce que je peux répondre parce que la douleur me tord le ventre, me coupe le souffle. Ça y est, je me dis, il a une petite amie et je vais faire sa connaissance. Je l'imagine aussitôt. Belle, très belle, intelligente, un doctorat sous le bras, une cuillère en argent dans la bouche, enchâssée dans une robe fourreau, de longs cheveux brillants qui rebondissent dans les doigts, un velouté de peau à damner les vendeuses hautaines de Bloomingdales... un petit nez exquis, des dents... Des dents blanches éclatantes, bien rangées, bien tenues. Des pieds menus dans des escarpins très fins à talons hauts. Elle ne marche pas, elle ondule. Elle n'éclate pas de rire, elle sourit finement. Elle a les ongles vernis. Bref, elle a tout bon. J'ai tout faux. Et je suis foutue !

— Et elle est où, ta copine ? je demande en voûtant les épaules, en me grattant le front, faisant naître un bubon.

— Elle doit me rejoindre vers onze heures et demie.

— Ah !...

Il est dix heures.

Qu'est-ce que je fais ? je me demande en me balançant sur l'accoudoir. D'ordinaire, qu'est-ce que je ferais ?

Je filerais, c'est sûr. J'irais noyer mon chagrin dans les bras d'un autre. N'importe quel autre. Ou dans les glucides chocolatés d'une crème glacée. Ou, s'il s'agit d'un soir de pleine lune, je me jetterais contre lui. Pour le forcer à me voir. Le forcer à m'emporter. Je jouerais le jeu. Le jeu en cinq actes que je connais par cœur. Mais je me rappelle le serment fait devant la glace et je me retiens. J'écoute l' « autre ». L'autre qui prend tout son temps et qui a confiance en elle. Qui ne se laisse pas terrasser par ses mauvaises habitudes, ses vieux fantômes. Qui va son petit bonhomme de chemin.

Je décide de ne pas me jeter contre lui.

Je laisse faire la vie.

Je laisse aux arbres le temps de pousser, aux petits oiseaux le temps de chanter, au flash de Rita le temps de se réaliser, à Allan le temps de me regarder de plus près.

J'ai une sale habitude : je ne prends jamais le temps.

Même quand la mort rôdait autour de Papa, je m'impatientais. Il m'arrivait quelquefois de me surprendre à me dire : « vite, vite, qu'il meure » pour qu'on en finisse. Pour que je voie ce que ça me ferait, la mort... j'avais jamais connu ça et je voulais savoir.

Ma tête éclate, et je la renverse en arrière. Le souvenir est trop fort. Le souvenir de cette chambre d'hôpital où j'attendais la mort en tapant du pied sous le lit métallique et blanc. Dis, Papa ? Quand est-ce que tu vas mourir ? Depuis le temps qu'on en parle ? Vite, vite, vite...

Je me déteste. Je déteste mon impatience.

Je ferme les yeux pour ne pas pleurer.

Pour qu'il ne me voie pas pleurer. Il serait capable de s'imaginer que c'est à cause de lui. Ou il s'apitoierait. Et ce serait encore pire.

Je bloque les larmes, rouvre les yeux. Le regarde à nouveau. Le désir ardent que j'ai de lui me le rend presque irréel. J'ai envie de le pincer pour qu'il hurle et réintègre le règne humain.

Nous nous taisons.

Il a une petite amie. Il part avec elle en week-end et l'embrasse sur les lèvres.

Dans le cou...

Sur ses seins parfaits.

Entre les jambes et elle crie...

Il n'y a pas de place pour moi. Pas de baiser pour moi.

Il faut que je pense à autre chose.

Et si je rentrais à Paris ?

A Paris, il y a Machin. Ce serait bien, ça. Que Machin m'aime. Il est beau, il a le bras long, il a une voiture avec un macaron, il me voit quand il a le temps. Vite fait. Oui, mais il me couvre de cadeaux. Et de lettres d'amour. Je peux les relire quand il n'est pas là. Elles sont drôlement bien, ses lettres.

Bien mieux que lui, pour tout dire.

J'avais complètement oublié Machin...

Je balance mon pied de gauche à droite. Ronge mon frein. Observe le va-et-vient entre les toilettes et la salle. Mordille une branche de palmier qui me chatouille le nez. Allan a fini de manger ses glaçons. S'étire au fond de son fauteuil. Manque me déséquilibrer. Se tourne vers moi et articule :

— Je déteste cet endroit. On va manger une pizza ?

Sa voiture est une Cadillac. Avec des sièges en cuir rouge. Des banquettes si larges qu'on pourrait y coucher deux sans-abri et tout leur fourbi. Je me suis assise et j'ai commencé à tripoter les boutons de la radio. Pour tuer le temps. Me donner une contenance. J'avais bien envie d'ouvrir la boîte à gants et de vérifier s'il s'y trouvait un poudrier ou un tube de rouge qui traînaient. J'ai pas osé. J'ai respiré profondément l'air du sol au plafond sans détecter le moindre relent de parfum. Rien de rien.

Alors je me suis laissée aller contre le dossier. J'aurais aimé mettre les pieds sur le tableau de bord mais je me suis retenue. C'était tentant parce qu'on était vraiment au large. Sans mentir, il y avait bien un mètre et demi entre nous.

Il a pris une cassette au hasard. C'était de la musique country. Ray Charles et Willie Nelson qui chantaient *Les*

Sept Anges espagnols en duo. C'était plutôt beau. Je veux dire : tout l'ensemble était plutôt beau. La neige dans les rues, les gratte-ciel ratiboisés, l'homme qui conduisait et la voix des deux vieux qui chantaient *Les Sept Anges espagnols* en canon. J'avais plus rien à ajouter et je me suis tue.

Lui aussi se taisait.

On a roulé. On remontait vers le haut de la ville et je me demandais où on allait. Je brûlais d'envie de lui demander s'il serait de retour pour son rendez-vous de onze heures et demie, mais je m'en gardais bien. Des fois qu'il ait oublié et que l'autre fille se casse le nez ! Rien ne pouvait me faire plus plaisir. Je la détestais d'avance, celle-là, et de l'imaginer en train de se ronger les sangs en attendant Allan m'emplissait d'un bonheur frôlant la lévitation. En même temps, je n'étais pas sûre qu'il l'ait vraiment oubliée et ça me faisait comme un petit pincement douloureux au creux du ventre chaque fois que je le regardais et que je l'imaginais penché sur elle barbouillée de rouge à lèvres, juchée sur de hauts talons. Elle devait être terriblement lascive comme fille...

Ça faisait un bon moment qu'on ne parlait plus. C'était comme si on voulait aller tout droit à l'essentiel mais qu'on ne lui avait pas encore mis la main dessus.

Alors, en attendant, on se taisait.

Il conduisait très prudemment. Sans s'énerver. Sans klaxonner. Il démarrait tout doucement au feu vert. S'arrêtait quand le feu était orange. Laissait passer les piétons qui s'aventuraient hors des clous. Prenait tout son temps pour tourner son volant. Il ne regardait jamais dans ma direction. Il chantonnait et regardait droit devant lui. On est arrivés sur Union Square et il a pris Madison Avenue. Je me suis fait la réflexion qu'on remontait drôlement haut dans la ville et que, à tous les coups, il allait rater son rendez-vous.

Peut-être fait-il partie de ces gens qui ne peuvent manger leur pizza que dans un seul endroit ?

Pour calmer mon impatience je me suis mise à jouer avec les panneaux lumineux. Un jeu comme un autre que je pratique depuis que je suis toute petite. J'interprète les affiches publicitaires pour qu'elles collent avec mon histoire à moi. Par exemple, à l'angle de la Vingt-Quatrième et de Madison, il y avait une publicité pour une marque de café où Rhett Butler renversait Scarlett au-dessus d'une tasse brûlante, et le slogan en dessous disait : « Partout où ce nectar brûle, vous brûlez aussi. » J'ai fait ni une ni deux, j'ai décidé que Scarlett, c'était moi, Rhett, c'était lui. Le café, c'était l'autre fille qui brûlait de l'étreindre mais qui allait être drôlement refroidie quand elle ne le verrait pas se pointer. Je trouvais que ça se tenait comme interprétation. Je fus soudain remplie d'une intense satisfaction, d'une sérénité à toute épreuve, d'un élancement de bonheur aigu comme un point de côté, et je lui lançai à la dérobade un regard malicieux qu'il ne surprit point. Il ne le savait pas mais dorénavant il m'appartenait. Je ne voyais pas très bien comment il pouvait s'en sortir. Surtout maintenant que j'avais tout mon temps.

A la hauteur de la Cinquante-Neuvième, il a tourné à gauche et il a filé tout droit vers Central Park Ouest. On ne parlait toujours pas. Le problème, c'est qu'au moment où j'ouvrirais la bouche il faudrait que ce soit drôlement intelligent ou original, ce que je dirais, parce que, après tant de silence, le moindre mot pèserait des kilos et des kilos. Mais enfin, je prenais le risque...

Il semblait beaucoup aimer *Les Sept Anges espagnols* : il n'arrêtait pas de repasser la chanson. Je me demandai si ça lui rappelait des souvenirs puis je ne me demandai plus rien du tout.

Je finis par ne plus parler, ne plus penser. Juste me laisser aller dans la nuit contre le dossier de la banquette rouge, comme quand on est petite, qu'on rentre tard le soir en voiture avec ses parents et que le monde entier tient entre la nuque du papa, la nuque de la maman et la banquette arrière où on est assise. Dehors les voitures doublent, klaxonnent, se rabattent en prenant des risques terribles, mais on s'en fiche. On éprouve une douce impression de réconfort, de sécurité qui nous fait dodeliner de la tête à l'abri du mauvais coup. J'étais dans cet état d'esprit-là. Je me suis même mise à fredonner *Les Sept Anges espagnols*. Je finissais par connaître le refrain par cœur. On avait beau ne pas parler, il se passait plein de choses entre nous. Le silence devenait de plus en plus dense et on pouvait presque entendre nos confidences. Comme ça, l'air de rien. Lui, les deux mains sur le volant. Moi, la tête renversée en arrière. Les tensions tombaient une à une et je les entendais s'affaisser comme des boules de neige dans un champ. Ça faisait un bruit sec et sourd, et à chaque boule qui s'écrasait je pensais : Tiens, là il me déteste un peu moins ! Il me regarde d'un autre œil. Il se dit que, après tout, je ne suis pas si horripilante. Qu'il m'a peut-être mal jugée... Il s'attendait à ce que je jacasse ou que je fasse la tronche à cause de sa petite amie. Il est surpris. Je m'en fiche pas mal, de sa petite amie. Je ne suis plus du tout jalouse. Je la plains. Parce que, un silence de cette qualité-là, elle n'en a sûrement jamais partagé avec lui.

On est arrivés à Amsterdam Avenue. Il a continué de monter, monter. On est passés devant Columbia University et il n'a pas ralenti. Il n'a même pas jeté un coup d'œil sur le campus endormi. Il a continué à rouler tout doucement, appuyé contre la portière, le regard perdu dans la nuit. On se dirigeait tout droit vers les Cloîtres, à ce train-là.

Devant les Cloîtres, il s'est garé. Il a coupé le contact et il a poussé un soupir. Et puis il a étendu ses bras sur la banquette et s'est mis à soliloquer :

— Quand j'étais petit, le dimanche après-midi, mes parents m'emmenaient ici et me racontaient des histoires de preux chevaliers, de rois et de reines, de cathédrales, de gisants, de dame à la licorne. Quand on rentrait chez nous, ils allumaient la radio pour écouter leur feuilleton mais moi j'allais dans ma chambre pour continuer mes histoires de preux chevaliers... Chaque fois que je suis allé en Europe, c'était pour visiter des cathédrales, des églises romanes. Je suis imbattable en églises romanes, en tapisserie de Bayeux, en châteaux forts...

Moi, quand j'étais petite, le dimanche après-midi avec Toto, on regardait Rintintin à la télé et on criait : « YOU-OU, Rintintin ! » toute la soirée en se poursuivant en pyjama dans le long couloir de l'appartement. On voulait tous les deux être Rusty parce que Rintintin se tapait tout le boulot et que Maman clamait en passant devant la télé : « Ce Rusty, quel petit garçon charmant ! Et obéissant avec ça ! » Rusty nous apparaissait comme le comble du chouchou, du combinard qui n'en fout pas une rame et ramasse tous les lauriers. Je le lui dis. Il rit. Et puis, ça recommence : on ne se dit plus rien du tout.

J'ose pas regarder l'heure mais j'en meurs d'envie.

Alors je fais comme lui, appuyé contre la portière gauche : je regarde les cloîtres en silence. Appuyée contre la portière droite. Le nez et la bouche collés sur la vitre froide, je joue à les faire glisser de haut en bas sans dévier d'un millimètre. La vitre glacée a un goût chimique de produit à nettoyer. Mais je ne renonce pas pour autant à tracer une trajectoire parfaite. Après, j'ai les lèvres gourdes et endormies. Comme chez le dentiste. C'est bien de prendre son temps, mais qu'est-ce qu'on en perd, du temps, en le prenant ! Et puis bon... L'endroit est assez sinistre quand il n'y a pas de cars de touristes pour remplir les parkings en béton. A quoi il pense, lui ? A la fille qui l'attend ? A ses dimanches de petit garçon ? A ses carnets de commande ?

Il a allumé une cigarette et il regarde droit devant lui. Songeur. Il ne prend pas la peine de mettre la cendre dans le cendrier, et je me demande quand elle va tomber sur sa veste. Je suis sur le point de le lui faire remarquer quand je me reprends : c'est son problème après tout. Alors, très lentement, il pose la cigarette à moitié consumée dans le cendrier et la cendre tombe juste dedans. Il est vraiment très habile. Puis il allume le contact et démarre.

C'est en redescendant à travers Central Park qu'il se tourne vers moi et me lance comme ça, comme une banale invitation à aller prendre un verre :

— Tu retournes avec moi à l'Area ou tu rentres chez Bonnie ?

J'en ai le souffle coupé. J'en oublie toutes mes bonnes résolutions, le serment devant la glace, la promesse de prendre mon temps, de laisser aller la vie, de l'observer comme si de rien n'était, et j'explose :

— C'est ça ! Pour tenir la chandelle entre toi et ta petite amie ! Merci beaucoup, j'aime encore mieux retourner chez Bonnie... Non, mais pour qui tu te prends ? Tu te trouves si irrésistible que ça pour me proposer de jouer les hallebardières, les figurantes du treizième rang ! Et puis quoi encore, va falloir que j'applaudisse quand elle va te sauter dans les bras !

Il me regarde, amusé, et reste silencieux. Ce silence achève de me mettre les nerfs en pelote et je reprends de plus belle :

— A quoi je sers, moi ? Je vais te dire un truc, une bonne fois pour toutes : je déteste les types qui jouent les mystérieux pour cacher leur indigence chronique... Les types qui se croient très fort parce qu'ils ne l'ouvrent pas. Qui me font croire qu'ils vont m'offrir une pizza et me plantent devant des ruines nulles en versant une larme sur leur enfance ! Parce que ce soir, ce n'est pas moi qui suis venue te chercher, hein ? C'est toi. Moi j'étais peinarde à parler littérature avec un jeune homme tout ce qu'il y a de plus attentionné, et, hop ! Monsieur se pointe et fait son exigeant ! Propose une balade au clair de lune avec pizza à l'appui... Et finalement : ni pizza ni clair de lune, rien qu'un pauvre tête-à-tête avec des ruines qui sont à peine plus vieilles que la HLM de ma banlieue, des ruines en kit, des ruines en toc, qui ne peuvent berner que vous autres, pauvres amerloques, incultes, ignares, qui prenez le Titien pour une teinture de cheveux et Versailles pour une marque de voiture ! Et puis je regrette bien de t'avoir écrit cette lettre parce que tu ne la mérites pas ! T'es un rustre ! Un plouc ! Un insensible du cœur ! Un raté de la sensibilité ! Et j'espère bien, j'espère bien ne plus jamais entendre parler de toi...

Il est toujours appuyé contre la vitre et il tire sur sa cigarette dont la cendre s'allonge, s'allonge. Il ne dit mot. Il attend que je poursuive. C'est qu'il n'a pas compris. Ou qu'il s'en fiche. Je n'ai plus rien à perdre et je balance mon solde :

— Je rentre chez moi et je ne veux plus jamais, mais alors plus jamais te voir, et ma lettre, tu peux la prendre, la déchirer et considérer que c'est une erreur de jeunesse ! D'ailleurs je l'ai écrite dans un moment d'égarement, un moment de dénigrement de moi-même. Ça arrive à tout le monde de se traîner plus bas que terre... Alors tu l'oublies, tu m'oublies et tu pars sauter ta souris ripolinée façon présentoir de Bloomingdales ! Voilà, c'est tout. Et si ça t'ennuie de me reconduire chez Bonnie, tu me le dis tout de suite et je pars à pied...

Son petit sourire narquois devient franchement amusé :
— A pied toute seule à cette heure-ci ? Dans le parc ?

— Ben, qu'est-ce que tu crois ? Que j'ai la trouille ?

Juste. Je meurs de trouille. Je suis consumée de terreur et j'espère bien qu'il aura la galanterie de me déposer devant chez Bonnie même si je continue à l'injurier. Parce que, avec tout ce qu'on raconte sur Central Park la nuit, je préfère encore tenir la chandelle entre sa ravissante et lui plutôt que d'y risquer le petit doigt de pied.

— Oui... parce que moi, tu vois, je n'irais pas me promener tout seul la nuit dans Central Park. C'est très dangereux, tu sais, le parc...

— Pas plus dangereux que le bois de Boulogne ! Non, mais faut toujours que vous ayez le record du monde du « plus », vous ! C'est vrai, vous êtes lassants avec vos records... Tiens, je vais te dire un truc franchement : je vous déteste tous en bloc, les amerloques, et toi en particulier !

— Si je te suis aussi insupportable que ça...

Il ouvre largement la porte de sa Cadillac et m'invite à descendre. Je le regarde, médusée. Il ferait ça, vraiment ! Il me lâcherait dans la gueule des loups ! Ce n'est plus de la cruauté, c'est de la non-assistance à personne en danger !

J'hésite. Je balance. Entre mon honneur et ma sécurité. Douloureux dilemme. Qu'est-ce que je préfère ? Rentrer la tête haute au risque de me faire détrousser au détour du premier buisson épineux ? Ou l'honneur en berne mais le corps bien au chaud dans sa voiture de mafioso ?

Je me tâte.

Pendant tout ce temps, il me contemple, la main sur la portière.

— Tu vois, finalement, j'aime mieux quand tu es en colère que quand tu fais semblant d'avoir tout bien en main comme tout à l'heure...

Je le regarde, tente de le foudroyer mais, partagée entre la trouille de descendre et l'envie de rester, mon regard dérape et perd en intensité.

J'ai trop peur dans le noir.

J'ai trop peur dans le parc.

Il paraît que même les patrouilles de flics ne s'y aventurent plus. Que des bandes de gamins vous guettent et vous sautent sur le rab, n'abandonnant sur place que vos restes blanchis et nettoyés...

Mais je pose quand même un pied au-dehors en priant tous les saints de tous les ciels qu'il me rattrape par le bras, me traite de folle furieuse et m'enfourne dans sa conduite intérieure. Je pose le second pied. Avance une main, m'appuie, vais pour me redresser. Prends tout mon temps... Insiste auprès du Seigneur et de Ses saints, vite, vite, faites quelque chose sinon c'est par petits bouts qu'on me rapatriera en France.

A ce moment-là deux bras me saisissent et me tirent en arrière. Ma tête molle, mon nez et ma bouche glacés tombent sur sa chemise blanche. Il relève mon visage et le prend entre ses doigts. Il me tient dans sa main. Repousse mes cheveux, passe ses doigts sur mes yeux, me traite de folle furieuse, de bourrique têtue, de mangeuse d'escargots à la noix, d'emmerdeuse tricolore, m'enferme dans ses bras et se penche sur moi. Je me laisse faire. Laisse faire la main qui soulève mon menton et dirige ma bouche vers la sienne. Laisse s'approcher ses lèvres qui doucement viennent se poser sur les miennes et les baisent, léchant le petit goût de vitre froide ammoniaquée. Ouvrant ma bouche encore fermée à petits coups de lèvres douces et chaudes. Une bouche qui me picore lentement, entrouvre mes lèvres, desserre mes dents. Une bouche savante et forte qui m'impose sa volonté. Ma nuque docile se laisse aller sur son épaule. Je soupire. Il se redresse, me regarde, sourit. Je me raidis, prête au pire. J'attends une nouvelle ruse. Mais il me regarde seulement, sourit encore et reprend le cours de son baiser lentement, lentement, comme s'il avait tout son temps. Je me coule contre lui sur la banquette de la Cadillac rouge et savoure.

Savoure le temps avec lui...

A onze heures et quart, il me dépose devant chez Bonnie. Me souhaite bonne nuit. Je ne dis rien. Je fais le tour de la voiture en titubant, telle Soubirous après avoir discuté le coup avec la Vierge. J'ai une boule dans la gorge qui m'empêche de parler. Je suis sur le point de heurter la porte vitrée du hall lorsque je l'entends m'appeler. Je me retourne. Il est sorti de la voiture, appuyé contre la portière. Il me fait signe d'avancer.

Je trébuche jusqu'à lui.

— Qu'est-ce que tu fais demain soir ? il dit.

— ...

— Tu veux qu'on se voie ?

Je hoche la tête. La boule bloque toujours au fond de la gorge.

— Sept heures et demie chez Bonnie ?

— D'accord.

Il a un sourire étrange et me regarde des pieds à la tête. Je ne sais plus comment me tenir. Que faire de mes mains, de mes bras, quelle contenance afficher. Je piétine, mouline sur place. Cherche une formule de politesse pour dire au revoir et merci et à demain et... je m'empêtre dans une jolie phrase que je voudrais bien tournée. Il sourit et ne fait rien pour m'aider à conclure. Remonte dans sa voiture et démarre. Me fait un dernier geste du bras en déboîtant. Un sourire qui laisse transparaître une victoire, sous-entend que je suis plus facile à amadouer qu'il n'y paraît. Qu'un long baiser dans le parc la nuit a suffi à ce que je ressemble aux autres, à toutes les autres. A celle-là même qu'il va retrouver par exemple...

238

JE NE SUIS PAS COMME TOUTES LES AUTRES.
JE NE SUIS PAS COMME TOUTES LES AUTRES.

Je lance de toutes mes forces mon sac contre la portière. Il fait semblant de se protéger de son bras et décampe. Je n'ai plus qu'à ramasser mon poudrier, mes clefs, mes papiers sur le trottoir. Le doorman de nuit dort sur sa chaise dans l'entrée. Il n'a rien vu. Je fulmine. A quatre pattes sur le trottoir, je cherche à récupérer mes affaires avec le plus de dignité possible et prie pour qu'il ne m'aperçoive pas de loin dans son rétroviseur. La guerre est déclarée. J'ai tout mon temps pour la gagner.

Une scène étrange m'attend chez Bonnie Mailer.

Je trouve Bonnie, vêtue de son petit tailleur à étiquettes, accroupie dans le salon face à un emballage posé sur la table basse en verre. Un emballage blanc en polystyrène, identique à ceux qui protègent d'ordinaire les crèmes glacées. Ce n'est pas le genre de Bonnie Mailer de butiner l'entremets à minuit sonné.

Elle contemple fixement l'emballage et tient à la main une lettre qu'elle consulte de temps à autre. Comme s'il fallait un mode d'emploi pour manger une glace !

A peine m'a-t-elle entendue entreı.

Je toussote. Elle relève la tête, sursaute, s'empare de la boîte, la pose sur ses genoux. Puis pousse un cri et la rejette sur la table. La boîte heurte un paquet de revues luxueuses aux couvertures glacées avant de tomber sur la moquette blanche.

— Bonnie, mais... qu'est-ce qui se passe ? je lui demande en m'approchant.

— Surtout n'y touche pas ! N'y touche pas ! hurle-t-elle en montrant du doigt le paquet.

— Qu'est-ce que c'est ?

Je me penche et observe. Au fond des quatre parois blanches, bien nichée, une boîte métallique repose. De taille petite. Avec un anneau pour soulever le couvercle. Un anneau chromé tout simple.

241

— Ah ! je fais. C'est une glace ?

Bonnie hausse les épaules. Son rimmel a coulé sur ses joues barbouillées. Le maquillage fait des plaques ocre et rouges sur le front et les joues. Elle fixe sans bouger la boîte mystérieuse. Hypnotisée.

J'aperçois alors, sur la table, le papier marron de l'emballage. Il est couvert de timbres et porte plusieurs tampons postaux : Nevada, Californie, Nouveau-Mexique, Ohio, Virginie, Connecticut. Drôle d'itinéraire pour une crème glacée !

— C'est un cadeau ?

— Tu parles d'un cadeau ! dit-elle en secouant la tête comme pour chasser un mauvais rêve.

— C'est une bombe ?

J'essaie de détendre l'atmosphère mais n'y réussis guère. Bonnie a le sourcil froncé et la moue amère.

— Écoute, je n'ai pas envie de rire ! me lance-t-elle avec un regard noir. Et tu pourrais avoir un peu plus de tact !

— Ah, bon !...

L'affaire est donc grave si je dois user de tact face à un emballage en polystyrène expansé. Bonnie pousse la boîte du pied avec répulsion. Elle voudrait bien la remettre sur la table mais répugne à la prendre en main. Je me propose de l'aider, me baisse, attrape l'objet et le pose au-dessus des revues. Quand je me relève, Bonnie me regarde, et sa bouche se tort en une grimace de dégoût.

— Ça vient d'où ? je m'enquiers avec l'accent de la sollicitude la moins feinte.

— De la morgue de Las Vegas.

— Quoi ? je hurle en faisant un bond de côté.

Elle répète comme pour s'en convaincre elle-même :

— De la morgue de Las Vegas. Regarde les tampons...

Je m'empare du papier d'emballage, déchiffre l'enchevêtrement de hiéroglyphes, de cercles noirs, et constate qu'elle a raison. Le premier tampon signale bien « Las Vegas » et à l'encre noire, en travers de la marge, le nom d'une entreprise funéraire ouverte vingt-quatre heures sur vingt-quatre qui parle quatre langues et accepte les cartes de crédit. Qui plus est, l'adresse et le nom du destinataire sont raturés plusieurs fois et portent la mention « N'habite plus ici ».

— Et après ?

— Eh bien, après, il a été un peu partout, je suppose, avant d'atterrir ici. C'est Walter qui l'a réceptionné. Il me l'a donné quand je suis rentrée de l'Area. Tu te rends compte ? Non, mais quelle histoire !

Elle doit être très, très perturbée par son coffret macabre car elle ne me demande pas de nouvelles d'Allan et moi.

Je me touche les lèvres. Il m'a embrassée...

Il m'a embrassée...

Il a pris tout son temps. Les lèvres retroussées et gourmandes. Ses doigts me maintenant fermement le menton. Sa bouche me goûtant. Me léchant. Me découvrant. Me dégustant... Et les sept anges espagnols chantaient, chantaient. Sept parrains célestes qui nous exhortaient à coups de trompettes cuivrées, nous envoyant la bénédiction de l'Escroc. Cette soirée est étrange. Je vais finir par croire que je l'ai rêvée.

Nous restons toutes les deux, le nez baissé sur le paquet. Bonnie reprend la lettre et la relit.

— Ça alors ! Même dans mes pires extravagances je n'aurais pu imaginer ça ! Et c'est sur moi que ça tombe !

— Je t'assure, Bonnie, j'aimerais bien comprendre...

Elle serre la lettre contre son sein comme si, à distance, je pouvais en percer le secret.

— Je ne sais pas si je dois te mettre au courant. C'est une affaire de famille après tout. Et d'un goût tellement détestable...

Je regarde à nouveau la petite boîte métallique, me demandant quel mystère elle peut bien receler.

— Tu veux que je te laisse toute seule ?

C'est vrai, quoi : j'habite chez elle. Elle n'a plus d'intimité. Plus d'espace pour s'isoler et spéculer. Régler ses comptes avec l'emballage ou pleurer tout son saoul.

— Tu veux que j'aille dormir dans ta chambre, et tu restes là bien tranquille à faire le point ?

— Oh, non ! Ne me laisse pas seule avec... ça, elle supplie en me prenant le bras. Non ! Non ! C'est très bien que tu sois là. Très bien ! J'ai si peur... Si tu savais ce que j'ai peur !

Elle frissonne. Je lui passe un bras autour des épaules et la frictionne. Elle se laisse aller quelques instants puis se replonge dans la lecture de la lettre. Je décide de ne pas la brusquer. Et d'attendre.

Elle a les lèvres pincées, les yeux rétrécis sur la lettre, elle tremble un peu en lisant.

— Tu veux que je te serve un whisky ?

Je ne sais pas pourquoi j'ai dit ça. Ce doit être nerveux. Ou à force de voir des films noirs où un détective impassible calme les nerfs de l'héroïne avec du vieux malt. Je n'ai jamais vu Bonnie Mailer boire une goutte de whisky.

— Oui, un bien tassé. Avec de la glace.

Je file à la cuisine, découvre une bouteille de scotch derrière des dizaines de Perrier et lui sers une large rasade dans un grand verre. Quand je reviens, je pousse un cri : elle s'est évanouie. Elle gît sur le canapé, les bras abandonnés le long du corps, la tête en arrière et la bouche béante. Je me précipite sur elle et crie : « Bonnie ! Bonnie ! » Elle sursaute, me regarde comme un zombie. S'empare du verre et le vide d'un trait.

— T'en veux un autre ?

— Non merci. Il faut que je garde la tête froide...

Je décide de me servir aussi un whisky, repars vers la cuisine en gardant un œil sur elle, attrape un verre en me contorsionnant sur le pas de la porte pour ne pas la perdre de vue et reviens avec la bouteille sous le bras. Bonnie la saisit et boit une large rasade à même le goulot.

— Excuse-moi, fait-elle en s'essuyant la bouche. C'est horrible, je ne sens plus mon corps. Je crois qu'il va me lâcher...

Je la reprends dans mes bras, reprends le cours de mes frictions, ouvre le col de son tailleur, dégrafe la jupe, défais la bride de ses escarpins, l'allonge sur le canapé. Nous restons toutes les deux côte à côte à mâchonner notre scotch. Plus loin, sur le rebord de la fenêtre, le maya nous regarde de son œil torve. Son oreille est drôlement bien recollée. On n'y voit que du feu.

Bonnie a reposé son verre sur la table, s'est redressée et se frotte les mains l'une contre l'autre. Comme lady Macbeth. C'est si terrible que ça? j'ai envie de lui demander.

— C'est Ronald, lâche-t-elle en montrant la petite boîte métallique dans l'emballage pour glaces.

— Quoi?

— Ronald, mon second mari...

Je la dévisage, bouche bée. Puis je contemple l'emballage avec sa petite boîte en acier.

— Tu veux dire un canular de Ronald?

— Non. Ce sont ses cendres. Il est mort à Las Vegas au Caesar's Palace dans le lit d'une poule qu'il avait draguée... Je le hais! Je le hais! dit-elle en mordant le bord de son verre. Une prostituée notoire! Une salope qui ne fait ça que pour l'argent! Alors que, moi, je l'aimais tant... Le salaud!

Je ne comprends pas très bien comment les cendres, Ronald, la prostituée se sont ligués pour que cette petite boîte échoue chez Bonnie, mais je ne pipe mot. Je regarde Bonnie qui garde les poings crispés et a du mal à respirer.

— Le salaud ! Le salaud ! Il portait son testament sur lui quand les pompiers l'ont trouvé. Ils ont lu et... Tu sais ce qu'il veut ! Il veut être incinéré et que ses cendres soient dispersées au large de l'Océan. Parce que, soi-disant, il avait le pied marin. Le pied marin ! Une excuse pour courir les filles ! Oh ! et puis... lis la lettre après tout !

Dans la lettre, l'avocat de Ronald explique en effet, en utilisant des termes très juridiques, que son client a trouvé la mort dans des circonstances douteuses, que son désir était d'être incinéré puis que ses cendres soient répandues, en présence de cinq témoins adultes et blancs, au-dessus de l'Océan par a) sa mère, b) sa sœur, ou, si ni l'une ni l'autre n'étaient disponibles, par c) sa veuve, à condition que celle-ci soit surveillée de près au moment de la dispersion vu l'état fragile de ses nerfs. La mère et la sœur ayant refusé de présider à la cérémonie, l'avocat se résigne donc à remettre les restes de son client à Bonnie Mailer afin que la volonté du défunt soit respectée. Et, précise-t-il dans un post-scriptum, il profite de l'occasion pour joindre le montant de ses honoraires. Démesurés, il faut l'avouer ! Pas étonnant, je me dis, que la famille se soit défilée !

— Mais vous étiez divorcés ? je demande à Bonnie.

Elle hésite puis finit par répondre que non. Elle ne s'y était jamais résolue de peur de décevoir ses parents.

— Tu comprends, pour eux, le fait que je sois mariée... c'était si important que j'ai pas eu le cœur de...

— Alors t'es sa veuve. Y a pas de doute...

— Oui, mais qu'est-ce que je vais en faire, moi, de cette boîte ?

— Je sais pas. Tu pourrais aller sur les quais. Justement j'ai une copine qui habite pas loin... Ou à Southampton la prochaine fois que tu y pars en week-end ? Ou te rendre en bateau au pied de la statue de la Liberté et...

— Je ne dépenserai pas un sou pour ce salaud ! Mourir dans les bras d'une prostituée ! C'est grotesque ! Mais qu'est-ce que je vais faire, moi ? Hein ? Qu'est-ce que je vais faire ?

Elle se ressert une rasade de whisky et je l'imite. Je dois dire que je suis un peu désemparée. Comment se comporter quand on a les restes carbonisés de son ex-mari à gérer, que ses cendres sont encore toutes chaudes du stupre de Las Vegas et qu'on est toute seule dans la vie ?

— Tu n'as pas un caveau familial où tu pourrais le déposer en douce ? Il est pas très encombrant...

Bonnie fait signe que non.

— Et puis, ajoute-t-elle, ça ne résoudrait rien, il a bien spécifié qu'il voulait être éparpillé au bord de l'eau... Je risque d'avoir l'avocat sur le dos si je n'obtempère pas. Ou, mieux encore, un procès de la mère et de la sœur ! Encore heureux qu'il ne me demande pas de réciter des prières ou de lui jouer une symphonie avec orchestre au complet ! Mais qu'est-ce que je vais faire ? Qu'est-ce que je vais faire ?

Elle tombe à genoux devant l'emballage, se prosterne devant la boîte et oscille sur ses talons en bourdonnant sa colère. Sa jupe est remontée jusqu'à mi-cuisses et son collant a filé.

— Et les cinq témoins ? Il va falloir les trouver, les cinq témoins ! Je n'oserai jamais déranger mes amis... Que vont-ils penser ? C'est un coup à démolir ma réputation ! Et les boulettes Kriskies ! Mon Dieu, les boulettes Kriskies ! Pourvu que personne ne l'apprenne. Jure-moi que tu n'en parleras à personne... Personne. Ils se moqueraient tous de moi. Jure-le-moi.

Je jure en étendant le bras. Elle vérifie que je ne tremble pas ni ne croise les doigts derrière mon dos puis, rassérénée, reprend le cours de ses lamentations :

— Et pourquoi moi ? Tu en connais beaucoup, de filles, qui héritent des cendres polluées de leur ex-mari ? Honnêtement, non. Mais le fait est là : il est minuit et nous avons un macchabée lyophilisé sur les bras.

— Ça prend vraiment pas beaucoup de place, je constate en regardant à nouveau la petite boîte métallique. On est peu de chose quand même !

— Tu peux pas comparer, répond Bonnie, pratique. Il s'agit de cendres, pas de chair fraîche !

Je pense au grand cercueil de Papa, à son costume du dimanche, à ses belles pompes, au chapelet glissé entre ses mains croisées. Au grand trou dans le cimetière de Saint-Crépin, au pied des montagnes. Il devait bien faire deux mètres sur deux, le trou. Ils étaient quatre hommes du pays à porter le cercueil. On a chanté le chant de la promesse des scouts en le glissant dans le grand trou noir. Le soleil brillait. Toto me tenait la main en la serrant très fort. Il avait les larmes aux yeux à cause de cette foutue chanson de scouts. « Hé, c'est pas possible, il grommelait, ils veulent nous faire chialer à tout prix avec cette chanson... » Moi, j'avais cessé de pleurer, touchée par la beauté paisible et solennelle du cimetière, du chant et des participants. Même que j'ai pas été loin de rejoindre Job sur sa carpette à ce moment précis et de refiler mon âme à Dieu.

— Il était grand ? je demande.

— Oui. Et costaud. Et des yeux ! Tu sais, comme ceux du jaguar attiré par l'eau de la source ! Avec du vert et du doré ! C'était un bel homme... Mon Dieu ! Qu'est-ce que je l'ai aimé ! Mais qu'est-ce que je l'ai aimé ! J'ai cru devenir folle quand il est parti !

Bonnie a le nez qui brille, le bord des paupières rougi, de longues traînées de rimmel noires sur les joues, et elle renifle doucement dans son verre. Elle a l'air toute défaite.

— Tu préférerais quoi, toi : être incinérée ou enterrée ? je demande.

— Je n'y ai jamais réfléchi.

Moi si. Mais je n'arrive pas à me décider, et cela me ferait du bien d'en débattre avec elle. Rares sont les occasions où l'on peut parler de la mort comme ça, mine de rien, un verre à la main. C'est un sujet que les gens évitent, d'ordinaire. Ils arrivent même à se croire immortels tellement ils consacrent peu de temps à la question.

— Non, mais... tu préférerais quoi ?

— Est-ce qu'il est vraiment indispensable que je te réponde là, sur-le-champ ? Tu es incroyable quand même ! Tu ne respectes rien !

— Quelquefois je me dis que c'est peut-être mieux d'être incinéré, comme ça on est sûr d'être bien mort, de ne pas se réveiller après, quand les festivités sont terminées et que les croque-morts ont jeté leurs dernières pelletées... Il paraît qu'un grand nombre de gens se réveillent et tambourinent dans leur cercueil, tout seuls dans le noir, pour qu'on leur ouvre. Tu te rends compte ? Ils meurent très lentement d'asphyxie dans d'horribles souffrances en se retournant dans leur tombe parce que, avec les kilos et les kilos de terre qu'on leur a balancés, ils n'ont aucune chance d'être entendus... Et puis l'air peu à peu se raréfie, il ne reste plus que du gaz carbonique et...

Bonnie Mailer me lance un regard exaspéré.

— Es-tu vraiment obligée de me raconter ça maintenant ?

Non, c'est vrai. Elle a raison. Je manque sûrement de tact. Mais cette petite boîte me fait un drôle d'effet. Je trouve le cercueil plus humain, plus accueillant, plus rassurant. Moins expéditif, pour tout dire. Cela dit, le résultat est le même : on retombe en poussière dans les deux cas. Mais que deviennent les vers dans tout ça ? Est-ce qu'ils mangent les cendres ? Je n'ose poser la question à Bonnie Mailer de peur qu'elle ne tombe par terre, pour de bon cette fois.

— Tu sais, j'ajoute pour m'excuser, il est mort d'une belle mort. Mourir en faisant l'amour... c'est le rêve de beaucoup. J'aurais pas dû dire ça parce que, alors, je perds le contrôle de la situation. J'ai prononcé la phrase qu'il ne fallait surtout pas articuler. Faire l'amour ! Avec une autre ! Tant que ces mots n'étaient pas dits à haute et intelligible voix, Ronald n'était qu'un petit tas de cendres, un tout petit tas de cendres, assez pitoyable, dans une boîte métallique, froide et lisse, qu'on pouvait insulter, accaparer, réchauffer sur son sein en le berçant d'insultes. Mais, dès que j'eus prononcé les mots terribles, c'est comme si un esprit malin avait jailli de la boîte en brandissant un sexe énorme, menaçant, gorgé de sperme et de sang, dirigé tout droit sur Bonnie Mailer. A partir de ce moment-là, je ne peux qu'assister, impuissante, à la suite des opérations.

Ce que je vois est terrible.

Bonnie se dresse sur son séant, s'empare de l'emballage pour crème glacée, essaie d'en extirper le réceptacle à cendres, attrape brutalement l'anneau du couvercle, tente de dégager l'urne funéraire de son carcan, tire, s'escrime, jure, se casse un ongle, jure encore plus fort, insulte l'employé de l'office crématoire qui a calculé au plus juste les dimensions du paquet, vitupère l'avocat qui a le culot de joindre sa note d'honoraires sans même un mot de condoléances, relève sa jupe, serre le paquet entre ses genoux, tire, tire encore sur l'anneau, s'époumone, s'essouffle, ahane en accompagnant de la voix les progrès de désengagement de la boîte puis, après une dernière traction brutale qui lui démet presque l'épaule, réussit enfin à dégager la précieuse boîte, et se dirige tout droit vers la salle de bains.

Je la suis, anxieuse.

Que va-t-elle faire des cendres de son défunt mari ? Les verser dans un joli pot transparent pour les contempler à loisir en se lavant les dents ? Ou les mélanger à ses crèmes de beauté et s'en oindre l'épiderme soir et matin en espérant qu'elles pénètrent jusqu'à son âme ?
Ce serait très romantique, je me dis.
Ou peut-être conserver l'urne sur le rebord de la baignoire et s'entretenir avec elle en trempant dans un grand bain moussant ? Maintenant que son mari est mort, va-t-il enfin devenir ce confident, cet ami sûr et cher sur lequel se reposer, à qui se confier sans arrière-pensée ? Rien de tout ça.
Elle relève d'un coup d'ongle le couvercle des toilettes, fait claquer la lunette, dégoupille l'urne métallique et vide tout de go le contenu dans les toilettes. Je pousse un cri, essaie de la retenir en étendant le bras. La boîte lui échappe et finit de se répandre sur la moquette blanche immaculée de la salle de bains. Le sol est jonché de cendres. Elles volettent entre la cuvette et nous, mouchettent l'air de mille papillons gris, se déposent tel un duvet charbonneux sur la blancheur parfaite de la salle carrelée. On se croirait dans une de ces boules en plastique qui, si on les agite, déclenchent une tempête de neige. Au milieu de la boule, Bonnie et moi, agenouillées, barbouillées, mangeons les cendres, respirons les cendres, éternuons les cendres de ce cher Ronnie. Bonnie crache, suffoque, s'époussette puis soudain, prenant conscience de l'aérienne présence de son époux chéri, se répand sur le sol et se met à sangloter :
— Ronnie, Ronnie, où es-tu ? Ronnie, parle-moi ! Ronnie, pourquoi m'as-tu fait ça à moi ? Pourquoi ? Pourquoi ?
Je tente de la relever, de l'asseoir sur le seul siège disponible dans la salle de bains : celui des toilettes. Elle pousse un cri,

se cambre violemment et retombe en tas misérable sur la moquette.

— Et pourquoi m'avoir mise en troisième position après ta mère et ta sœur ? Je comptais donc si peu pour toi ?

— C'était pour ne pas te déranger, Bonnie. Il se doutait bien que ce n'était pas une mission agréable à remplir, alors il a préféré que ce soit quelqu'un de sa famille... Il voulait que tu gardes une belle image de lui. Il ne voulait pas que tu le voies réduit à... ça.

Je dis, en montrant les traces de charbon sur la moquette, les murs, les verres à dents, les savonnettes et les essuie-mains. Elle relève vers moi un visage noir de rimmel, hachuré de cendres. Un visage de petit ramoneur.

— Tu penses vraiment ce que tu dis ?

— Oui, je réponds en la regardant dans les yeux.

— Tu penses vraiment qu'il m'a aimée un peu ? Un tout petit peu ? Et que, même dans le lit de cette pute, il m'aimait encore un peu ?

Je n'ai jamais dit ça mais j'opine vigoureusement du chef.

— C'est vrai ? Jure-le-moi sur la tête de ton père ! Qu'il aille directement en Enfer si tu mens.

Là, je ne prends pas grand risque. Parce que, Papa, il a bien une chance sur deux de s'y trouver déjà, en Enfer, à mon avis. Mais quand même elle exagère ! Mélanger les maccha-bées de la sorte ! J'hésite un instant puis finis par tendre une main molle et jurer.

— Et puis, tu sais, j'ajoute faux-jetonne, ce n'est pas parce que les gens vous quittent qu'ils ne vous aiment plus. Il était tout simplement pas fait pour avoir une relation durable, Ronald. La preuve, il finit dans les bras d'une pute ! C'est pas la démonstration éclatante de son instabilité, ça ? De son incapacité à vivre en couple ? De son mépris pour l'état civil et ses pompes ? Il ne t'a pas menti quand il t'a quittée. La preuve : il a été logique jusqu'au bout. Il est mort dépravé. Barbotant dans le péché. Aurais-tu préféré qu'il se remarie, achète une maison à crédit et ponde des enfants qui s'ébattraient joyeusement sur le gazon entre la piscine en plastique et la broche à barbecue ? Franchement, Bonnie, réfléchis bien...

Elle secoue faiblement la tête.

— Tu vois... Il a été honnête. Tu peux être fière de lui. Et je peux même t'assurer d'une chose : c'est que pas un moment il n'a cessé de penser à toi puisqu'il t'a couchée sur son testament. Tu étais partout avec lui...

Bonnie relève la tête et murmure que oui, sûrement, j'ai raison. Elle l'a condamné trop vite et peut-être que si elle avait été plus tolérante, si elle avait fermé les yeux sur ses incartades, écouté les grands cris de son âme qui attendait le Salut, c'est dans ses bras à elle qu'il serait mort. Ou même qu'il ne serait pas mort, après tout... Avec ses jérémiades perpétuelles, sa jalousie incessante, n'a-t-elle pas précipité son funeste destin ?

Alors, là, je proteste :

— Il ne faut pas tout mélanger, je dis à Bonnie. Tu n'y es pour rien, dans sa mort. Chacun est responsable de son sort.

— Si, si, c'est ma faute. Je l'ai tué par mon incompréhension, mon conformisme, ma rigidité. Il était si beau... si beau... Il avait des yeux de jaguar, des yeux verts cerclés d'or... dit-elle encore secouée de frissons amoureux sur la moquette maculée.

Elle se redresse soudain et file vers sa chambre. Prend le cadre argenté qui trône sur sa coiffeuse, berce la photo de leurs noces contre son cœur et demande pardon à Ronald d'avoir douté de son amour, pardon de n'avoir pas su deviner l'intégrité de sa démarche, pardon enfin d'avoir précipité son âme dans le trépas puis dans les cabinets. Pardon, pardon, sanglote-t-elle au désespoir en étreignant la relique de leurs amours.

Puis elle s'interrompt et demande, comme illuminée :

— Mais j'ai pas tiré la chasse ? Hein ? J'ai pas tiré la chasse ? Non. En effet.

— Alors il n'est pas trop tard ? Il n'est pas trop tard. Je peux tout réparer...

Elle se précipite à la salle de bains, se penche sur ce qui a failli être la dernière demeure de Ronald, contemple la flaque grisâtre où flottent à la surface quelques bulles filandreuses, charbonneuses, file à la cuisine, revient avec une louche et une bouteille de Perrier vide et entreprend de transvaser les restes liquides de son défunt mari en récitant des mots d'amour et des formules d'excuses.

— Tu verras, mon chéri, on ne se quittera plus. Plus jamais, je te le promets... A partir de maintenant on va vivre tous les deux en parfaite communion de pensée et d'amour. Je ferai exactement tout ce qui te plaira. Tu n'auras plus à te plaindre de moi...

Appuyée au montant de la porte de la salle de bains, j'assiste, ahurie, à cette ultime mise en bière : Bonnie recueillant des décilitres de cendres liquides, les mettant en bouteille et pleurant à chaudes larmes. Je me demande ce qu'elle va faire de sa bouteille de Perrier... et ne peux m'empêcher de penser que Ronald avait vu juste : on ne peut pas faire confiance aux nerfs de Bonnie Mailer. En moins d'un quart d'heure, il a été extrait brutalement de sa dernière demeure, précipité dans la cuvette des toilettes, éparpillé sur la moquette, abreuvé d'injures puis de baisers, récupéré à la louche et embouteillé. Et ce n'est pas fini, je me dis...

C'était arrivé comme ça.

Elle s'était mise à parler avec l'homme.

Et elle avait tout pardonné.

Elle s'en foutait.

Elle s'en foutait pas mal qu'il ait dit et fait n'importe quoi, et insisté en plus. En s'en vantant. En se frappant le poitrail. C'était son papa. Et il n'y avait rien à faire à ça. Elle avait eu beau se rebeller, essayer de le chasser, l'affubler des adjectifs les plus infâmes, il s'en sortait toujours.

Normal : c'était son papa.

Et contre un papa, on ne peut rien.

Contre un papa qui vous a dit et redit que vous étiez la plus belle, la plus forte, la reine du quatrième étage des Galeries Lafayette, la première obligée en classe, contre un papa comme ça on est obligé de baisser les bras. C'était ça qu'elle comprenait maintenant. Maintenant qu'il faiblissait, que ses forces diminuaient.

Alors elle avait posé des questions et des questions.

Pour savoir avant qu'il parte.

Pour que tout soit bien clair, bien rangé dans sa tête.

Et il avait répondu. A toutes ses questions.

Même aux plus anciennes qui revenaient la tarauder. Des questions qu'elle n'avait jamais articulées parce qu'elle n'avait pas droit à la parole. Elle les avait gardées dans sa tête comme des petits cailloux blancs. Parmi toutes ces questions, il y en avait une qui lui brûlait les lèvres. Pourtant elle connaissait la réponse. Depuis longtemps.

Elle la connaissait par cœur, la réponse. Mais il fallait qu'elle l'entende de sa bouche à lui. Parce que, alors, tout le reste deviendrait réel. Toute son enfance lui serait rendue. Ses souvenirs se mettraient bien en place dans l'album. Il fallait que ce soit lui qui le lui dise. Sinon elle conserverait toujours un doute.

Et elle n'était même pas sûre qu'une seule fois suffirait.

Peut-être faudrait-il qu'il le lui dise et dise et dise encore avant que les mots s'impriment dans sa mémoire.

Alors un jour, un jour où elle se tenait en silence à son chevet à l'hôpital Ambroise-Paré, sans rien dire, sans oser le déranger, rien qu'à être là et à attendre qu'il ait faim, qu'il ait soif, qu'il ait envie de parler, un jour la question était sortie comme une bulle de ses lèvres et elle avait demandé :

— Mme Lériney, c'était ta maîtresse, hein ?

Il avait dit oui. Comme ça. En refermant son journal et en jetant un coup d'œil sur les prévisions météo en dernière page. Comme si ça lui importait, la météo du jour...

— Mais tu l'aimais, dis, tu l'aimais ?

Même pas, il avait dit en mouillant son doigt pour décoller les pages précédentes. Il était flatté. Très flatté. Parce que Mme Lériney était la femme de son patron. Et belle, en plus ! Tous les gars la reluquaient. Mais c'est lui qui l'avait eue... Un soir, dans un parking, il avait embrassé sa nuque brune et elle s'était laissé faire. Elle avait courbé la tête. Et c'était comme s'il prenait sa revanche sur Lériney et tous les autres petits chefs qui n'arrêtaient pas de l'asticoter.

— Mais alors pourquoi ? Pourquoi ? Parce que ça a duré longtemps, quand même !

— Parce que je suis un zéro, ma fille. J'ai toujours été un

zéro sur ces coups-là et sur beaucoup d'autres, tu sais...
Ah, non ! Elle se rebiffait. C'est pas possible : il ne pouvait
pas être un zéro, c'était son papa. Le plus beau papa du
monde. Le plus élégant. Le plus grand. Le plus charmant, le
plus...
— Tsst ! tsst ! J'étais rien de tout ça. Je faisais semblant
d'avoir les bonnes apparences... C'est tout. Pour épater la
galerie. Pour t'épater, toi. Tu étais ma petite fille, tu
comprends ? Avec toi, je me sentais grand et fort. Les autres,
ils m'intimidaient. Mais c'est bien plus simple que ça, la
vérité... C'est toujours plus simple, d'ailleurs. J'étais un
zéro. Je peux te le dire maintenant... maintenant que t'es
grande...
Elle tenait sa main molle entre ses doigts, elle le regardait et
soudain tout s'éclairait : elle avait aimé à la folie un homme
comme les autres. Rien de plus, rien de moins. Elle l'avait
transformé en héros. Elle l'avait tellement pris au sérieux
qu'elle n'avait pas pu croire un seul instant qu'il pouvait être
nul, parfois...
Tout ce qui venait de lui était parfait. Devait être parfait.
Elle lui avait demandé l'impossible.
Elle avait demandé à tous les autres hommes l'impossible.
A cause d'un héros qui n'existait pas.
Mon papa...
Mon papa nul...
Ça lui était complètement égal...
Quelle importance ?
Pourquoi attendre de l'autre qu'il soit parfait, toujours ?
Qu'il soit à la hauteur.
A la hauteur de quoi ?
C'est pas une compétition, l'amour.
L'important, c'est qu'il l'ait aimée.
Et il l'avait aimée.

A sa manière.

MA FILLE par-ci, MA FILLE par-là. MA FILLE NE PASSERA PAS LA SERPILLIÈRE. MA FILLE LES AURA TOUS. VOUS AVEZ VU MA FILLE... T'ES BELLE, MA FILLE. T'ES UNE FILLE FORMIDABLE. MA FILLE...

MA FILLE...

Et le reste ?

Le reste...

Ça tenait pas le coup.

C'était des hauts et des bas. Comme dans toutes les histoires d'amour.

Et sa haine avait fondu.

Elle s'était mise à l'aimer, lui.

Et tous les hommes.

Tous les pauvres et les démunis. Les patibulaires, les tricheurs, les menteurs, les petits, les tordus, les vantards, les vains, les avares, tous ceux qui bombent le torse pour garder les bonnes apparences. Elle les comprenait. Ils avaient chacun des circonstances atténuantes.

Seule avec lui dans cette lumière dorée d'été qui commençait à percer dans la chambre, elle avait eu envie de tous les prendre dans ses bras et de les bercer contre elle.

Elle avait le cœur grand tout à coup.

Maintenant il pouvait partir...

Elle ne lui en voulait plus.

Elle ne leur en voulait plus.

Elle s'était réconciliée.

Avec lui.

Avec tous les autres.

Et maintenant, à l'heure où elle comprenait ça, il fallait qu'il parte.

Maintenant qu'ils avaient fait la paix...

Il partirait.

Mais il partirait sans souffrir. Elle s'en faisait la promesse.
Sans souffrir. Sans s'étouffer dans d'atroces suffocations,
comme le prédisaient les médecins en blouse blanche en
prenant un air de connivence savante. Quelquefois ils
perdent la tête tellement ils souffrent, et il faut les attacher...
Non. Il partirait doucement. Sur la pointe des pieds.
Elle était prête maintenant.
C'était elle la grande, lui le petit. Elle allait s'occuper de tout.
Elle lui avait fait cette promesse ce jour-là.
Et elle l'avait tenue.
Sans broncher.
Même quand il disait : « T'es rouge, ma fille, poudre-toi le
nez », ou : « Tu te laisses aller, tu te laisses aller. C'est quoi,
cette immonde jupe plissée ? » Ou encore : « T'as mes kils de
rouge ? T'as oublié ? Mais t'as pas de tête, ma pauvre fille ! »
Il devenait violent. Il pestait, il jurait.
Elle ne disait rien.
Elle l'aimait et ça lui suffisait.
Elle n'attendait plus rien en retour.
L'attente était terminée.
Elle voulait construire autour de lui des montagnes et des
mers pour lui changer les idées. Des bistrots pour se
désaltérer. Faire onduler des petits culs de femmes...
Et surtout qu'il ne souffre pas.
Surtout pas.
Parce qu'elle voyait bien que la maladie gagnait du terrain et
qu'un jour il ne pourrait plus serrer les dents et faire le brave.
Un soir...
Un soir, elle était passée.
Après un dîner avec des crétins qui parlaient fort, qui
savaient tout, lançaient des chiffres et des statistiques en l'air,
rattrapaient des bénéfices, tiraient des conclusions...
Un soir... elle avait fait un crochet par l'hôpital.

Il devait être minuit. Elle avait pris l'ascenseur jusqu'au huitième étage et avait avancé dans le grand couloir blanc, sur le lino vert marbré, jusqu'à sa chambre. Tout était calme, si calme qu'elle aurait pu croire qu'ils étaient tous morts à l'étage.

Elle avait poussé la porte tout doucement pour ne pas le réveiller.

D'abord, elle avait cru s'être trompée de chambre : de chaque côté du lit, on avait posé des barreaux. Ce n'était plus un lit mais une cage. Puis elle l'avait aperçu entre les barreaux : recroquevillé comme un petit bébé, il roulait d'un bord à l'autre en se frappant la tête contre les montants en acier. Il geignait. Il étouffait. Il renversait la tête en arrière, tétait l'air entre ses lèvres en serrant ses poings et poussait des tout petits cris aigus.

Un tout petit bébé qui a mal et remue pour chasser la douleur. Qui suce l'air entre ses dents, roule, roule contre les barreaux, se cogne la tête, cherche ses poings pour les mordre, gémit, gémit...

Elle avait regardé, interdite, ce grand corps plié en huit et avait couru, couru jusqu'au bureau de l'infirmière de nuit qui tricotait en jetant des coups d'œil sur le patron posé bien à plat devant elle. Ses lèvres remuaient et comptaient les mailles, ses doigts mêlaient, agiles, les fils de couleur qui glissaient entre les aiguilles.

— Vous avez vu mon père ? Vous l'avez vu ? lui avait-elle dit en saisissant entre ses doigts le bord froid du bureau. Il faut faire quelque chose. Il faut pas le laisser comme ça !

— J'ai mis les montants pour qu'il ne tombe pas.

— Mais je vous parle pas de ça... Je vous dis qu'il a mal. IL A MAL ! Vous l'entendez pas gémir ?

Elle secouait la table, se retenait au bord froid de la table pour ne pas massacrer l'infirmière, son tricot, retourner les

aiguilles contre cette poitrine placide qui se soulevait réguliè-
rement sans montrer la moindre émotion, les yeux collés aux
indications chiffrées de son patron. « Non, non », disait-elle,
elle ne l'entendait pas. Et, à part les barreaux, elle ne voyait
pas ce qu'elle pouvait faire. Faut attendre le médecin
demain. Elle, elle ne fait qu'appliquer les ordres. Elle n'est
pas apte à prendre des décisions d'ordre médical.

Elle avait regardé l'infirmière froncer les sourcils pour suivre
un changement de laine et avait demandé l'autorisation de
téléphoner au médecin qui s'occupait de son père. Il lui avait
donné son numéro personnel au cas où justement...

— A cette heure-ci, vous êtes folle !

Non, elle n'était pas folle mais elle allait sûrement le devenir
si elle ne faisait pas quelque chose, tout de suite, pour
atténuer les souffrances de son père.

— Vous êtes folle, vous êtes folle ! disait l'infirmière en
tenant son chandail d'une main et en bloquant ses aiguilles
sous les aisselles. Je vous interdis de téléphoner !

— Si vous m'interdisez, je vais téléphoner plus loin dans la
cabine à pièces...

Elle avait attrapé le téléphone et avait composé le numéro du
médecin. Elle l'avait réveillé. Avait bafouillé des excuses au
sujet de l'heure tardive. L'avait supplié de donner de la
morphine à son père. Encore plus de morphine. Le double,
le triple...

— Mais je ne peux pas, je ne peux pas, disait le médecin, il
en est déjà au maximum, si je force la dose, c'est la fin... et je
ne suis pas là pour donner la mort !

Elle l'implorait. N'importe quoi, n'importe quoi pour qu'il
reprenne sa taille d'homme et arrête de se cogner contre les
barreaux. N'importe quoi, s'il vous plaît, docteur...

— Mais je ne peux pas, je ne peux pas, si je vous obéis, il est
foutu. Vous comprenez ça ? Il est foutu !

— Je m'en fiche, elle avait dit, je m'en fiche. De toute façon, vous savez très bien qu'il est foutu. Vous n'en parlez jamais mais vous le savez. Même si vous prétendez le contraire. C'est une question de jours, alors pourquoi le prolonger pour qu'il souffre ? Hein ? Pourquoi ?

— Parce que je suis médecin et que vous ne pouvez pas me demander ça...

— Je vous signe un papier, si vous voulez. Je vous le signe là en présence de l'infirmière. Vous direz que je vous ai fait un chantage, que j'ai menacé de sauter par la fenêtre, je sais pas moi... S'il vous plaît ? S'il vous plaît, docteur ? Je ne veux pas qu'il souffre comme ça. Je ne veux pas...

Il était muet au bout du fil, le docteur. Il ne savait pas quoi dire.

— Je vous signe un papier. Là, devant l'infirmière. Elle pourra témoigner. Elle dira même que je l'ai brutalisée... Je vous le signe. Vous n'êtes plus responsable de rien du tout. Vous vous lavez les mains. S'il vous plaît, oh ! s'il vous plaît, docteur... Pourquoi le prolonger de quelques jours pour qu'il souffre comme ça ? C'est pas humain, c'est pas digne, ça sert à quoi, cette souffrance ? Au nom de quoi ? Vous savez, vous, qu'il est foutu, qu'il s'est bien battu mais qu'il a perdu. Vous le savez. Vous en êtes convaincu. Alors pourquoi faire semblant ?

Il ne disait toujours rien. Ou il répétait : « Ce que vous me demandez est impossible, je suis là pour donner la vie, la vie... »

— Mais c'est pas la vie ça ! C'est la mort déjà ! Il est tout petit ! On dirait un bébé ! Il geint comme un bébé, tète comme un bébé, enrage comme un bébé ! Il ne jure même plus, ne frappe plus, n'essaie plus de se lever... Oh ! s'il vous plaît ! Venez voir vous-même si vous ne me croyez pas. Venez l'écouter. Vous ne tiendrez pas longtemps, vous direz oui, vous direz oui à tout... S'il vous plaît, docteur, s'il vous plaît...

Elle l'implorait. Elle était prête à tout. Il savait qu'elle était prête à tout.

Il était resté encore un long moment silencieux.

L'infirmière ne tricotait plus. Elle écoutait le silence du docteur. Elle écoutait si fort que ses index blanchissaient sur les aiguilles à tricoter.

Puis il avait soufflé :

— Passez-moi l'infirmière...

L'infirmière avait posé son ouvrage et pris l'appareil. Elle avait dit : « Oui, oui... bon, bon, mais je ne suis pas d'accord, docteur. Mais alors pas d'accord du tout. Alors on est là pour quoi, nous ? Hein ? Vous pouvez me le dire ? »

Et puis elle n'avait plus rien dit.

Elle avait écouté en triturant les bords de son chandail et avait marmonné : « Bon... bon... »

Elle avait raccroché, s'était levée, avait pris un trousseau de clefs qu'elle gardait bien à l'abri, sous son chandail, avait ouvert l'armoire à médicaments et s'était emparée de petites ampoules de morphine. Et puis elle s'était dirigée vers la chambre.

Elle avait suivi l'infirmière. Sans rien dire. Elle voyait bien que tous les gestes de l'infirmière étaient saccadés, raccourcis, comme si elle voulait à tout prix exprimer sa réprobation.

L'infirmière avait rajouté de la morphine dans le goutte-à-goutte.

Sans la regarder.

Sans le regarder.

Elle avait vérifié que le goutte-à-goutte fonctionnait bien. Que le sparadrap était toujours en place. Elle avait ajouté qu'il n'en avait plus pour longtemps et qu'elle ferait mieux de rester là puisque c'est « ça » qu'elle voulait. En prononçant ces derniers mots, sa bouche s'était déformée en une grimace méprisante.

Elle avait alors demandé à l'infirmière combien de temps exactement il faudrait à la morphine pour agir, pour qu'il n'ait plus mal.

— Oh! elle avait dit, ce sera rapide.

Elle était partie en tenant les bords de son gilet bien serrés sur sa poitrine.

Elle s'était assise à côté de lui et avait attendu.

Elle attendait.

Elle attendait.

Petit à petit, dans le grand lit à barreaux, il s'était détendu. Il avait repris sa taille. Son grand corps s'était apaisé, déplié. Ses lèvres s'étaient desserrées. Il avait respiré. Doucement.

Elle devinait plus qu'elle n'entendait son souffle, et c'est à peine si sa poitrine se soulevait sous les draps. Elle avait enlevé les barreaux de chaque côté du lit. Elle l'avait peigné, avait passé de l'eau de toilette sur son visage, lui avait caressé le visage doucement, doucement jusqu'à ce qu'il ne grimace plus, qu'il se détende, reprenne sa forme d'antan. Lui avait parlé comme à un petit enfant : « Tu vas voir, c'est fini, c'est fini. Personne te fera plus jamais mal. Je suis là... T'en fais pas. C'était cette crétine d'infirmière qui n'avait rien compris, mais le docteur est intervenu et il m'a promis que tu n'aurais plus jamais mal... » Elle lui avait ramené les mains sur les draps. Avait caressé ses longs doigts, si fins, aux ongles transparents, bombés. Lui avait encore effleuré la joue, l'avait embrassé et était restée là tout contre lui dans la nuit.

Seuls tous les deux.

Lui qui dormait comme un petit enfant. Qui respirait calmement.

Elle qui le veillait. Qui le caressait et lui racontait...

La nuit. La nuit d'été. Si calme, si douce, si paisible.

Et demain, tu verras, c'est le 13 juillet. Les pétards vont éclater, les feux d'artifice péter, les guinguettes se déhancher, les bouchons de pinard sauter... Tout ce que tu aimes, mon papa, tout ce que tu aimes. Une belle fête en ton honneur. C'est pas une date idéale pour se tirer, ça? Avec les bals musettes qui trompettent, les flonflons, les confettis, les belles bleues, les belles vertes, les robes légères et les filles toutes chaudes en dessous...

Dis, mon papa? Qu'est-ce que tu penses de ça?

C'est pas fantaschic, ça?

Elle était restée là.

A attendre avec lui.

Il n'était plus l'homme.

Il était son papa.

Son petit papa qui s'en allait peinard comme un grand pendant qu'elle lui racontait les bals et les fêtes du 13 juillet.

Le lendemain soir, j'étais dans mes petits souliers. Je regardais la pendule gris acier de Bonnie Mailer, la petite aiguille sur le sept, la grande s'approchant de la demie, et je me demandais si Allan allait sonner. Toute la journée, je m'étais préparée au pire. « Il ne va pas venir, il ne va pas venir, je me répétais, pour calmer la douleur qui me mordait le ventre. Il ne va pas venir... » C'est obligé. Quand on désire quelque chose de toutes ses forces, l'empêchement se pointe toujours. J'osais à peine bouger de peur de déclencher une catastrophe qui, cette fois-ci, c'était sûr, l'empêcherait de venir. Je restais terrée dans l'appartement à supplier le temps de passer, à entendre mon cœur galoper au fur et à mesure que les aiguilles progressaient. Je ne prenais aucun risque : ni ne me lavais les cheveux ni ne me rehaussais la mine. Surtout, ne pas me faire remarquer. Je me disais que, si je me pelotonnais dans mon coin, l'Escroc là-haut m'oublierait et Allan parviendrait jusqu'à moi. Sans embûche ni malédiction céleste. Je ne serais pas mise en quarantaine, tel Moïse à la frontière de la Terre promise, puni d'avoir désiré si fort son lopin de terre. Faut faire attention avec l'Escroc : Il est assez tatillon sur les bonnes manières. Il n'y a que Lui qui vaille le coup d'être attendu. Si je faisais la maligne, si je m'ornais, me colifichais, me maquillais comme une fille de Babylone, celles justement qu'Il ne peut pas piffer, qu'Il stigmatise à

267

longueur d'Ancien Testament, les Bethsabée, les Dalila, je déclencherais Son courroux et Il me priverait de l'homme que j'attendais tant.

J'affichais donc mine de rien. Mine de ce n'est pas important après tout qu'il se pointe ou pas. J'ai autre chose à faire dans la vie qu'à attendre un vendeur de collants et de bas fantaisie : du papier à noircir, Flannery à savourer, mon âme à examiner, le rez-de-chaussée de Bloomingdales à dévaliser, un macchabée embouteillé à gérer.

La bouteille de Perrier trônait sur la coiffeuse de Bonnie, et je ne pouvais pénétrer dans la chambre sans me sentir mal à l'aise. Épiée. Raillée. Comme si les yeux verts cerclés d'or se gobergeaient de mon embarras. Le liquide s'était séparé en deux et les cendres flottaient à la surface, formant un agglomérat grisâtre et grumeleux de sinistre effet.

Le matin même, Bonnie avait bondi hors du lit, fraîche et lisse, et s'était comportée comme à l'accoutumée. C'était comme si la veille elle s'était octroyée un moment d'émotion, quelques minutes de laisser-aller avant de réintégrer son statut de Nikée. Comme si elle savait exactement jusqu'où aller pour ne pas se mettre en danger. Réveil, toasts fins beurrés, lecture du *New York Times,* douche, poudrage de nez, tailleur de dame et : « Ciao, ciao, à ce soir. Je rentrerai tard, j'ai un conseil d'administration. » A peine si son regard avait effleuré la dernière demeure de Ronald.

Elle m'abandonnait avec la bouteille de Perrier.

Et le maya à l'oreille recollée qui me fixait sans relâche. Celui-là... Je regrettais de plus en plus de lui avoir sauvé la mise !

Enfin, c'est ce que je gambergeais, emmitonnée dans mon peignoir de bain, gobelottant mon café au lait. Il faut reconnaître que l'atmosphère de l'appartement n'était pas précisément gaie et n'inclinait pas à l'optimisme. Toute la journée je traînassais dans le deux pièces sur cour à attendre que le téléphone ne sonne pas. Je voulais, si déception il devait y avoir, recevoir le coup en pleine poitrine. Comme un brave petit soldat de première ligne. Souffrir tout de suite pour en finir au plus vite.

Au fur et à mesure que les heures passaient, l'espoir grandissait et ma joie se précisait. Il me prenait des envies de gambiller sur la moquette blanche et d'entraîner le maya dans une danse folle. Et quand, à sept heures vingt-cinq, après un rapide décompte, je déclarai que c'était quasiment gagné, je courus à la salle de bains me griffonner un maquillage de dernière heure.

A sept heures et demie, j'étais fin prête.

Les mains jointes, les genoux bien collés, les cuisses et les mollets appliqués contre le canapé. Le chemisier vert qui débordait en deux longs pans sur un caleçon gris. Du sent-bon derrière l'oreille, du brillant sur les lèvres, du rehausse-mine sur les pommettes.

A sept heures quarante, on sonne.

Je prends mon temps pour aller décrocher l'interphone. Compte mes pas. Un, deux, trois, quatre, cinq, six... Décroche, décoince ma glotte, énonce un « Allô » bien posé pendant que Walter nasille à mon oreille que le beau monsieur est là, qu'il doit déjà être à ma porte car il n'a pas eu la patience de poireauter au bureau pendant que lui, Walter, doorman de son métier, faisait l'annonce. A quoi sert-il alors ? Et pourquoi se casser la tête pour assurer la sécurité du building si les règles les plus élémentaires ne sont pas respectées ? Je compatis et excuse le beau monsieur afin d'éviter que la prochaine fois il ne l'envoie promener. Il raccroche en gromelant qu'une belle figure ne permet pas tous les excès, que ce n'est pas parce qu'on porte une pochette en soie qu'on est au-dessus des lois.

On carillonne à ma porte. Posément, je repose l'interphone et, toujours en comptant mes pas, un, deux, trois, quatre, cinq, six, sept, huit, je me dirige vers la porte d'entrée. Défais les trois verrous d'en haut, les deux verrous d'en bas, l'air de rien du tout, l'air d'ouvrir à l'ami qui frappe à la porte, au doorman qui apporte le courrier, au teinturier qui livre vos manteaux de fourrure après les grandes chaleurs de l'été, au plombier de l'immeuble avec sa mallette en cuir et sa clé à molette, j'ouvre et m'écrie :

— Allan ! Quelle bonne surprise ! Mais c'était ce soir ? Tu es sûr ?

C'est lui. Il est là. Il est sept heures quarante-trois et il est debout devant moi. En chair et en os. Mais la trouille a été si forte toute la journée que ce n'est plus la passion que je sens pousser comme une grande fleur entre nous, mais cette trouille même qui prend toute la place, me déchire les tripes, fond mes mains aux verrous, faisant fusionner l'acier et la chair. La peur qu'il s'en aille, qu'il ne fasse que passer, qu'il jette un coup d'œil et décide qu'il s'est trompé... La peur qui palpite en petites gouttes fines sur mes tempes, dans les paumes de mes mains, et m'empêche de respirer. Me fait battre le sang dans les joues, le cou, dessinant de grandes plaques rouges.

Je le hais

Je le hais d'être là. D'avoir sonné. D'avoir songé à m'inviter. Il y a des myriades de filles à Manhattan qui ne demandent que ça... Pourquoi moi ? Pourquoi ? Pourquoi me mettre dans tous mes états ?

Heureusement, la crétine arrive à la rescousse, m'enjoint de laisser tomber, de me pousser de là pour qu'elle s'y mette, de la regarder faire. D'en prendre de la graine. Elle sait comment on tortillonne l'homme, la crétine, elle a lu tous les conseils des plus grands magazines, et elle lance aussitôt, en dégageant une hanche de la porte, des « Nice to see you. How sweet of you ! How nice ! » à la pelle pour combler le vide. Elle arbore un air détaché d'escarmoucheuse blasée qui en a vu d'autres et à qui on ne la fait pas. Soulagée, je m'abrite derrière elle et réussis à refermer les verrous sans me couvrir de ridicule.

Il me regarde, surpris. C'est qui celle-là ? semble dire son regard noir. Où est donc passée la fille qui se pâmait dans mes bras hier soir ? Celle dont la vertu cascadait à gros soupirs ? Qui se laissait, toute molle, rouler des patins dans l'obscurité sans même résister un tantinet ? Celle que je malaxais comme de la pâte à modeler, sur la bouche de laquelle je posais des lèvres délicatement retroussées pour mieux la picorer ? Celle qui préférait se faire trucider en plein parc plutôt que jouer les utilités ? C'est pas cette grande bringue-là qui joue les mondaines et les sophistiquées...

Il encaisse. Se laisse tomber sur un des canapés pendant que je chois, un, deux, trois, négligemment dans celui d'en face. Puis je propose, sur le même ton que Bonnie Mailer quand elle sert ses hôtes :

— Champagne ou whisky ?

Je croise et décroise les jambes. Suis à la lettre les directives de la crétine qui coquette, sûre de sa séduction.

— J'ai pas soif, grommelle-t-il.

— Moi, je vais me servir une petite coupe, je dis pour mettre un point d'harmonie à cette mise en scène si réussie.

Et de me lever très nonchalamment du canapé blanc, tout en demandant, exquise :

— Vraiment, sans regret ?

A ce moment-là, le téléphone sonne. C'est Walter qui grésille que j'ai mal raccroché l'interphone, demande si le monsieur est bien arrivé, si je suis en sécurité.

— Oh, mon chéri ! je m'exclame. Comme c'est gentil de

271

m'appeler. Où es-tu ? A Paris ! Et tu arrives quand ? Non !
Mais c'est formidable ! Au Plaza ? Oui, c'est très bien, et puis
ce n'est pas loin de là où j'habite... parfait. Bon, alors je
t'attends. Au revoir, mon chéri ! T'es un amooour d'avoir
appelé...
Je raccroche et file me réfugier à la cuisine. Voilà, s'il veut
partir, il a le dossier en main. Je plaide coupable. D'ailleurs,
tout m'accuse. Je suis odieuse. Petite peste qui croit faire
preuve de finauderie, couarde à qui l'amour fait battre la
chamade. C'est un fait. C'est une évidence. Ce n'est pas le
destin qui est contre moi, qui se rit de mes élans, mais moi
qui le provoque, le prends en main, détruisant d'un coup
toutes mes chances de romance. C'est ma faute, c'est ma
faute, c'est ma très grande faute. Et, si je suis victime, je n'ai
qu'à m'en prendre à moi. Au moins je saurai pourquoi il se
débine, je ne resterai pas là à me scruter le fond de l'âme en
quête d'une explication filandreuse. Et peu flatteuse.
Quand je reviens, l'homme a l'air sombre. Il a défait sa
cravate et inspecte ses ongles comme s'il étudiait le dossier le
plus captivant du monde.
— Bonne journée ? je demande, appliquée, en recroisant les
jambes.
— Non. Plutôt mauvaise. J'ai un ballot de tee-shirts en
provenance de Corée bloqué à Kennedy. Cent mille tee-
shirts ! Ils ne veulent rien savoir...
— Ah ! parce que tu importes des tee-shirts aussi ? dit la
crétine en faisant la moue.
— Oui. Et des machines-outils, des stéréos, des magnéto-
scopes, des camemberts et des bougies si tu veux tout savoir...
Il s'emporte. Fait craquer les phalanges de ses doigts noués.
Une fois, deux fois... Soupire en regardant de côté et jette un
regard exaspéré sur le salon blanc de Bonnie Mailer.
— Oh ! Il n'y a pas de sot métier... j'accorde, magnanime.

272

Il relève la tête brusquement et demande s'il n'y a pas une cigarette dans ce foutu appartement.

— Si, devant toi... et le briquet est là...

Je désigne un briquet de table en argent massif. Il prend une Dunhill à bout doré, l'allume, et se laisse retomber dans le canapé en tirant sur sa cigarette comme un gamin enfermé dans les toilettes à l'heure de la récré.

— Et franchement, ajoute-t-il, je me demandais si tu ne m'en voudrais pas trop si on remettait notre petite sortie à un autre soir, parce que je suis vraiment vanné...

Je le savais.

Je le savais.

J'attendais le coup mais pensais qu'à force de prendre les devants, de me fourbir l'âme, de me piétiner l'amour-propre, le choc serait moins rude.

— Ah !...

— Oui. Je n'ai qu'une envie : me glisser entre mes draps.

— Ah !...

— Ça ne t'ennuie pas trop ?

— Mais non, mais non... A te parler franchement, moi-même, je ne rêve que d'une chose : un plateau-repas, et me planter devant la télé... J'ai eu une journée épuisante ! J'ai pas arrêté de courir à droite, à gauche.

Je parle, je parle, et la douleur s'estompe. Ma peine devient légère. Presque douce à savourer. Sucrée comme une friandise convoitée. Une vieille blessure que je lèche, appliquée et gourmande. C'est plus tard que la douleur surgira. Comme ça. Tout d'un coup. Je me démaquillerai devant la glace de la salle de bains, les larmes gicleront et je serai impuissante à les retenir. Je m'appuierai sur le bord du lavabo et les laisserai couler. Je repeindrai la vie en noir charbon et philosopherai à tout berzingue : l'amour, c'est de la merde, c'est une invention pour nous faire tenir le coup la vie durant, une carotte pour nous faire oublier le bâton, un verre de Coca glacé pour nous faire avaler la pilule... Mais pour le moment, ça va. Rien que la poitrine nouée comme une cocotte en papier.

Je me relève en pirouette, lui demande s'il n'a pas changé d'avis et ne veut pas boire quelque chose avant de partir. Il dit que oui, puisque j'insiste... il prendra volontiers une coupe de champagne, me décroche un large sourire et défais un peu plus sa cravate.

Face à la fenêtre de la cuisine, je respire, respire, me masse le thorax, secoue la tête, cheveux en bas, me tamponne le visage avec du Sopalin, prends un glaçon, me le passe sur la nuque, dans le dos, sous les aisselles, sous les seins, sur les tempes. Thalassothérapie express et redressement de l'âme. Je respire encore une fois, me glaçonne les joues et le front, grimace à mon ange gardien qu'il ne perd rien pour attendre, que j'ai un message pas piqué des hannetons pour son Patron... et repars vers le salon.

Je tends son verre à Allan avec un sourire que je veux ample et coulé mais qui grippe aux commissures. Il me remercie en m'envoyant un petit baiser de la main.

— T'es vraiment sympa, comme fille...

C'est facile d'envoyer de l'amour de loin. Avec un grand sourire. Un sourire parfait d'Américain qui brasse des milliers de dollars tous les matins, des dollars gagnés sur le dos des petites Vietnamiennes rivées à leur métier à tisser pour un bol de riz blanc et un nid d'hirondelle. Ça coûte du blé, un sourire comme ça. Des dents blanches, bien rangées, un teint hâlé... par la lampe du club, à tous les coups. Facile le sourire, facile le teint, facile les yeux, facile les cheveux... Tout est facile chez lui. Facile de dindonner de pauvres filles comme moi. De les emparadiser à coups de baisers puis de les larguer sur le bord de la route.

Il boit, le nez dans sa coupe. Personne ne parle. C'est étrange. C'est louche même.

Il se lève et se rapproche, la coupe à la main.

Se baisse jusqu'à moi.

Trinque avec moi, accroupi.

Je trinque.

Il me considère sérieusement comme s'il s'attendait à ce que je fasse une déclaration. Je demeure muette et grignote les bulles qui viennent crever à la surface du verre. C'est un autre jeu qu'il me plaît de pratiquer quand l'embarras me monte au front et que je ne sais comment me dégager d'une mauvaise situation : l'extermination des petits globules de gaz carbonique.

Il se relève mais reste planté devant moi. J'ai le nez dans ses genoux, sur le pli impeccable de son costume bleu sombre. Me dévisse le cou pour l'apercevoir là-haut, tout là-haut.

— Pourquoi tu joues des jeux toujours ? il demande. Pourquoi tu fais semblant ?

— Je ne comprends pas de quoi tu parles...

Mes doigts roulent les petites peluches blanches du canapé. Des petits boudins blancs qui noircissent à force de les tripoter et que j'aligne en file indienne.

— Tu sais très bien de quoi je parle. De ta fausse voix, de ta fausse gaieté, de ta fausse journée, du faux coup de fil de tout à l'heure...

— Je ne vois vraiment pas à...

Quand j'aurai dix petits boudins, je me tresserai un collier... ou je jouerai à la marchande.

— T'as peur de quoi ?

Il reprend en s'inclinant vers moi.

— Dis-le-moi, il demande tout doucement.

Un collier que je teindrai en indigo, en safran, en bistre...

— Je ne comprends rien...

— Dis-le-moi...

Il me souffle la fumée de sa cigarette dans les yeux et je me détourne.

— Dis-le-moi... Dis-le.

Je secoue la tête, butée. C'est ça ! Et puis quoi encore ? Il veut les clefs de mon âme et mon code secret ! Je le connais, le truc de la vérité. On part bravement pour la dire dans un grand élan de générosité et puis, je ne sais pas ce qui se passe, le mec en face comprend tout de travers et se tire. Ou allonge une drôle de mine. Pourtant on a essayé d'employer les bons mots mais... On doit pas parler la même langue : le message est brouillé. Ou l'autre en face n'entend que ce qu'il savait déjà. Ce qui l'arrangeait. Et tous les mots qu'on croit livrer avec naïveté et tréfonds de l'âme sont interprétés comme autant de preuves qu'on est tordue, obsédée, accro ou zinzine. Je me suis déjà fait avoir plusieurs fois à ce petit jeu-là. Pas question ! C'est pas si facile que ça, cette histoire de vérité !

— Tu veux faire quoi, là, je rétorque, psychanalyse sauvage ?

Il aspire une autre bouffée et me la renvoie en plein visage. Sans essayer de faire comme si c'était un accident.

— Menteuse ! Tu n'es qu'une menteuse ! Une bluffeuse. Dis : « Je suis une menteuse », dis-le ou on ne se revoit plus...

— Oh, non !...

J'ai crié. Ça m'a échappé. Et je me mords la langue.

— Tu vois bien que tu mens.

— ...

— J'en ai marre de ce petit jeu...

— Je le dis.

— Tu dis quoi ?

— Que je suis une menteuse, une tricheuse, une bluffeuse...

276

Là. Tu es content, maintenant... Mais c'est même pas ça !
C'est plus compliqué que ça ! J'ai la trouille, là. La trouille !
Toute la journée j'ai traîné avec la peur au ventre. La peur
que tu ne viennes pas, que tu te décommandes, que tu
m'oublies dans ce deux pièces où je ne supporte plus de
tourner en rond à t'attendre ! Comment veux-tu que je sois
normale après ça ? Hein ? Après des journées entières passées
nez à nez avec le maya sous le yucca et la soufflerie du fast-
food dans la cour ? Comment veux-tu ? Tu me prends, tu me
jettes, tu m'embrasses, tu files en retrouver une autre !
Comment je m'y retrouve, moi ?
Il se laisse tomber près de moi et son regard m'écoute
vraiment. Et, soudain, il se passe quelque chose que je
n'avais pas prévu. Je puise dans ce regard la force de
continuer, d'aller jusqu'au bout de mon discours. De prendre une fois encore, une dernière fois après je la boucle, le
risque de dire MA vérité. Je vire la crétine et ses artifices
bidon de séduction et je m'en vais bras dessus, bras dessous
avec l'autre, la seule qui m'intéresse, celle qui me file un
moteur dans les jarrets, réconcilie tous mes petits bouts
éparpillés et me fait unité intérieure. Elle vient juste de me
rejoindre, elle est là, elle me sourit, elle m'encourage, et je ne
veux plus la lâcher. Tant pis ! J'arrête de faire joujou : il
saura tout.
— Et qu'est-ce que je suis censée faire ce soir quand, enfin,
tu sonnes ? Quand je meurs d'envie de sauter dans tes bras ?
Hein ? Qu'est-ce qu'on fait dans ce cas-là ? Quand on n'a plus
sa tête, plus sa raison, plus son mode d'emploi. On se
raccroche au savoir-vivre. On fait semblant. On fait comme
si... Comme si de rien n'était. Comme si l'émotion était
gelée. Parce que c'est le seul moyen de sauver sa peau.
Depuis que je te connais, j'ai envie de m'accrocher à ton cou
et de ne plus te lâcher ! Le moyen de vivre avec cette envie-

277

là... Le moyen d'être civilisée ! Et si je ne mens pas, comme tu dis, si je te saute dessus, qu'est-ce que tu fais, toi ? Tu PRENDS LA FUITE... Vrai ou faux ?

C'est moi maintenant qui le tiens par la barbichette. Moi qui le poursuis en brandissant la vérité comme une bible. Pendant tout mon monologue je l'ai bien regardé, j'ai épié la manière dont il m'écoutait et j'ai compris pourquoi je me laissais aller de la sorte : cet homme-là est vrai. Et fort. Je peux tout lui raconter : la démone, la guimauve, la crétine, la petite fille, il ne sera pas offusqué. Bien au contraire... Il les mettra bout à bout et me reconstituera. Me remerciera de n'être pas simplette. A une seule voix. Une seule vie. Me dira que c'est ça qui me rend unique, aimable, séduisante... Cette découverte m'enivre. Je comprends pourquoi, depuis le premier soir, je sais que c'est lui. Je tiens le fil de l'énigme : il peut tout prendre à bras-le-corps. Tout encaisser. Tout transformer en minerais précieux. Faire jaillir de l'or de ce qui m'effraie quelquefois. Il n'a pas peur.

Cet homme-là est fait pour moi.

La tête me tourne et j'attends.

J'attends.

J'attends.

Je joue quitte ou double. Il est ému ou il ne l'est pas. Il me croit ou il ne me croit pas. Il a écouté mes mots ou entendu les siens. Pour le moment, il me regarde. Sans rien dire. Sa pochette en soie fait deux oreilles de lapin dans sa poche. Ses cheveux bruns rebiquent un peu dans le col. Il rembobine mes derniers mots. Pèse le pour et le contre. Doit se demander si je mens encore. Qui a parlé ? Où est la vraie ? Écoute le silence qui, une fois de plus, s'épaissit entre nous. Cogne ses dents blanches contre le bord de son verre.

Tient mon sort entre ses mains.

J'attends.

J'attends.

Peut-être exige-t-il que j'aille encore plus loin ? Que je lui livre un bon kilo de chair comme preuve supplémentaire de ma sincérité ? Que je lui narre l'incident de l'homme à la queue de cheval...

Je me tords les mains. Non, ça je ne pourrais pas.

Me repens d'avoir tant parlé et si violemment. Tout n'est pas rose avec la vérité, je le savais, je le savais. On ne peut pas s'y fier : elle change avec chaque individu. Je le savais pourtant...

Je le savais. Mais c'est plus fort que moi. Chaque fois je crie « Banco » et balance mon fonds de commerce sur le tapis vert. Pour qu'on sache bien qui je suis. Qu'il n'y ait pas de malentendu.

Je n'ose même plus lever les yeux sur le croupier. Oh ! Ç'aurait été plus facile de laisser faire la crétine, c'est sûr... Alors je conclus, piteuse :

— Mais je parle trop... je vais encore te paraître hystérique. C'est toujours comme ça. C'est de ta faute aussi... T'as le don de me mettre dans tous mes états...

Il me considère gravement. Ses yeux ne me lâchent pas. Sa cigarette se consume entre ses doigts. La cendre ne va pas tarder à tomber sur la moquette blanche. Le maya va le remarquer et ira cafter auprès de Bonnie Mailer.

— J'aime quand t'es comme ça, il dit. J'aime pas quand tu joues la mondaine... Les jeux, c'est drôle un moment. Mais s'il n'y a que ça, c'est pas intéressant... La ville est pleine de filles qui font semblant, qui se retiennent, qui masquent leurs émotions tellement elles ont peur de souffrir. Tu sais ça ? Tu le sais... Tu veux pas leur ressembler ? Hein, dis-moi...

Je fais non de la tête.

— Suis pas une Nikée... je dis pour résumer.

Et comme il me regarde, étonné :

— Tu sais, ces filles qui vont au bureau en baskets avec leur tailleur en gabardine et leurs émotions bien en main...

Il sourit et appuie son front contre le mien.

— Non. Tu n'es pas une Nikée mais quelquefois tu te réfugies sous les jupes des Nikées...

— Je hais les Nikées...

— Moi aussi.

Il pose sa bouche sur ma bouche, m'embrasse et m'embrasse encore. Comme hier soir dans la Cadillac. Avant qu'il n'aille rejoindre l'autre fille qui...

Je me raidis. Me dégage.

— Ta cendre de cigarette va tomber sur la moquette et Bonnie...

— Tu penses à quoi, là ?

— A ta cigarette...

— Menteuse...

— ...

— Tu vois, c'est plus fort que toi !

— A la fille d'hier soir, que tu as embrassée juste après moi...

Il met sa main sur ma bouche, et sa cendre s'effrite sur la moquette. Il pose sa cigarette, pose son verre, m'enlève le mien, me soulève dans ses bras et se dirige vers la chambre de Bonnie.

— Mais Bonnie ? je demande, tout étonnée de me retrouver contre lui.

— Elle a un conseil d'administration. Elle rentrera tard...

Il passe devant la glace à côté de la cuisine et je vole un instantané de notre couple. Moi toute petite, lui si grand. Moi qui réclame des millions de baisers, des tonnes d'amour, débit, débit, j'ai une longue note à lui présenter...

Je me laisse aller contre la pochette aux oreilles de lapin.

Légère. Heureuse, heureuse. D'avoir parlé. D'avoir osé. D'être choisie pour ce que je suis. De ne pas avoir à faire semblant. Mes jambes pendent. Mes bras pendent. Ma tête roule contre sa poitrine. Je respire une odeur d'eau de toilette. Je ferme les yeux. Les rouvre quand il est prêt à me poser sur le lit.

Les rouvre et aperçois la bouteille de Perrier.

Je me raccroche à son cou et murmure tout bas :

— Non. Pas là. Pas là.

— Mais pourquoi ?

— Pas là. Avec lui.

Je dis, montrant la bouteille de Perrier du menton.

Allan fait le tour de la chambre, cherchant l'intrus.

— Qui ça, lui ?

— Lui, là. Dans la bouteille.

— Dans la bouteille !

Il me lâche d'un coup et me regarde, inquiet.

— Dans cette bouteille, écoute-moi bien, je t'en prie... Dans cette bouteille il y a Ronald, le mari de Bonnie... Enfin, ce qu'il en reste, et je ne peux pas dans ces conditions...

— Le mari de Bonnie ! Ronald Bauer !

— Oui. Elle a reçu ses cendres par la poste hier et... enfin je t'expliquerai, mais en tout cas il est là. Dans la bouteille. Et avec lui dans la pièce, je peux pas...

— Attends. Explique-moi.

Il a fallu que je lui explique tout.

Au début il a cru que je lui mentais, que c'était encore un truc pour faire l'intéressante, mais très vite, quand je suis allée chercher dans la poubelle le papier kraft et les tampons de la poste faisant foi, il m'a crue et s'est mis à rire, à rire, à rire... Je ne pouvais plus l'arrêter. Il a voulu tout vérifier : l'emballage pour crème glacée, celui chromé avec la boucle, le cachet de l'entreprise ouverte vingt-quatre heures sur vingt-quatre et qui accepte les cartes de crédit. Il riait, il riait. De temps en temps il s'arrêtait pour dire : « Vieux Ronnie... Ça alors ! », et il repartait de plus belle.

Alors, forcément, on a oublié de s'allonger sur le lit et de s'embrasser. On a remis ça à plus tard.

C'est bizarre : depuis ce soir-là j'ai eu le sentiment que, avec lui, j'aurais tout mon temps.

Tout mon temps...

Bonnie Mailer est formelle : pas question de choisir les cinq témoins parmi ses amis. Elle a sué sang et peau pour s'établir une réputation de première qualité et n'entend pas la ruiner à cause d'une lubie testamentaire de son ex-mari. L'ennui, c'est que, les amis d'Allan appartenant grosso modo au même milieu que ceux de Bonnie, une aventure comme celle-là, une aventure peu banale, il faut le reconnaître, ne manquerait pas de s'ébruiter, provoquant railleries et fourcheries de langues. Il ne reste donc plus qu'un seul recours : mes amis à moi. A condition que je les choisisse obscurs et éloignés...

Deux ou trois témoins, selon la manière dont on interprète les termes de la lettre de l'avocat. Ronald exigeait cinq témoins de race blanche. Bonnie, Allan et moi, cela fait trois... Mais si Bonnie doit se cantonner au rôle de veuve, tout est à reconsidérer.

Je pense aussitôt à Rita.

Qui pense à Maria Cruz.

Qui propose José...

Le tour est joué.

On choisit la date : un dimanche après-midi. Jour où on chambole en famille, où le chiffre d'affaires de Maria Cruz tourne au ralenti, où les Nikés se tapent des brunchs à Soho, loin des quais par nous convoités.

Je n'ai révélé à personne le vrai métier de Maria Cruz, de

peur que Bonnie ne la récuse comme témoin. Au téléphone, Rita me demande qui s'occupe de la musique et des fleurs. Bonnie hausse les épaules et fait claquer son ongle entre ses dents. Je traduis « Que dalle » et transmets à Rita. Très choquée, cette dernière argumente. Un départ de ce monde doit se passer en harmonie, sinon l'âme, telle une chauve-souris réveillée en plein jour, se cogne dans tous les coins, s'égare dans les limbes et n'a guère de chance d'être aspirée vers la Lumière éternelle.

— Elle sait comment il est mort ? demande Bonnie, excédée, quand j'ai raccroché.

— Non, dis-je, piteuse.

Je n'ai pas jugé opportun de mettre Rita au courant des circonstances un tantinet sulfureuses de la mort de Ronald.

— Et pour la bouteille de Perrier, elle est au courant ?

— Vaguement... Écoute, j'ai pris des gants : Rita est extrê-mement religieuse... il ne faut pas la choquer.

— Mais qu'est-ce que t'as dit alors ?

— J'ai pas dit bouteille, j'ai pas dit pute, j'ai pas dit repêchage dans les toilettes, j'ai pas dit Las Vegas... mais circonstances originales, voilà tout !

— Manquait plus que ça ! soupire Bonnie. Une assemblée de bigots...

Elle commence à m'irriter ferme. Si mes amis ne lui agréent pas, elle n'a qu'à composer son cortège elle-même ! Envoyer des bristols gravés à ses amis rupins et coincés du bas. Ah ! On est loin de la veuve éplorée, maculée de cendres, qui sanglotait près de la cuvette des chiottes. La vie a repris ses droits et sa mémoire s'est effacée comme une ardoise magique. Ronald n'est plus un amant chéri, mais un problème à régler au plus vite et sans chichis.

Heureusement, l'arrivée d'Allan fait diversion. Il sonne, dring, dring, et chacune retrouve son maintien. Bonnie se mue en veuve décente, se tamponne le nez et parle à voix basse. Quant à moi, je prends eau de toutes parts et me retiens pour ne pas pédaler jusqu'à son cou.

Dring, dring je vous emmène aux funérailles et vous allez voir ce que vous allez voir, semble dire son sourire plein de dents blanches, carnassières, éclatantes. Ses cheveux brillent, ses yeux brillent, sa peau brille. S'il n'était pas brun et tout humain, je lui collerais un rond doré au-dessus de la tête, une planche à scier, et il pourrait faire Jésus parmi nous. C'est par milliers que les disciples lâcheraient leurs filets pour le suivre. La Cadillac rouge se gare devant l'échoppe de Rita, rameutant tous les gamins du quartier qui matent les phares, la stéréo et l'intérieur cuir. Bonnie fronce le nez en lisant l'enseigne « Fortune teller... ».

— C'est une voyante, ton amie... Manquait plus que ça !

Pour la cérémonie, Rita arbore un splendide bibi. Un feutre orange et jaune, ceint d'un ruban marron et d'un bouquet de plumes de faisan. Elle a mis une robe en lainage marron glacé, aux poignets en piqué blanc, et des gants en dentelle. Et par-dessus tout : un manteau houppelande garni d'une fourrure bon marché qui sent un peu la naphtaline et la poudre de riz. Enfin, elle tient dans ses bras une gerbe de grands lis blancs mouchetés qu'elle caresse les yeux mi-clos, penchée sur les pages de son missel.

Après avoir fermé sa boutique à clef et affiché un écriteau disant qu'elle est absente pour l'après-midi, elle s'engouffre dans la Cadillac sur la banquette avant. Je monte à l'arrière.

— Bonjour, lance-t-elle à la ronde pendant que Bonnie abrite son exaspération entre ses mains. Quelle belle journée pour rendre une âme à Dieu !

— Mais c'est un phénomène de foire ! marmonne Bonnie entre ses doigts. T'aurais pu me prévenir quand même ! T'as de ces amis !

Je passe outre et fais les présentations. Lorsque j'arrive à Allan, Rita ferme les yeux et, après deux ou trois rotations du cou, lance :

— C'est lui, c'est lui. J'ai un flash... Dieu vous bénisse, mes enfants... Vous en aurez deux, d'ailleurs...

— Deux quoi ? demande Allan.

Je donne un coup dans l'épaule de Rita pour qu'elle se taise.

— Elle dit qu'on aura besoin de deux témoins supplémentaires... elle est un peu voyante et elle a entendu Ronnie lui dire qu'il en fallait deux autres, sinon ça ne marcherait pas...

— On fera avec ce qu'on a, assène Bonnie. On va pas ramasser tous les cinglés du voisinage pour faire plaisir à un avocat pourri de Las Vegas...

— Mais de qui parlez-vous ? interroge Rita en tournant son bibi vers Bonnie.

— Je parle de ce que je connais, conclut, à peine aimable, Bonnie Mailer.

La Cadillac glisse vers les docks. Pour couper court à tout dérapage de conversation, je commente le paysage et monopolise la parole. Je mets bout à bout des banalités : à mon avis, et ça n'engage que moi, c'est un jour idéal pour des funérailles. Ni pluie, ni grêle, ni neige. Ni trop chaud, ni trop froid. Tous les New-Yorkais ont dû quitter la ville, et nous ne devrions pas souffrir d'embouteillages. Je signale les immeubles intéressants, discute de l'architecture de la ville, de la compétition entre les stars de la truelle, les Peï, les Philip Johnson and Co... de la voracité des promoteurs qui dynamitent des immeubles de quarante étages pour en reconstruire d'autres de soixante et plus... du mauvais état des chaussées qui, lorsqu'il pleut, se transforment en vastes piscines que les camions traversent à vive allure, faisant rejaillir des gerbes d'eau sur des piétons vociférants et dégoulinants... du danger de se promener le nez en l'air dans cette ville de piétons ventre à terre... Et pourquoi tous les gratte-ciel importants portent-ils un nom qui rappelle l'argent ? Hein ? Vous, les New-Yorkais, comment expliquez-vous cela ? Le Rockefeller Center ? Le Citibank Building ? Le World Trade Center ? Le Chrysler Building ? C'est que du fric érigé en briques, ça.

Je parlote, je m'embarbouille, un œil sur les plumes de faisan de l'une et la mine blême de l'autre, jusqu'à ce qu'on atteigne l'immeuble de José et Maria Cruz. M'éclipse avec Allan, pas fâchée de quitter l'ambiance tendue de la voiture, amusée à l'idée du face-à-face entre Rita et Bonnie.

Dans l'ascenseur, il me serre contre lui, glisse un genou entre mes cuisses et me plaque contre la paroi. Je m'assois à califourchon sur sa jambe, laisse tomber mon sac à ses pieds, soupire d'aise, noue mes bras autour de son cou et lui rends son baiser. Son genou avance rudement entre mes jambes, m'ouvre les cuisses, les force, les fourraille pendant que sa bouche m'embrasse lentement, à petits coups redoublés et doux. Je gémis, troublée par sa douceur et sa brutalité. M'accroche à son cou et murmure :

— Encore, encore, oh ! c'est bon...

Il plaque sa main sur ma bouche :

— Pas parler ! m'ordonne-t-il. Pas parler !

Sa voix rude me rappelle à l'ordre, et un désir brûlant et obscur coule dans mon corps. Encore des ordres, encore... Et sa main sur ma bouche qui me bâillonne. Me meurtrit. Ses doigts qui pénètrent dans ma bouche et ébranlent mes dents, fouillent la bouche, me forcent... Je referme mes jambes sur sa cuisse et renverse la tête en arrière comme dans l'eau tiède d'un bain. Sa bouche dérape sur mon cou, glisse jusqu'à mes seins. Je me tends et mords les lèvres pour ne pas gémir...

Les portes de l'ascenseur s'ouvrent sur un couple d'hommes qui sourient en nous apercevant. Allan me repose à terre.

Poupée chiffe molle sans plus de genoux ni de volonté. Ramasse mon sac et me pousse en avant. Je me rajuste et nous filons dans le couloir à la recherche du numéro 1805, le numéro du studio de Maria Cruz.

— Qu'est-ce qu'elle fait, ta copine? demande Allan en enfonçant les mains dans ses poches et en s'appuyant contre l'encadrement de la porte.

— Euh! Je ne suis pas sûre... Je crois qu'elle termine une thèse sur le potlatch...

— Le quoi?

— Je t'expliquerai...

Maria Cruz se tient devant nous.

Une autre Maria Cruz.

Une Maria Cruz partie loin, loin.

Maria Cruz qui plisse les yeux pour me reconnaître et sourit faiblement. Un sourire douloureux qui lui arrache les lèvres. Une Maria Cruz émaciée. Si maigre, si écorchée qu'elle paraît élancée dans une jupe noire, un tricot noir, de longues jambes nerveuses montées sur des talons épais. Des mèches brunes mi-longues encadrent un visage sombre, des joues creuses, des cernes mauves où deux yeux noirs, liquides, semblent rêver à un autre monde. Des paupières mi-closes qu'elle soulève gravement, pesamment, posant sur nous un regard de somnambule. Plus aucune trace d'enfance. D'appétit. Mais un regard tourné vers l'intérieur. Un regard qui me voit à peine, qui dit :

— Bonjour, comment ça va, je suis contente de te voir... C'est qui, lui?

— Un ami...

Un ami? Elle éclate de rire. Ses mains frissonnent sur ses hanches moulées.

— Comme si ça existait, les amis!

Un rire méchant qui en dit plus sur sa vie que toutes les

lamentations de Rita. Elle penche un peu la tête de côté, et son rire se brise aussi vite qu'il avait jailli. Elle aspire une bouffée de cigarette et tousse. Ses doigts sont jaunes de nicotine et enflés aux jointures. Rouges et enflés...
Maria Cruz... Maria Cruz... Je ne la reconnais pas. Je tends la main vers elle pour lui faire une caresse mais elle se retire comme dégoûtée. Puis paraît s'excuser. Hausse les épaules.
— C'est toi, elle dit, c'est toi... ça me semble si loin...
Puis son regard me quitte et accroche celui d'Allan. S'arrime dans celui d'Allan et devient solide. D'encre noire, il se métamorphose en deux petits morceaux de charbon. Comme si elle voyait enfin. Se solidifiait des pieds à la tête. Se raccrochait à une force inconnue. Sa bouche se retrousse, rouge. Elle tapote ses mèches, ses joues. Ses hanches se balancent en avant et sa poitrine se bombe. Elle redevient belle. D'une beauté pathétique et lourde. Une beauté qui s'offre comme une dernière chance.
De sa voix rauque, elle ajoute :
— Je suis prête... Dans une minute...
Elle ne nous invite pas à entrer, et nous attendons sur le pas de la porte. Je me demande si c'est une bonne idée de rassembler tant de gens différents pour ces funérailles. Imagine les présentations avec Bonnie... Me dis que peut-être il ne sera pas nécessaire d'emmener José... Parce que José et Bonnie Mailer, honnêtement... Me dis et redis tant de choses que, brusquement, je réalise que je suis seule. Il n'y a plus personne à côté de moi. Si Allan était avec moi, je ne penserais pas à tout ça. Je me blottirais contre lui et me chaufferais les doigts sous sa veste en attendant que Maria Cruz ait fait son raccord de rouge et remonté ses bas...
Seule.
Abandonnée...
Je me retourne vers Allan. Regarde Allan.

Il est là.

Mais pas avec moi...

Il est loin.

Loin...

Loin derrière...

Derrière...

Tendu vers Maria Cruz, vers l'apparition prochaine de Maria Cruz, attendant qu'elle revienne, qu'elle s'encadre dans la porte pour s'en repaître. Je le tire par la manche mais il repousse ma main doucement, distraitement. Je le dérange. Ses yeux ne quittent plus la petite entrée du studio de Maria Cruz. La douleur jaillit en moi et j'ai les larmes aux yeux. Je frissonne et colle ma main à ma bouche pour ne pas pleurer. Pas pleurer. Tout mon visage se tire, et la vieille douleur s'épanouit au fond de moi. Fait son rond, creuse sa place, s'étale, se vautre, mord le ventre pour aller encore plus profond, pour agrandir son rond. Ronronne d'aise pendant que je lutte pour qu'il ne voie rien. Plaque ma main sur ma bouche pour ne pas me vider là, sur le pas de sa porte...

Je pleurerai après.

Après...

C'est comme un mauvais rêve. Maria Cruz ferme sa porte à clef, prend le bras d'Allan. Allan passe son bras sous le sien. Elle se colle presque contre lui. Moi, je marche lentement derrière. Très lentement. Mes pieds butent dans le tapis, butent dans les marches, butent contre les barreaux de la cage d'escalier comme si j'avais du mal à marcher. On descend à l'étage en dessous pour prendre José. José ne vient pas. Il hausse les épaules quand Maria Cruz lui demande de faire le cinquième à des funérailles. Elle insiste. Il explose : « Non mais tu m'as regardé ! J'ai autre chose à faire, moi ! Je vais à une réception, cet après-midi ! Chez le maire ! Une garden-party ! Allez traîner sur les quais tout seuls, bande de paumés ! », et il claque la porte de son studio. Maria Cruz balance un coup de pied dans la porte et le traite d'enculé, de fils d'enculée, de roi des enculés. Et puis elle hausse les épaules, se rajuste et reprend le bras d'Allan. Allan demande à Maria Cruz qui est cet homme, elle répond que c'est un copain. Moi j'ai envie de hurler que c'est pas vrai, c'est son mac. Et elle est pute ! Pute ! Il tournait autour d'elle en voiture quand je l'ai connue. Elle suçait les mecs pour dix dollars vite fait dans le parc de Forsythe Street. Et elle sniffait de la coke sur le capot des voitures, et elle portait des bottes en vinyle rouge, et elle faisait claquer l'élastique de son soutien-gorge, et elle préférait les ethniques aux Américains... parce que les amerloques, c'est propre dans le calbar et tordu dans la tête, voilà ce qu'elle disait à l'époque, Maria Cruz... Et elle travaillait jour et nuit pour remplir le bas de laine de José... mais ma bouche est sèche et ma langue couverte de cailloux et mes bras lourds, lourds, et mes jambes comme deux piliers d'autoroute, et je ne peux pas m'empêcher de les regarder et de me dire que c'est pas juste, c'est pas juste, et de traîner les pieds en donnant des coups dans tout ce qui dépasse...

Alors pour ne pas pleurer je me suis mise à compter, à compter à en perdre le souffle, à compter en français, à compter en anglais pour arrêter les larmes dans mes yeux, pour bloquer les sanglots dans la gorge, pour faire taire cette douleur qui montait dans le ventre. J'ai failli attraper un point de côté tellement je comptais vite, tellement j'oubliais de respirer entre les chiffres...

Dans la voiture il règne un silence à couper au couteau. Bonnie tapote de ses ongles laqués le bouchon de la bouteille de Perrier qui dépasse de son sac Vuitton et consulte sa montre toutes les minutes et demie. Rita garde le menton droit et réprobateur sous son feutre à plumes de faisan. Ses bras enserrent les lis blancs mouchetés et ses doigts tiennent fermement son missel. La voiture s'arrête un peu plus loin le long d'un dock et on sort tous très vite comme si on avait huit ans et envie de faire pipi. On se poste au bord de l'eau. Une eau marronnasse où flottent des bouteilles en plastique, des vieilles godasses, des emballages de boîtes de lessive, des Tampax...

— C'est pas la mer, je marmonne en regardant l'eau sale, c'est l'Hudson River.

— Et alors ! rugit Bonnie, l'Hudson rejoint bien la mer à un moment !

Elle a sorti sa bouteille de Perrier et ordonne aux témoins de se mettre en rang d'oignons.

— Tous côte à côte ! aboie-t-elle. C'est pour la photo, je veux la preuve pour l'avocat...

On obéit. Bonnie prend une première photo puis tend l'appareil à Allan, qui la remplace. Je suis sûre que sur la photo je ferme les yeux. Et que Maria Cruz couve Allan du regard. Puis Bonnie arrête un passant et lui demande de nous tirer le portrait en groupe. Tous les cinq collés les uns contre les autres, un peu gênés d'être là mais pleins de bonne volonté. Bonnie, l'œil perçant, fixe l'homme, prête à le poursuivre s'il fait mine de se sauver avec l'appareil. Une pluie fine s'est mise à tomber avec un drôle de soleil derrière. Un soleil qui fait péter toutes les couleurs des vieilles baraques en briques rouges, aux solives noircies, aux fenêtres déglinguées. Les rayons tapent dans les carreaux sales et les font briller. On lève les bras devant nous pour se protéger du soleil et Bonnie glapit qu'on se tienne correctement au moins un instant, si c'est pas trop nous demander. Alors on n'a plus bougé. Et puis on a cligné des yeux et tordu la bouche, et elle a renoncé à nous faire tenir tranquilles.

Pendant que Bonnie rembobine son film, Rita me tire par la

manche et me demande à quoi sert la bouteille de Perrier que
Bonnie agite en aboyant ses ordres. Je suis au pied du mur : il
faut bien que je lui dise. Rita n'en croit pas ses oreilles.
J'ajoute que c'est une nouvelle manière de conserver les
cendres des défunts mise au point par une entreprise
funéraire de Las Vegas : les morts, décédés de mort natu-
relle, sont embouteillés gratuitement par Perrier, et c'est
pour ça qu'on fait des photos. Rita lève les yeux au ciel et
serre son missel contre ses seins.
— Tu sais où ça nous amène, le progrès ? Tu le sais ? Tout
droit au pratique. Et au plastique...
On attend tous à la queue leu leu, le long du quai, les
prochaines directives de Bonnie Mailer. Tous alignés sur les
docks en bois pourri. Le nez au vent dans la direction des
mouettes qui gueulent, passent et repassent, réclament à
manger. Pourquoi on ne fait pas comme les autres touristes ?
Pourquoi on leur balance pas des morceaux de pain et du
pop-corn ? Qu'est-ce qu'on attend ? Elles se décarcassent
pour nous mitonner un joli ballet aérien et nous on reste là,
les bras ballants, avec une bouteille d'eau dans les bras à se
tirer le portrait en veux-tu en voilà ! Elles nous frôlent en
piaillant, nous engueulent ferme pendant qu'on attend sous
la pluie, le vent. Des sales bêtes...
Puis Bonnie tend l'appareil photo à Allan, dévisse la bouteille
de ses longs doigts aux ongles rouge sang. Des doigts de
tortionnaire distinguée et froide, je pense en la regardant
officier. Elle crie à Allan, bravant le vent qui lui rabat les
cheveux dans le visage :
— Tu es prêt ? Gros plan sur moi en train de déverser ! Et
qu'on voie bien la mer derrière...
— C'est pas la mer, je marmonne encore, c'est l'Hudson
River.
— C'est complètement raté, ces funérailles, me glisse Rita.

293

Elle n'a aucun sens du divin, ton amie... Pas l'ombre d'une âme dans ce joli corps de poupée Barbie ! C'est une matérialiste. A tous les coups. Elle pue le fric à plein nez...

Je proteste. Bonnie Mailer, c'est ma copine. Rita est libre de ne pas l'aimer, mais quand même... Chacun ses défauts, non ? Moi je lui ai déjà entraperçu un bout d'âme, à Bonnie. Une âme pleine de générosité et de tendresse. Bien sûr, à ce moment précis, ce n'est pas évident, mais c'est qu'aujourd'hui elle a une mission à remplir et, si elle commence à s'apitoyer, elle risque de perdre le fil. De tout faire dans le désordre et d'indisposer l'avocat. Mais Rita hausse les épaules et me coupe la chique.

— Une honte, je te dis ! Pas un sou d'émotion. Je vais t'arranger, ça, moi tu vas voir...

Elle tire un petit magnéto de sa poche et appuie sur Play. Met le son à plein tube. On entend le début d'un chant funèbre un peu éraillé et puis on n'entend plus rien à cause des voitures qui roulent à toute allure sur la Douzième Avenue qui longe les docks. Alors Rita reprend à pleine voix les mots du cantique pieux et s'époumone face à la rivière en jetant les lis mouchetés un à un pendant que Bonnie achève de vider la bouteille de Perrier.

Et verse une larme.

Une larme discrète qu'elle écrase d'un doigt preste.

Alors je saute sur l'occasion : je peux pleurer en toute impunité. J'ai un excellent alibi : un macchabée qui se tire ailleurs, vers sa dernière demeure. Allan conclura à une attaque d'émotion.

Une fois toutes les cendres versées dans la rivière, Bonnie se retrouve désemparée, la bouteille vide à la main. Elle a l'air bien embêté. Elle la balance un moment dans le vent pendant que Rita finit de psalmodier ses prières chantées. Elle ne sait pas quoi en faire. Elle nous regarde l'un après l'autre comme si elle attendait un avis, un conseil muet, mais chacun est bien trop occupé par ses propres affaires pour pouvoir être vraiment utile. Alors elle semble se décider, ferme les yeux et lance la bouteille à l'eau. Ça fait Floc. Et puis Glouglou. Des remous, et c'est tout. On se penche par-dessus le quai. On approche les pieds tout près du bord et on aperçoit la bouteille qui disparaît dans l'eau marron sale de l'Hudson.

Un drôle d'hommage funèbre.

Une drôle de cérémonie.

Après, Bonnie nous fait signer un papier en tant que témoins officiels.

— On sait jamais, qu'elle dit en faisant allusion à l'avocat, ces gens-là sont toujours prêts à vous attaquer si vous n'obéissez pas strictement à leurs consignes.

Elle nous remercie l'un après l'autre et se fend même d'une petite bise à chacun.

— Tu vois, je signale à Rita qui ne sait plus sur quel pied danser. Elle a une âme. Pas faite comme tout le monde, mais une âme quand même...

Après on s'est tous dirigés vers la voiture.

J'étais toujours dans mon sale rêve.

Je me sentais terriblement lasse. Et vieille. Comme si toute ma vie passée, présente et à venir m'avait roulé dessus et m'attendait au bout de la route. Si fatiguée que je ne savais plus comment avancer. Je mettais un pied devant l'autre, mais même ça me paraissait un tour de force. Je butais dans tout ce qui traînait, et Dieu sait qu'il y en a, des trucs pourris qui jonchent les quais. J'ai recommencé à fixer mes pieds. Je ne les lâchais plus des yeux, comme ça je ne risquais pas d'apercevoir Allan et Maria Cruz.

Mes pieds étaient bien plus rassurants. Ça me faisait trop mal de me dire que j'allais les surprendre en plein échange d'amour. Je l'imaginais, elle le frôlant, ondulante dans sa jupe noire et ses chaussures à hauts talons, et lui, ému par son odeur, sa bouche de chienne, l'expérience qui lui sort par tous les pores de la peau.

On est remontés en voiture. Rita s'est installée devant. Elle n'était pas d'accord et elle tenait à le dire. Des funérailles sans liturgie ! On pouvait craindre le pire. Il allait rôder un long moment, ce défunt en bouteille. Plus jamais elle ne boirait du Perrier.

Bonnie se taisait et consultait sa montre.

Je continuais à contempler mes pieds.

On s'est arrêtés devant chez Rita. Rita est descendue sans mot dire. Allan s'est retourné vers Bonnie et moi avec un grand sourire, un sourire qui a ranimé la bête au fond du ventre, la bête qui a déplié toutes ses écailles, agité ses sonnettes...

— Je vous ramène ? il a proposé.

Bonnie a désigné du menton Maria Cruz qui ne disait rien. Qui regardait par la fenêtre, le coude nonchalamment posé sur le rebord de la portière.

Allan a dit qu'il la déposerait après nous.

C'est pas logique, j'ai hurlé au fond de moi. Pas logique du tout. Elle habite près des quais, Maria Cruz, c'est elle qu'il faut déposer en premier. C'est elle dont il faut se débarrasser au plus vite... Mais j'ai rien dit. J'ai baissé la tête.

Bonnie s'en est aperçue. Elle a dit : « Ah, bon !... » et m'a regardée comme une pauvre chose.

C'est ce regard-là qui a tout déclenché. C'était trop pour moi. Je me suis redressée et j'ai dit que je voulais descendre. Avec Rita.

C'était prévu comme ça. Entre elle et moi. Depuis long-temps. J'ai regardé personne et je suis descendue. A tout berzingue. Rita m'a prise par le bras et a dit que, bien sûr, on avait décidé de finir l'après-midi ensemble.

On se tenait toutes les deux sur le trottoir de Forsythe Street et on agitait le bras en direction des occupants de la voiture. J'ai levé les yeux vers Allan. Il faisait une drôle de tête, ça je dois le reconnaître. J'ai eu une sorte de joie mauvaise au fond de moi et j'ai même trouvé la force de lui faire un grand sourire en lui disant au revoir.

Après, quand la voiture s'est éloignée, j'ai baissé la tête, et toutes les larmes sont tombées d'un coup. Une vraie fontaine. Et j'ai plus eu qu'une envie : m'enfoncer dans les cent vingt kilos de plis et de gras de Rita et pleurer, pleurer sans jamais plus m'arrêter...

J'ai dû verser toutes les larmes que j'avais dans le corps parce que, tout à coup, l'eau des larmes s'est arrêtée de couler. Plus une seule goutte à répandre sur mon malheur. J'ai eu beau secouer la tête une fois, deux fois, trois fois. Me repasser au ralenti la rencontre d'Allan et de Maria Cruz : les yeux de Maria Cruz solidifiés en petits bouts charbonneux, ceux d'Allan braqués sur sa hanche moulée dans un tricot noir, creuser et gratter la plaie, l'élargir en y enfonçant le couteau du souvenir...

J'ai bien insisté.

En vain.

J'avais plus une seule goutte d'eau en réserve.

Alors j'ai regardé mes pieds. Longuement. Et j'ai trouvé ça exagéré, toutes ces larmes. Ridicule même. J'ai tout trouvé ridicule : la mise en bouteille de Ronald, les funérailles au bord des docks, la rencontre de Maria Cruz et d'Allan, la grande douleur qui m'avait coupée en deux, les lis blancs couchés dans les bras de Rita et le regard plein de commisération méprisante de Bonnie quand elle avait découvert mon infortune. Pauvre fille, je pouvais lire dans ses yeux, pauvre fille victime de l'amour.

Victime de l'amour. C'est moi, ça ? je me suis dit, la tête en bas, le regard vissé à mes godasses. Je me suis forcée à faire le point. Ou plutôt j'ai entendu une petite voix au fond de moi.

C'est elle, pour être honnête, qui faisait le point. Une petite nouvelle à la langue bien pendue. Et violente avec ça ! Elle cherchait pas à me ménager. « Non mais tu t'es vue ? T'arrêtes pas de pleurnicher, de chialer sur ton sort, tes petites amours, tes petites souffrances, tes petites envies ! Tu te repais de douleur passée, de blessures que tu rouvres à petits coups de canif pour qu'elles soient encore plus délicieuses ! T'en as pas marre de répéter toujours la même chose, de te vautrer toujours dans la même douleur ? T'as pas envie de changer un peu ? Ça te bousille l'entendement, cette répétition imbécile. Parce que, si tu raisonnes un brin, qu'est-ce qu'il t'a fait, Allan ? Hein ? Rien du tout. Il s'est juste intéressé à une autre fille. Parce qu'elle est pittoresque, Maria Cruz... Si ça se trouve, à cette heure-ci, il lui fait parler de sa vie et la réconforte. Et alors ? C'est interdit ? Et même s'il la frôle de plus près, est-ce que ça te regarde ? Vous êtes pas mariés ! Il t'a rien promis ! Il te connaît à peine et chaque fois que tu le vois tu lui fais une scène ! Tu sautes sur le premier prétexte pour t'inventer un abandon, une trahison. Comme s'il t'appartenait. Comme si ta vie dépendait de lui. Mais c'est faux, ma petite vieille. Ta vie, elle t'appartient à toi. Et il est temps que tu lui trouves un sens en dehors de l'homme adoré. Tu oublies qui tu es. Tu oublies que tu n'as besoin de personne, au fond. De personne. Tu te débrouilles très bien toute seule. Tu sais très bien vivre toute seule. Mais dès qu'un homme se pointe, un homme qui t'intéresse un peu, tu mets de côté la balaise, l'indépendante, pour retomber en enfance. Tu t'y précipites avec délectation. Tu deviens petite fille qui geint, qui tape du pied parce qu'on la regarde pas assez. Mais c'est fini, ça. C'était il y a belle lurette, l'histoire de la petite fille... Alors, pourquoi la ramener sur le tapis chaque fois que tu tombes en amour, hein ? »

C'est vrai, je me suis dit, en observant le macadam éclaté en grosses fentes noires farcies de moisissure verdâtre devant l'échoppe de Rita. Je me débrouille très bien toute seule. Je me fais même plutôt confiance. En règle générale. Je peux compter sur moi. Sauf lorsqu'un homme passe à l'horizon... Là, je perds la boule.

Pourquoi ?

Elle avait raison, la petite nouvelle : j'allais pas passer ma vie à radoter. Ça devenait franchement insupportable. J'allais finir idiote si je continuais. Fallait que j'arrête, que j'explore autre chose. Que je pense à autrui.

Et alors... j'ai relevé la tête et j'ai regardé le ciel. Le ciel bleu glacier des beaux jours de New York. Le haut des immeubles en briques rouges de Forsythe Street. Les vieux réservoirs d'eau moulés dans des fûts de bois noir sur le toit des immeubles. Les escaliers en fer rouillé accrochés comme des parenthèses aux murs des maisons. Les enseignes au néon où manquent plusieurs lettres qui pendent, lamentables, au bout de leurs fils électriques. Les tricots de corps et les slips qui sèchent suspendus au-dessus des terrains vagues... Et j'ai été débarrassée d'un grand poids.

Je me suis sentie allégée.

Ragaillardie.

Je me suis vue d'un autre œil.

J'ai vu Allan d'un autre œil.

Oh ! Il était toujours aussi beau, j'avais toujours autant envie de lui, de me pendre à son cou, de m'installer dans ses bras et de lui demander : « Et maintenant, on va où ? » De ce côté-là, faut être honnête, rien n'avait changé. Mais il n'était plus aussi urgent.

J'avais le temps.

J'ai regardé tout autour de moi et je me suis mouchée dans les pans de ma chemise verte. J'avais pas de Kleenex.

Rita m'a poussée dans sa boutique et on a sorti toutes les glaces du freezer. Toutes les Hägen-Das, les Ben and Jerry, les Natural Ice-Creams qu'elle conservait précieusement sur l'étagère supérieure de son freezer pour s'offrir un festin les soirs de cafard. Certaines à moitié pleines, d'autres toutes neuves, à la surface lisse et crémeuse. On les a alignées sur la table, au milieu de son bazar de cartomancienne. On a retroussé nos manches, sorti les petites cuillères, et on a commencé à les déguster. Un vrai régal.

Rita s'est dandinée jusqu'à son placard pour prendre des paquets de cookies Famous Amos au chocolat, au café, à la noix de pecan. Elle les a disposés sur une petite assiette blanche avec le bord tout festonné et est revenue en clignant de l'œil. Elle a posé les cookies devant moi et m'a donné l'ordre du menton d'attaquer.

Elle me surveillait. Je voyais bien qu'elle était soulagée de voir avec quel appétit je mangeais.

— Je te fais un petit jeu ? a-t-elle dit en poussant les glaces et en sortant ses cartes.

— Merci, t'es gentille... C'est pas la peine. Je vais bien. C'est même bizarre ce que je me sens bien. Tu veux que je te dise un truc ? Je m'en fiche complètement d'Allan. Mais alors complètement...

Rita a soulevé un de ses sourcils dessinés au crayon marron, la cuillère pleine de glace en l'air. A l'évidence, elle ne me croyait pas.

— Tiens, ce soir on va fêter ça. On va aller chez Syracusa se bourrer de pâtes et de chianti...

— C'est parfait, a dit Rita en baissant le trait de son sourcil. Comme ça je ne me change pas, je garde ma belle robe... Et mon chapeau. Tu crois que je peux garder mon chapeau ou ça fait trop habillé ?

J'ai éclaté de rire. Je ne pouvais plus m'arrêter. J'imaginais une petite fille qui fait bien attention à ne pas salir sa belle robe du dimanche, qui reste empruntée, les bras raides, loin du corps, et qui refuse toutes les sucreries pour ne pas faire de taches sur ses volants, ses rubans. Qui picore du bout des lèvres pour que son chef ne branle pas et que l'équilibre des plumes de faisan ne soit pas dérangé. Rita aussi riait. Et elle montrait sa belle robe en riant de plus en plus. Elle suffoquait, rougissait, menaçait de s'étouffer, et je lui tapais dans le dos en me renversant sur ma chaise.

— C'est nerveux. Ça doit être le contrecoup des funérailles, a hoqueté Rita.

— Non, tu sais ce que c'est, d'habitude, le contrecoup des enterrements ?

Elle a fait signe que non.

— On baise, ma vieille. On a terriblement envie de baiser, et le premier qui passe, on l'attrape et, hop ! on se l'enfourche... C'est la mort qui veut ça. T'y peux rien.

Rita m'a fait les gros yeux en regardant la Vierge en plastique sur son étagère et a multiplié les signes de croix.

— Je veux pas que tu parles comme ça chez moi...

Je me suis excusée pour lui faire plaisir. Elle a paru soulagée. Puis, revenant au sujet qui la tracassait :

— Comment ça tu t'en fiches, d'Allan ?

— Oui, je m'en fiche. Il peut sauter toutes les filles qu'il veut... Rappeler dans dix jours, m'oublier, revenir... ça ne va pas m'empêcher de respirer !

— ...

— Parce que, au bout du bout du compte, tu sais quoi ? C'est moi qui l'aurai... j'en suis sûre. Et tu sais pourquoi ? Tout simplement parce je suis une fille formidable. Je l'avais oublié avec toutes ces histoires. Je me traînais plus bas que terre. Je ne misais pas un sou sur moi. Eh bien, c'est fini ! Je suis quelqu'un de formidable, et il finira bien par s'en apercevoir.

Rita m'écoutait bouche bée. J'aurais pu la dessiner à cet instant précis tellement l'étonnement la figeait. Une grosse bouille ronde avec la bouche qui tombait en une moue étonnée, des yeux écarquillés, blancs comme des pastilles Vichy. Une bouille de Bécassine endimanchée.

— Alors, voilà, je suis pas pressée. C'est tout. Je vais attendre patiemment qu'il s'en rende compte. Arrêter de me mettre marteau en tête et, tu verras, on se retrouvera lui et moi... J'en suis sûre. Une prémonition... J'ai fait le tour de la question. J'ai souffert tout mon saoul d'avance et maintenant je vais profiter. Vivre, vivre, arrêter de me confire en attente douloureuse... Fini, la souffrance. Fini !

J'ouvre tout grands les bras, soulagée de ne plus avoir ce poids sur la poitrine. Je suis redevenue intelligente. C'est fou ce qu'on peut être intelligente après coup, parce que, sur le moment, on est plutôt nouille...

Rita me dévisage longuement. Je lis dans son regard qu'elle n'en croit pas un mot mais qu'elle veut bien m'encourager sur cette voie-là.

Ce que je ne lui ai pas raconté à Rita, parce que ça ne la regardait pas, et puis c'est trop compliqué à expliquer, c'est que sur les quais, là-bas, j'avais vécu mon dernier abandon. L'enterrement de Papa n'a pas eu lieu à Saint-Crépin au pied des montagnes mais aujourd'hui, sur les quais de New York. C'est pas Ronald que j'ai largué dans la bouteille de Perrier mais mon petit papa chéri...

Fini, tout ça. Fini.

C'est pas la vie de vivre dans un rétroviseur. La vie, faut aller la chercher où elle se trouve. En avant. Et pas faire le tri. Tout prendre. Avec appétit. Sans rougir. La démone, la guimauve, la petite fille, la crétine...

Le droit d'être crétine si je veux.

Si ça me plaît, à moi...

D'être crétine.

Ou démone. De traîner dans des chambres d'hôtel avec des inconnus à queue de cheval.

Ou midinette. De m'enrouler autour du cou d'Allan. De manger des glaces en jouant à « Trash or Smash » sur MTV. De regarder « Dallas ». De me précipiter sur *People Magazine* chez le dentiste pour lire la vie des vedettes. Je vois pas pourquoi je me priverais. Toutes celles-là, c'est moi aussi.

Je suis quelqu'un de formidable.

Et de pas formidable.

Ça dépend des fois.

J'étais tellement contente d'avoir réuni toutes mes petites personnes en une seule qui tenait debout, de nous avoir toutes mises dans le même sac, que j'ai envoyé des baisers à la Vierge en plastique. Je lui ai promis de ne plus jamais traiter son fils d'Escroc mais de m'adresser à lui avec déférence. J'envoyais des baisers à tout le monde. Même au présentateur du journal quand Rita a allumé la télé pour écouter les nouvelles locales. Et, quand il a parlé de la petite réception qui avait eu lieu l'après-midi chez le maire, on était toutes les deux la bouche pleine à écouter. On a aperçu José dans la foule de la réception, puis José en gros plan, et enfin José qui recevait l'accolade et les félicitations du maire pour son rôle de bienfaiteur dans l'assainissement des avenues A, B, C, D. Et puis a suivi tout un baratin : comment il avait, par amour pour sa ville, par amour pour l'Amérique, décidé de nettoyer ces bas quartiers pourris, ce repaire de drogués et de femmes de mauvaise vie, afin d'y reconstruire des beaux immeubles avec doorman et tente qui s'avance sur le macadam. On a vu alors José se bomber de fierté, remercier le maire, la main sur le cœur, et parler de son patriotisme, de sa fierté d'être

américain... On a failli la recracher, notre crème glacée. On était vraiment écœurées ! Il faisait le fier sur l'écran, le maquereau de la petite Maria Cruz. La main sur la poitrine, il évoquait l'Amérique de ses parents, la belle Amérique propre et blanche des pionniers, l'Amérique qui croit en la famille, au travail, à la réussite, à la Justice, et ajoutait que c'est en souvenir de ses ancêtres qu'il avait entrepris son programme de reconversion des taudis. C'est pour sa maman qu'il démolissait à tour de bras, expropriait, défonçait, reconstruisait, sa maman qui sur son lit de mort serrait le rosaire entre ses doigts glacés et suppliait son fils d'être fidèle au pays qui les avait recueillis alors que, petits immigrés sans un rond, ils avaient demandé l'asile. « Et maintenant, Maman, déclara-t-il face à la caméra, tu peux être fière de moi. »
On s'est étranglées net. Assommées de stupeur. Jusqu'à ce que le bulletin soit interrompu par une pub pour Préparation H., celle qu'on trouve dans tous les drugstores pour cinq dollars quatre-vingt-dix-neuf seulement et qui, étalée de main de maître, fait disparaître les hémorroïdes en trente secondes. Rita s'est levée de sa chaise et s'est dirigée vers la télé.
— Tu savais qu'il était cul et chemise avec le maire, José ?
Elle ne m'a pas répondu. Elle s'est plantée devant le poste les mains sur les hanches et l'a insulté.
— La fierté de ses ancêtres, mon cul ! Sa maman sur son lit de mort, bullshit ! Ça me dégoûte, ce sentimentalisme véreux, tu veux que je te dise, ça me dégoûte ! Qu'il les laisse reposer en paix, ses ancêtres, ou je vais leur cracher le morceau, moi ! et quand je pense que ce pays marche à cette camelote, que c'est à cause de truands comme lui que...
Elle s'étouffait de rage. Elle était vraiment hors d'elle. Encore plus essoufflée et rouge qu'après avoir marché trois blocks. Elle a changé de chaîne et c'était pas mieux : on est tombées sur Jerry Falwell et un de ses prêches télévisés pour

remplir ses caisses et se construire des palaces aux frais de ses ouailles crédules.

Le soir, nous sommes quand même allées dîner chez Syracusa. On a commandé des antipasti assortis, des pâtes au saumon et aux langoustines et des sabayons. Un petit chianti. On avait le nez rouge tellement on a bu et on a mangé. On n'a pas arrêté de trinquer à la santé de la fille formidable que j'étais.

On est rentrées à pied jusqu'à Forsythe Street. La nuit était calme. Il n'y avait pas un chat dans les rues. On entendait juste les sirènes des pompiers ou des ambulances qui pimponnaient au secours des victimes. J'avais des projets plein la tête et j'ai commencé à en parler à Rita. Il m'était venu une phrase pendant le dîner. Comme ça. Une phrase pour commencer le roman que je n'arrivais pas à écrire depuis que Papa était mort. Elle était venue sans crier gare. Pendant que je regardais le miroir tacheté derrière le bar du restaurant. J'avais revu la glace de mon appartement parisien, l'autobus 80, les portes qui soufflaient pom-pschitt et la fille écroulée sur son grand lit, avec son gros chagrin. La fille qui décidait de partir pour New York. Pour oublier. Repartir de zéro.

J'avais le début de mon livre. Et, quand on a la première phrase, on est sauvé, j'ai expliqué à Rita. Tu comprends, on a la petite musique et on peut se mettre à écrire à condition de faire bien attention à ne pas la perdre, la petite musique. C'est du boulot mais, si on y arrive, on est les rois du pétrole. Elle m'a demandé de lui dire ma première phrase. Je l'ai fait lambiner. Ce serait pour plus tard. Je voulais pas la lâcher tout de suite, ma phrase. Par superstition. Des fois qu'elle tienne pas le coup.

Rita a haussé les épaules. Alors pour se venger elle m'a demandé :

— C'est un livre sérieux ?

Très sérieux, je lui ai dit.

— Sérieux comme un vieux pape...

Et j'ai recommencé à rire.

Et puis je lui ai demandé si elle avait une machine à écrire chez elle parce que je commencerais bien tout de suite. Je me voyais glisser des feuilles de papier dans le rouleau et frapper de toutes mes forces sur le clavier jusqu'à ce que la machine recule contre le mur, qu'elle se débine sur la table, qu'elle file à droite, qu'elle file à gauche, que ça fasse des trous dans le papier, que les touches s'emmêlent en bouquets et qu'il faille les démêler avec les doigts. Rita a dit qu'une cliente lui en avait laissé une en gage parce qu'elle n'avait pas de liquide pour lui payer ses visions. Elle n'était jamais revenue la chercher. On a recommencé à rire. Et on est rentrées chez elle en se tenant les côtes et pendant ce temps la première phrase de mon livre se déroulait dans ma tête comme un long ruban et, plus elle se déroulait, plus j'avais hâte d'arriver pour m'asseoir à ma table et commencer à taper. Je voulais pas la perdre, ma première phrase, mais j'avais du mal à faire avancer Rita qui s'accrochait à mon bras et me ralentissait terriblement.

Je regardais le ciel. Le haut des gratte-ciel. Les nuages violets sur la pointe des immeubles. L'éclairage vert, blanc, rouge de l'Empire State Building. Je sentais Rita qui s'alourdissait. On avait trop mangé, ça c'était sûr.

Et pourtant je me sentais légère, si légère...

Ma première phrase flottait dans ma tête. Et derrière elle des paquets d'émotion, de souffrance et d'amour, d'abandons et de baisers. Des paquets de souvenirs enfoncés au plus profond de moi et qui me revenaient par bouffées. Papa, mon petit papa, mon papa d'amour... Tu me manques. Oh ! comme tu me manques ! Bien sûr, tu n'as pas été parfait. Ça, c'est sûr. Tu as même souvent été carrément en dessous de tout. Mais on pardonne tout à ses parents quand ils sont fiers de vous. C'est pas moi qui ai trouvé ça mais John Le Carré, qui avait un père pas piqué des hannetons, lui aussi. Mais un père fier de lui. Comme le mien. « Ma fille ! Mon papa ! », j'ai articulé tout bas dans la nuit calme et douce. Avec ta façon de m'aimer tout de travers, tu m'as quand même filé un bon bout de territoire. Un bon bout de terrain où j'ai appris à me tenir debout. A résister à tout. A tes colères, à tes tempêtes et à celles de la vie. J'ai souri dans la nuit. J'avais le cœur dans un étau tellement j'étais émue. Et c'était comme si de là-haut une grande main aux ongles bombés et lisses se posait sur moi et me caressait le crâne.

J'ai eu soudain très envie d'être à Paris, en face de Pimpin. A elle, je la lui soufflerais, ma première phrase. Je n'aurais pas peur que le charme se tire. Je savais très bien tout ce que je lui dirais à Pimpin si elle était là avec ses pulls en shetland étriqués, ses lunettes marron dégueulasses et son œil attentif derrière ses mèches rousses. Voilà, écoute ce que je viens de découvrir et qui m'a redonné goût à la vie : à partir d'aujourd'hui, je vais vivre à mon compte. Balancer mes vieilles peurs, mes mécanismes rouillés, toujours les mêmes, qui remontent mes histoires de cœur pour jouer toujours la même histoire. L'histoire de la pauvre petite fille abandonnée. Tu avais raison de te mettre en colère quand il me disait : « Quand je mourrai, tu mourras avec moi. » T'avais raison, Pimpin. Eh bien, je ne suis pas morte avec lui. Je suis vivante, ma vieille. Bien vivante. Avec toutes mes contradictions.

Et j'ai trouvé ma première phrase.

Ma première phrase de livre...

Bien sûr, ça n'a pas été aussi facile que je le croyais dans l'euphorie de l'après-dîner chez Syracusa. Cette nuit-là, je ne me suis pas couchée. J'entendais Rita qui dormait sur son canapé, juste en dessous de la Vierge en plastique. Elle ronflait et faisait un vacarme épouvantable. Encore plus de bruit que les touches de la machine à écrire. Elle arrivait même à me déconcentrer. J'attrapais le rythme de son ronflement et j'en oubliais ma petite musique.

J'ai décidé de retourner vivre chez Bonnie Mailer.

Pour ne plus entendre la soufflerie du fast-food dans la cour, j'ai acheté tous les enregistrements de Glenn Gould sur cassettes et je me les passais sans discontinuer, encouragée dans ma tâche par les ahanements du maître sur son piano. J'avais trouvé ma première phrase. J'avais même écrit une dizaine de feuillets mais depuis je séchais. Je tournais en rond autour de ma machine et rien ne venait. Je ne savais pas comment raconter mon histoire, celle de Papa, New York, Allan. Les difficultés s'annonçaient serrées mais ne me rebutaient pas. Je restais des heures et des heures dans le deux pièces sombre de Bonnie à attendre que le nœud se défasse dans ma tête et que la lumière soit. Des heures et des heures pelotonnée sur un des canapés blancs, pas loin du maya et du yucca, à chercher des mots vrais à écrire sur ma feuille de papier. Des heures à marcher dans les rues en attendant que l'émotion s'affine, se précise, s'incarne dans des mots. Des mots à moi. Pas aux autres. Aux Chateaubriand et compagnie. Ça me coûtait du temps. Des nerfs. De la patience. De l'endurance. Pour m'encourager, je me répétais la phrase de Jules Renard : « Il n'y a pas de génie. Il n'y a que des bœufs qui travaillent dix-huit heures par jour. » J'étais un bœuf qui ruminait dans les rues de New York.

Autour de moi, les gens préparaient Noël. Les badauds se pressaient contre les vitrines des grands magasins sur Fifth Avenue et s'exclamaient en tapant dans leurs moufles devant les chars du Père Noël, les cerfs aux bois poudrés, les petites maisons en pain d'épice, les automates en pourpoint et crinolines grimaçant des sourires... Je me haussais sur la pointe des pieds pour attraper un bout de spectacle mais n'apercevais que le bonnet rouge du Père Noël et quelques cimes enneigées. Sur les trottoirs, austères et obstinés, les chœurs de l'Armée du Salut chantaient des cantiques de Noël qui me foutaient le cafard. Noël, loin de chez soi, c'est pas Noël, je rognonnais enfoncée dans mon duffle-coat, le nez gouttant de froid. Sur la patinoire du Rockefeller Center, au pied du gigantesque sapin illuminé, des couples tournaient en se tenant la main et en riant lorsqu'ils faisaient une chute. Je les détestais d'être main dans la main. Une petite vieille en tutu doré dansait seule, au milieu de la patinoire. Elle se hissait sur des pointes dérisoires et s'alanguissait en révérences maniérées. Tout le monde semblait la connaître. Quelques-uns se fendaient d'applaudissements, d'autres ricanaient et se poussaient du coude en la montrant. Elle, murée dans son rêve, les yeux rutilants de maquillage et vides de vie, s'inclinait en tremblant à la fin de chaque morceau pour recueillir les hommages et les sifflets.

J'étais seule. Et être seule à Noël, ça pèse dix fois plus lourd qu'en temps normal. Il y a même des gens qui ne s'en relèvent pas. Mais je ne voulais pas me laisser abattre. Je voyais toutes les petites familles déambuler avec leur arbre de Noël et leurs mines réjouies. Je n'avais pas de famille. J'achetai un arbre. J'allai jusqu'à la Septième Avenue pour en trouver un, pas trop gros, pas trop petit, avec de vraies aiguilles. Pas en plastique. Mais je ne trouvai pas de taxi qui accepte de nous prendre, mon arbre et moi, et dus le traîner jusqu'à Madison et 72. Quand Bonnie vit l'arbre, elle fronça le nez et le donna à Walter.

Je repris mes marches.

Je marchais avec un petit carnet broché dans ma poche et, dès que surgissait l'idée, le mot précis, je le griffonnais, haletante, radieuse, appuyée contre le mur du métro ou le cul calé sur une chaise de coffee-shop à boire du mauvais café, à grignoter un bagel. La mine triomphante et hilare. Pour un mot. Un tout petit mot... Je vivais avec des mots. Aucun homme ne pouvait me rendre aussi heureuse que l'instant magique où survenait le mot juste. L'émotion juste.

Je me fichais pas mal que ce soit sérieux ou pas, j'écrivais des mots. J'en jetais beaucoup aussi. Il m'arrivait d'écrire pendant toute une matinée, de sortir manger une salade chez Forty Carrots, de retrouver ma copine, la Noire, toujours aussi brutale et inconsciente de l'adoration que je lui portais. Je l'examinais et m'entraînais à la décrire au plus près, à rendre le boudiné de la blouse à fleurettes, l'élasticité des jarrets, la rotation du poignet et, par-dessus tout, le sourire, plein de dents fausses et de bienveillance fabriquée, fatiguée. Je commandais un frozen yoghourt à la banane et l'imaginais dans un trois pièces de Queens avec des lardons porteurs de planches de skate-board et descendeurs de litres de Coca. Je la voyais dans le métro, suspendue aux lanières de cuir, à moitié endormie, tendant un cou de poulet résigné aux soubresauts de la rame, aux bousculades de la foule de six heures, avec ses courses dans deux sachets en plastique accrochés aux poignets. Je devais pas beaucoup me tromper. Je lui souriais. Elle croisait mon sourire mais ne l'interceptait pas. Il allait s'écraser dans le décor où quelqu'un d'autre l'arrêtait et me regardait, étonné. Elle avait pas le temps, ma copine. Le crayon sur l'oreille, dissimulé sous ses cheveux raidis par le brushing, la nuque inclinée vers le client, la jambe prête à cavaler de l'autre côté du comptoir, elle était pas là pour ramasser des sourires mais des pourboires. Fallait que je m'y fasse...

Après, je rentrais chez Bonnie, je relisais et je déchirais tout. « Nul, nul, nul, je criais toute seule face au maya à l'œil torve. Ma pauvre fille ! C'est nul, tout ça. Convenu, fabriqué, sans tripes. Ah ! t'as cru que ce serait facile parce que tu tenais ta première phrase... » La vie m'avait fait un clin d'œil comme une entraîneuse en me balançant gratos mon début et depuis elle me le faisait payer cher. Mais je ne renonçais pas. Je lisais et relisais mes dix premiers feuillets comme une balançoire pour me donner de l'élan et continuer.

Il m'en fallait, de l'élan, pour passer au-dessus des petites contrariétés, des contrariétés de rien du tout mais qui me bloquaient pour toute la journée. Le frigo à remplir à la demande de Bonnie, un appel de France, une lettre à poster, et je m'immobilisais. L'esprit envahi par cette tâche anodine, minuscule, mais qui prenait toute la place. La journée était foutue. Et moi foutue pour la journée...

Quand ce n'était pas Farah Diba, la nouvelle femme de ménage engagée par Bonnie, qui me racontait sa vie pendant des heures. Comment, à cause de l'ayatollah, elle avait quitté Téhéran où elle était prof à l'université pour se retrouver à New York à faire des ménages pour survivre. Elle contemplait ses belles mains d'intellectuelle usées par les détergents et elle pleurait, assise sur l'aspirateur... Les larmes coulaient, mécaniques, de ses grands yeux tristes, et elle se tenait si droite sur son Hoover qu'elle ressemblait à l'impératrice déchue. Je faisais semblant de compatir. J'essayais de la consoler. De lui donner de l'espoir afin qu'on passe à autre chose et que je puisse travailler, mais je ne devais pas être très efficace car, chaque fois, elle recommençait sa litanie. Je ne savais pas comment la faire taire... Je n'osais pas. Pendant ce temps-là, mes mots se barraient. Quand je me rasseyais devant ma machine, l'oreille pleine de ses doléances, j'avais à mon tour envie de pleurer parce que rien ne venait. Je lui en voulais. Je la détestais. Il me prenait des envies de lapidation sommaire, de bastonnade sanglante. Puis je me disais que j'étais un monstre, que ses problèmes étaient autrement plus importants que les miens. Que l'Amérique était remplie de gens comme elle qui se raccrochent à la statue de la Liberté dans l'espoir de se refaire une nouvelle vie. Des gens avec de vrais malheurs. J'étouffais de culpabilité. Je ne savais plus où donner de la tête. Alors je sortais me promener.

Tout était bon pour me distraire.

Une phrase dans le *New York Times* qui mentionnait M. Allan Smith... et mon esprit bifurquait sur Allan, mon ventre se vidait à nouveau, se remplissait du mal d'Allan, de son absence, de son indifférence. J'étais foutue. Foutue. Les mots ne m'arrimaient plus. Je me repliais sur la douleur et restais coite. Paralysée.

Avec Allan aussi ce n'était pas aussi facile que je l'avais cru.

Les gens qui réussissent à s'aimer du premier coup, je me demande comment ils font.

A mon avis, ce doit être bidon.

C'est vraiment dur de se comprendre, de s'ajuster, au début. Chacun plaque sur l'autre son petit rêve misérable de bonheur en espérant que le miracle va prendre. Que les deux rêves ne feront plus qu'un. Ainsi surgissent les malentendus.

On prend un mot pour un autre, un baiser pour un autre, un silence pour une communion. Charlatanisme de contes de fées ! Il n'y a rien de plus dur que les débuts : deux silences qui s'accordent, deux baisers qui veulent dire la même chose ou même deux soupirs à l'unisson. En fait, tout ça part dans toutes les directions mais on se persuade du contraire. On croit qu'on se promène la main dans la main quand on tire à hue et à dia chacun de son côté. Quand, moi, je croyais vivre le début d'une grande aventure, Allan, lui, se voyait pris dans le pétrin d'une liaison pour la vie. Quand il m'embrassait dans la Cadillac, il se payait un bon moment sur fond de musique country alors que moi je dessinais des arbres généalogiques, fondais une dynastie à partir de nos deux prénoms enlacés, choisissais ma résidence principale et les prénoms de nos bébés.

Il fallait donc que je le rassure.

Que je lui fasse comprendre que j'avais largué mon conte de fées et que j'étais prête à affronter la réalité, sa réalité à lui. Je vaquais donc à mes affaires. A mon livre. A mes études. Je me souvins des cours de Nick. J'essayai de retrouver sa trace à la New School. Il n'enseignait plus. Je m'inscrivis donc à Columbia. A des cours de littérature américaine. Je remplaçais une passion par une autre. Cette dernière au moins m'appartenait. Personne ne pouvait me la piquer. Quelquefois, quand je descendais Broadway à pied en revenant de l'université, je m'adressais à Allan. Je l'apostrophais tout haut comme les autres zinzins de la ville. Je lui disais : « Hé ! pauvre pomme, je peux vivre sans toi, tu sais. Bien sûr, ce n'est pas aussi gai que si t'étais là, à mes côtés, et que je te racontais le dernier livre de Ring Lardner que Joe, mon copain de classe, m'a filé. Ça te ferait du bien de lire Ring Lardner au lieu de croupir parmi tes collants et tes stocks de tee-shirts coréens. Ça t'ouvrirait la tête. J'ai plein de choses à

316

t'apporter, moi. D'accord, je suis un peu collante et gnan-gnan quand je tombe en amour et, toi, tu ne vois que ça. Mais donne-moi une chance, une petite chance, et je te prouve le contraire... »

Il devait rudement se méfier, parce qu'il ne m'octroyait pas la moindre chance de repêchage. Il faisait le sourd. Le muet. Bonnie n'organisait plus de dîner de prétendants. Elle vivait en coup de vent et c'est à peine si je l'apercevais le matin au petit déjeuner. J'avais perdu la face à ses yeux. Je n'étais plus très intéressante. Elle recommença à me parler comme si j'étais une sous-développée, tout juste bonne à tenir le crachoir à Farah Diba sur son aspirateur. Et, si elle voyait encore Allan, elle devait éviter de mentionner mon nom. Il fallut très vite que je me rende à l'évidence : si je voulais que nos destins se croisent à nouveau, je devais mettre la main à la pâte.

Un soir, donc, je partis rôder dans son quartier. Je m'étais construit un alibi en béton. Columbia n'était pas loin et je m'en revenais de mes cours lorsque, oh ! divine surprise ! j'avais buté sur lui. Il m'en fallut, des tours et des tours de pâté de maisons, avant que je l'aperçoive. Je me demandai même, à un moment, s'il n'avait pas déménagé. J'avais beau guetter tous les bus M 5 qui déversaient leur flot de passagers, scruter la sortie du métro, détailler les grands bruns que je croisais, aucune trace d'Allan. Je tournai, tournai et tournai encore. Les magasins avaient allumé leurs enseignes au néon, les taxis se faisaient prendre d'assaut, les restaurants finissaient leur premier service... et toujours pas d'Allan à l'horizon. Je remis donc mon expédition au lendemain et pénétrai chez le Coréen à l'angle de sa rue. Achetai des cookies, une salade toute préparée et une bouteille d'eau d'Évian. Me mis dans la queue avec tout le monde. Payai l'homme derrière sa caisse, qui baragouinait l'anglais comme s'il avait débarqué la veille et cachait la méthode Assimil sous le comptoir. Sortis avec mes provisions, empêtrée dans la petite monnaie qu'il m'avait rendue, et l'aperçus. Il venait vers moi. Il ne m'avait pas vue et avançait à grands pas en direction du Coréen, son journal sous le bras. Toujours aussi grand, aussi beau, aussi essentiel à mes yeux. Toujours la même émotion qui me faisait trembler les genoux et perdre tous mes moyens. Je fus prise de panique. Plus très sûre de savoir me retenir, de pouvoir jouer les détachées, de ne pas tout mélanger. Je virevoltai, fis tomber ma salade et ma monnaie, et c'est ainsi qu'il me remarqua. M'interpella plusieurs fois sans que je me retourne. Je détalai. Tête baissée pour ne pas entendre mon nom qu'il criait en pleine rue.

Il dut être surpris car il me courut après, m'attrapa par le bras, me tendit ma salade et m'invita à prendre un café chez Zabar.

— Tu sais, un bon café comme à Paris...

Je bredouillai « Oui » et le suivis.

Ce soir-là, il était libre comme l'air. On prit un café. Puis on alla dîner au café Luxembourg. J'avais l'air fin avec mes emplettes dans mon petit sac à provisions. Je les abandonnai dans les toilettes du restaurant. Il me demanda ce que je devenais. Je lui parlai de Joe et de Ring Lardner. C'est surtout Ring Lardner qui me redonna confiance en moi. Il ne le connaissait pas.

— Vous autres, Américains, vous êtes complètement ignares quand il s'agit de votre littérature. S'il n'y avait pas les petits Français pour mettre le doigt sur Faulkner, Fante ou Miller, vous seriez encore en train de lire la Bible !

Il sourit et ajouta que, heureusement, eux, ils étaient là, pour les écrire, ces livres, parce que la littérature française pour le moment, c'était pas fameux, fameux. Je le laissai dire. Toute la soirée, on parla bouquins. Il avait une théorie sur la littérature française : on était trop éloignés de nos ancêtres, les Gaulois. De la terre, des sangliers sauvages, du houx, des druides, des légendes de fond de bois. On n'avait plus la nostalgie de la nature, et, quand il n'y a plus de rapport avec la nature, l'homme est perdu. Et puis, notre histoire s'embourgeoisait. Plus de drame national comme les guerres de Religion ou la Révolution. Bref, on ne s'agitait plus beaucoup. On écrivait en robe de chambre dans des salons parisiens, la plume sur le nombril. On perdait la vraie vie de vue. Il était au courant. Il lisait *Le Monde* quelquefois et puis il avait été sur place se faire une idée.

— C'est l'avantage des collants, je voyage...

Drôle de type, je me dis. Qui vend du bas de laine, traîne dans les églises romanes et étudie les mœurs littéraires. Difficile à étiqueter. Je me laissai aller à une minute de rêverie, observai ses yeux, son sourire, me sentis ramollir et me repris. Me remis dans la conversation. In extremis.

... Tandis qu'eux, les amerloques, ils ont tout un passé bien frais derrière eux. Avec des histoires de massacres de Sioux et de guerre civile. De culpabilité et de sang. Il vénérait spécialement les Indiens. Il me parla longuement de Técumsé, le dernier grand chef pownie dont j'ignorais tout. Et du massacre de Wounded Knee en 1890. Il ajouta même que s'il avait, un jour, un fils, il l'appellerait Técumsé. Je me retins pour ne pas soupirer de joie et lui proposer de le lui faire sur-le-champ, ce petit garçon au nom si fier. Il m'emmena au Regency revoir *La Splendeur des Amberson*. Je fis bien attention à ce que nos genoux ne se heurtent pas, à ce que ma voix jamais ne minaude, et gardai les coudes collés aux accoudoirs. Je refusai même le pot de pop-corn de peur que nos doigts ne s'effleurent en plongeant à la recherche du grain huileux...

A minuit, je lui tendis la main pour lui dire au revoir. J'ajoutai un petit baratin où je déclarai que c'était très bien comme ça, qu'on devrait rester copains, qu'il y aurait beaucoup moins d'histoires.

— C'est vrai. Je suis bien mieux en copine qu'en petite amie, je lançai avec un grand sourire. Tu vas voir, je peux être une amie remarquable. La prochaine fois, je t'apporterai *Haircut*, le livre de Ring Lardner...

J'étais sincère. Heureuse. J'avais passé une bonne soirée. Il avait l'air heureux aussi. Il proposa de me raccompagner quelques blocks à pied, la nuit était si belle. J'acquiesçai. Nous marchâmes en silence le long du parc puis je regardai ma montre et lui dis qu'il fallait que je rentre. J'allais étendre le bras pour héler un taxi lorsqu'il me retint par la manche de mon manteau, m'attira à lui et m'embrassa. A m'en couper le souffle.

Je m'écarte, surprise. Le regarde, mais il met la main sur mes yeux, me reprend contre lui et murmure :

— Juste pour la nuit, d'accord. Rien d'autre. D'accord ?

Je ferme les yeux contre la paume de sa main et dis Oui. Oui, je m'en fiche. Vas-y pour le plaisir. Je suis d'accord. Intimidée mais d'accord.

Son appartement est immense. Immensément vide. Des murs blancs, des tableaux posés un peu partout à même le sol. Des dossiers. Des livres, des albums d'expos, des disques. Toute la collection de Billie Holiday. Il y flotte encore l'odeur du neuf, l'odeur de la colle, du bois et du parquet qu'on vient de vitrifier. Il n'y a pas de rideau, et une enseigne de néon pour les pellicules Fuji illumine la grande pièce par intermittence. Il jette les clefs sur un meuble, me rattrape dans la grande pièce où je me suis aventurée et me pousse dans sa chambre, jusqu'à son lit, me renverse et s'étend sur moi. Lourd.

Sans un mot, il m'embrasse. Me bâillonne avec sa bouche comme pour m'empêcher de parler. Je ne risque pas de parler. Je suis bien trop étonnée. Bien trop apeurée. Il me déshabille d'une main et me maintient de l'autre sur le lit. Comme si j'allais lui échapper. Il se soulève sur un coude pour défaire son pantalon, le fait glisser le long de ses jambes, fait glisser son caleçon, défait sa chemise et me maintient toujours contre lui. Je ne vois pas ses yeux. J'ai l'impression qu'il évite mon regard. Du désir, rien que du désir, semblent dire tous ses gestes. Il me serre contre lui, m'ouvre les jambes d'un coup sec et dur et me prend. Je suis sa prisonnière. Une prisonnière dont il dispose à son gré. Écrasée contre lui, suspendue à son cou, je me laisse faire. Il pèse sur moi de toutes ses forces. M'écartèle les bras, les jambes, puis se ramasse au-dessus de moi et ne forme plus qu'une boule de désir, une houle frémissante sous laquelle j'ahane. Je perds le souffle. Je me perds. Submergée par une force qui m'emporte, me dépossède, me donne envie de m'offrir, de tout donner de moi. Mais je me reprends : du désir, rien que du désir, rien que du désir.

Il est loin, si loin...

J'ose à peine le caresser du doigt de peur de l'effaroucher. Qu'il voie là un signe de possession. Je me retiens et m'accroche à son cou de plus belle pour surtout pas me laisser aller à un geste personnalisé de tendresse. J'oublie qui il est. J'oublie qu'il est cet homme que j'attends depuis si longtemps. Cet homme qui me fait trembler chaque fois qu'il sonne à ma porte.

Je baise avec un inconnu.

Il me mord, me pétrit de ses doigts longs et forts, je me tords, je l'agrippe, je refuse de crier, les dents serrées et les doigts enfoncés dans son dos. En silence. Il plaque son corps si fort contre le mien que je suis projetée contre la tête du lit, puis ses mains s'arriment aux barreaux et il m'immobilise sur le matelas à m'en faire mal. Ses hanches me meurtrissent, ses coudes se fichent dans mes bras, sa poitrine râpe mes seins. Comme s'il voulait m'effacer de la terre. Je le laisse faire, étonnée par tant de violence contenue. Et quand, dans un ultime arc-boutement, il laisse échapper un râle et retombe à mes côtés, je me dis que la guerre, pour ce soir, est finie... que j'ai marqué un point même si tout son corps se refuse et refuse brutalement de me faire de la place.

Et quand, après, il me demande d'aller dormir dans la chambre à côté, je ne dis rien non plus. Je ramasse mes affaires et vais dormir à côté.

Notre première nuit.

Il y en eut d'autres. Toujours aussi brutales. Toujours aussi muettes. Et toujours je ramassais mes affaires et rentrais dormir chez Bonnie.

Sans rien dire.

Je marchais quelques minutes, seule dans la nuit new-yorkaise, curieusement légère et gaie. Avec le sentiment que j'avais ouvert une faille dans la forteresse et que la faille s'élargissait. Confiante, sereine. J'avais tout mon temps. Ce qui le contrariait, je crois, c'était que je ne reste pas finir la nuit chez lui, dans la chambre d'à côté. Il maugréait dans son demi-sommeil qu'il n'aimait pas me savoir seule dans les rues si tard. « Ce n'est pas ton problème, c'est le mien », je lui murmurais doucement, la bouche contre son oreille, avant de fermer la porte.

Je savais que ça allait vite devenir le sien, que, peu à peu, je creusais ma place à ses côtés, qu'il allait penser à moi, dans les rues la nuit, hélant un taxi, risquant de faire une mauvaise rencontre. Il ne me déplaisait pas qu'il se fasse du souci. Je jouais sur le vieux sentiment de culpabilité de l'homme anglo-saxon blanc et bien élevé.

On se voyait de plus en plus. Il me parlait de plus en plus. Mais je n'en tirais pas avantage. Au contraire. J'écoutais et ne commentais pas. Je l'apprivoisais. Je voulais qu'il comprenne qu'il pouvait me faire confiance. Je n'étais pas une ennemie. Je connaissais trop la peur de l'homme blanc envers la femme blanche. La peur viscérale de l'homme américain. « Tough cookies », c'est comme ça qu'ils appellent les femmes quand ils sont entre eux, tard dans les bars, la nuit, et qu'ils murmurent leurs défaites. Cette peur qui les transforme en fugueurs, une fois leur affaire faite.

Aussi, le jour où, négligemment, il me jeta un double de son trousseau de clefs et me proposa de venir vivre chez lui...

— Mais attention, en copine, parce que tu seras mieux chez moi que chez Bonnie pour écrire, et puis tu es plus près de Columbia, mais ça ne change rien entre nous, d'accord ?

J'opinai de la tête. J'étais toujours d'accord. Je transportai mes petites affaires, ma machine à écrire, mes bandes de Glenn Gould. Je fis bien attention à ne pas prendre trop de place, mais continuai mon siège, patiente et obstinée, l'humeur toujours égale. Même quand ses autres petites amies téléphonaient et que je décrochais. Je prenais le message, promettais qu'il rappellerait d'une voix presque amicale. On vivait dans le même appartement mais on ne vivait pas ensemble.

— I don't want to be involved, me répétait-il à la fin de chaque nouvelle confidence. L'amour, c'est une histoire de femmes pour vous couper les couilles. Au début, elles vous aiment parce que vous êtes un homme, un vrai, et après elles vous reprochent d'être un infect mâle. Je ne comprends rien aux femmes...

Il y avait cru, deux fois au moins, et chaque fois il s'était retrouvé fait.

— Comme un rat. Elles t'aiment pour ce que tu es et, très

323

vite, elles te haïssent pour ce que tu es. Et toi tu ne comprends rien. Tu es toujours le même et elles te détestent. Et si tu cherches à comprendre tu es encore plus foutu parce que, alors, elles te méprisent.

J'écoutais.

J'écoutais et je n'étais pas loin de me retrouver dans ces femmes-là. Combien de fois, moi aussi, avais-je supplié un homme de m'aimer pour ensuite le rejeter parce que, justement, il m'aimait ?

Combien de fois avais-je abandonné un homme pour les raisons précises pour lesquelles je l'avais adoré ? Un homme meurtri qui ne comprenait pas, qui ne pouvait pas comprendre puisque, moi non plus, je ne comprenais pas. C'est cela que je voulais éclaircir. Cette haine soudaine de l'homme que j'avais séduit et à qui je reprochais justement tout ce qui m'avait séduit en lui. Cette haine viscérale qui me retournait les boyaux et me laissait pantelante, vomissante presque, me haïssant moi avec lui.

Écœurée. Fatiguée.

Je l'écoutais parler de ces femmes qu'il avait aimées et je frissonnais. Qu'avions-nous donc en commun pour nous conduire ainsi ?

On ne se donnait jamais rendez-vous. Certains soirs, il rentrait. D'autres, il ne rentrait pas. Certains soirs, on dormait ensemble, d'autres, j'entendais le bruit des clefs dans la serrure, ses pas dans le couloir, la chute des clefs sur la commode de l'entrée, puis le tintement de la monnaie qu'il vidait de ses poches pour la poser sur sa table de nuit, et enfin le choc de ses chaussures sur le parquet. Ensuite il devait s'allonger sur son lit, finir de lire son journal car il se passait un moment avant que s'ébranlent les tuyauteries de la salle de bains. Quelquefois, ses pas allaient jusqu'à la cuisine. Il devait se servir un scotch, j'entendais tintinnabuler les glaçons dans le verre. Il allumait la chaîne et la voix sourde de Billie Holiday déchirait la nuit. « The difficult I do it right now, the impossible will take a little while. » Je frissonnais et prenais ces paroles pour moi. Le difficile, c'était maintenant : ne pas courir me blottir contre lui, ne pas réclamer tout de suite de l'amour. Tous les deux seuls dans la nuit, séparés par une si mince cloison...

Et l'impossible...

L'impossible, c'était tout le reste. Pouvoir l'aimer sans le détruire, sans le torturer. C'était apprendre à aimer. Et ça, c'était sûr, ça prendrait du temps.

Je restais dans mon queen size bed, les mains nouées sur le ventre, les genoux remontés contre le menton, enroulée sur mon envie de lui, brûlant d'envie d'aller le retrouver et de lui murmurer, juste avant qu'il s'endorme : « N'aie pas peur. Je t'aime et je ne te ferai pas de mal. » Mais j'en étais pas sûre.

Les filles continuaient de téléphoner, mégères déguisées en mendiantes. Sauf Maria Cruz. Jamais je ne reconnus sa voix à l'autre bout du fil. Je répondais. Délicieuse et précise. Je prenais les messages, marquais les numéros de téléphone, notais les doléances de celle qu'il avait oubliée après un week-end ou d'une autre qui rappelait pour la troisième fois et n'obtenait pas de réponse. Je sentais bien que je les énervais. Elles se demandaient ce que je faisais là et combien de temps je resterais. Combien de temps je supporterais leurs intrusions. Elles attendaient que je craque, que je lui fasse une scène. J'avais décidé de ne pas craquer.

C'était sa vie. A lui de décider.

Même Bonnie s'étonnait de ma résistance et voulut en avoir le cœur net. Elle appela un soir et proposa qu'on se retrouve plus tard à un vernissage downtown. Un de ces peintres inconnus la veille et célèbres le lendemain qui éclatent des télés barbouillées de ketchup et les exposent sous toutes leurs faces. Des files de télés bousillées et maculées devant lesquelles les critiques se recueillent pour en deviner le message.

Bonnie avait encore maigri et elle en était fière : « J'arrête pas de me lever en réunion pour leur montrer ma nouvelle ligne, m'annonça-t-elle triomphalement. Ce que je peux être bête ! » Je ris avec elle. Je vis dans son œil que j'étais remontée dans son estime, qu'elle me considérait à nouveau comme une copine. Une égale. Allan avait dû parler de moi.

S'il parle de moi, je me dis, c'est que je le préoccupe...

Ça me rassurait.

Parce qu'il y avait aussi des moments où je doutais de moi. De la fille formidable que j'allais devenir. J'avais l'impression de tourner autour de lui fermé comme un coffre-fort. Et alors me revenait ma vieille peur de l'abandon.

Un soir, alors que nous dînions chez Raoul's, que, échauffés par une bonne bouteille de bordeaux, nous nous laissions aller, que j'avais posé ma main sur la sienne que très doucement je caressais, geste ô combien plus téméraire que le fait de coucher avec lui un soir sur deux, il me dit qu'il a un service à me demander. Mon cœur ne fait qu'un bond. Je me porte garante de tous les services à lui rendre. Je vais lui prouver que je suis là en cas de coup dur, que je l'aime assez pour être toujours à ses côtés et que pour moi rien n'est impossible. Je ne lui dis pas tout ça, mais c'est ce que je pense en effleurant avec tendresse les phalanges de sa main gauche posée sur la nappe à carreaux. Il veut une preuve que je l'aime vraiment, pour de bon, plus que tout au monde y compris moi-même ? Je suis prête.

— Voilà. J'ai une copine, tu sais, celle qui habite à Boston... Celle que je vois irrégulièrement parce qu'elle est mariée...

— Oui, oui. Priscilla... La grande blonde très jolie...

Très jolie Priscilla. Un jour où il rangeait de vieux albums, il m'avait montré une photo d'elle. Elle ne me fait pas peur : elle habite Boston, est mariée et mère de trois enfants.

— Oui, Priscilla. On s'est revus récemment et... elle a décidé de divorcer et... enfin, elle va venir passer une semaine à New York pour le jour de l'an et j'aimerais mieux que tu ne sois pas là parce que, tu comprends...

J'ai compris. Je suis KO. A bout de souffle, mais j'ai compris. J'ai failli m'arrêter net de lui caresser la main, mais je me suis dit que je me trahirais. Alors je continue, je me force à garder une pression douce et amicale de mes doigts sur le dos de sa main et j'ajoute d'une voix tout aussi amicale et douce que ce n'est pas un problème, j'irai m'installer chez Bonnie.

Ou ailleurs. Histoire qu'il se demande où, justement.

Je dois si bien masquer ma déception et ma douleur qu'il s'enhardit et se met à me parler de Priscilla. Ils ont passé un week-end délicieux juste avant qu'il me rencontre chez Bonnie Mailer et ont décidé de laisser passer trois mois avant de se revoir. Trois mois pour vérifier que leur passion tient bon. Et manifestement elle a tenu bon car elle a rappelé et lui a annoncé qu'elle venait à New York commencer la nouvelle année à ses côtés.

— C'était vraiment merveilleux, ce week-end, tu sais... C'est une fille exceptionnelle. Je connais sa maison, son mari, ses enfants, et c'est tout ce que j'aime. Tout ce dont j'ai besoin. Elle travaille, en plus, elle est indépendante. Elle est sortie première du conservatoire de musique de...

Je n'écoute plus. Je fais semblant. La vieille douleur que je connais bien vient de se réveiller au creux de moi. Plus de goût à rien. Je hoche la tête et intérieurement je compte 4, 5, 6, 7, 8, 9 pour ne pas hurler et ruiner tous mes efforts des semaines passées. Tout entière repliée sur moi en attendant que ça passe. J'ai l'habitude, je sais que ça va passer.

J'attends, recroquevillée. Coupée du monde extérieur, sourde et aveugle aux autres. A lui d'abord, aux bruits d'assiettes, aux serveurs qui courent d'une table à l'autre les pommettes rouges et le front perlant de sueur. Je les regarde et m'étonne qu'ils continuent à s'agiter de la sorte quand tout en moi s'est figé. C'est ça alors, l'amour ? Un éternel recommencement. Toujours la vieille douleur qui n'attend qu'un signe pour se déplier et me ronger les entrailles. La peur, la douleur et la rage. La rage d'être impuissante et de subir encore. Pourquoi ? Mais pourquoi ? C'est toujours pareil, même quand je décide de changer de conduite, de m'en sortir... C'est alors que j'entends tonner la démone. Ah ! elle s'en paye une tranche, celle-là. Elle se régale. Se bidonne. Se fout de mes efforts pour devenir une fille formidable. « Ce n'est pas pour toi, cette vie-là. Je te l'ai déjà dit cent fois, t'es pas faite pour un seul homme. T'es faite pour le désir qui traîne partout, qui te prend à la gorge et te rend chienne... Arrête de te raconter des histoires. Regarde ce que tu fais depuis des semaines pour lui plaire. Tu vis comme une nonne. Tu repousses toutes les occases de plaisir. Et le résultat ! Il est beau, le résultat ! Retour à la case départ. Tu te fais coiffer au poteau par une bourgeoise prof de trombone flanquée de trois mômes ! Ha ! ha ! ha ! c'est bien fait pour toi, ma vieille. Tu crois qu'on peut changer comme ça parce qu'on a décidé et tu te retrouves marron. Marron ! Et cocue ! »

Je me bouche les oreilles et continue à compter pour ne pas me trahir, pleurer, crier qu'il me regarde, que je l'aime, moi, pourquoi il ne veut pas de moi ? C'est pas juste !

— ... avec son mari, ils vivent séparés depuis un moment déjà et elle est arrivée à lui faire comprendre qu'il faut qu'ils se séparent pour de bon...

23, 24, 25, 26, elle me bat sur le fil cette abrutie de Priscilla avec son cornet à piston, ses trois enfants et son intérieur qui sent bon le pecan pie, l'encaustique et les petits rideaux à fleurs. 27, 28, 29, 30, 31, 32, 33, je m'en fiche. Je vais m'envoyer en l'air et plus jamais, plus jamais je laisserai tout tomber pour devenir la fille formidable d'un seul homme. 34, 35, 36, 37, 38, 39, mais qu'est-ce qui m'a pris d'agir de la sorte !

La sauce de la blanquette maison se fige dans mon assiette en une gelée blanchâtre. Je bois verre sur verre pour me faire tourner la tête et endormir la douleur dans le ventre. Je ne suis plus rien. Finita. Balayée en quelques phrases. Remise à zéro. Je réussis cependant à sauver la face. J'abandonne le massage de ses phalanges pour une cigarette. Alibi parfait. Prétexte m'être goinfrée de sucreries l'après-midi pour ne pas finir mon assiette et accélère le repas afin de me retrouver en paix dans mon lit et pleurer tout mon saoul.

Je ne m'en prive pas. Je pleure, pleure à en tordre les draps. En silence, les doigts dans la bouche, recroquevillée tout près de lui, séparée par une mince cloison du lit où il repose, béat, ravi d'avoir trouvé une amie si sympa qui lui sert à la fois de maîtresse, de confidente et de psy pour le même prix. Je me mets même à faire le décompte de tous les petits plats que je lui ai cuisinés, des livres d'art que je lui ai achetés chez Rizzoli, des cachemires de chez Brooks, des disques de chez Sam Goody, et je m'endors en comptant les sommes folles que j'ai investies.

Le lendemain, après qu'il fut parti pour son bureau, je me suis levée, les yeux rouges et gonflés — « On ne doit pas pleurer après trente ans, les tissus sont foutus », répétait Bonnie Mailer — et j'ai fait mes bagages.

Direction Forsythe Street, chez Rita la voyante.

Elle était en train de faire les cartes à une starlette désespérée que son mec faisait chanter en menaçant de vendre au *New*

York Post tout un jeu de photos porno qu'elle a faites à ses débuts, quand elle crevait la faim. Or, elle vient tout juste de signer un contrat mirifique avec Walt Disney Production. Rita essayait de l'apaiser en lui parlant de Dieu et du neuf de pique qui, oiseau de malheur, n'apparaît pas une seule fois dans son jeu.

— Il n'ira pas jusqu'au bout, je vous assure. Je ne vois aucun obstacle à votre carrière. Aucun. C'est une menace, rien de plus. Dieu vous protège. Priez-vous Dieu de temps en temps ?

La starlette renifle que non et tente de récupérer le verre de contact qui est tombé dans son mouchoir. Elle n'a pas le temps. Elle court les auditions, Broadway, les publicités, les photos de mode. Comment pourrait-elle, en plus, trouver le temps pour Dieu ? Et merde, où est passé ce foutu verre de contact ? Au prix que ça coûte !

— Dieu est partout... Et, si vous y pensiez davantage, vous ne vous mettriez pas dans de telles situations.

La starlette promet à Rita de Lui consacrer plus de temps à condition que les photos ne paraissent pas. « Et que je retrouve ce foutu verre », je l'entends marmonner les yeux rivés au carré de mouchoir blanc. Rita l'arrête tout de suite et lui dit que ces marchés-là ne prennent pas avec Dieu. Ce n'est pas un tiède, Lui là-haut. C'est tout ou rien. La starlette bougonne, tripotant les boutons de son manteau de viscose rose avec des petits mickeys imprimés.

— De toute façon, vous êtes protégée...

— Par Dieu ?

— Non. Par un homme âgé.

— C'est mon papa, affirme-t-elle dans un large sourire confiant.

La manière dont elle dit « mon papa » me fait fondre en larmes et agonir le ciel d'insultes. Qu'est-ce qu'il fout, mon papa, là-haut ? Pourquoi il me protège pas, lui ? Toute sa vie, il m'a laissée tomber et, aujourd'hui qu'il est pote avec l'Escroc, il n'en profite même pas pour se rattraper !

Je vais sangloter derrière le rideau qui sépare la vie professionnelle de la vie privée de Rita, ouvre le freezer et sors une glace. Rita me trouve le nez dans le carton glacé en train de pleurer à gros bouillons.

— Ça y est. Tu recommences. Qu'est-ce qui s'est passé cette fois-ci ?

— Allan a une fiancée, une sérieuse qui joue de la clarinette... Il veut l'épouser et adopter ses trois enfants. C'est foutu. Foutu !

Rita hausse les épaules.

— Mais puisque je t'ai vu un grand bonheur. Sois patiente. Laisse-le venir à toi. Vous êtes toutes les mêmes, pressées comme des fusées !

— Mais c'est Allan que je veux ! Pas un autre !

— On dirait une petite fille de quatre ans... Mouche ton nez.

— Et ta glace est dégueulasse ! Elle est salée !

— C'est pas ma glace qui est salée, c'est toi qui arrêtes pas de chialer dedans !

Je me suis installée à Forsythe Street, chez Rita. J'écoutais ses clients raconter leur vie derrière le rideau tiré. J'en ai appris de belles. Des tombereaux de merde qu'ils venaient déverser chez Rita, les clients ! Je comprenais qu'elle se réfugie au pied de sa Vierge en plastique. Que des histoires de cul, de blé, de vengeance, d'œil pour œil dent pour dent. Des patrons qui traficotent dans les caisses, se shootent à la cocaïne, ont peur de se faire prendre le nez dans la poudre, la main dans les comptes. Des femmes qui trompent leur mari, veulent divorcer mais réclament une pension alimentaire juteuse pour entretenir l'amant oisif et désargenté. Des enfants qui poussent leurs vieux à signer des testaments iniques avant de les enfermer dans des pensions miteuses. Des vieilles maîtresses abandonnées qui concoctent des vengeances terribles à base de cheveux coupés à la pleine lune et de vitriol. J'en avais la nausée derrière mon rideau mais je restais à les écouter, fascinée par les torrents de vilenies qui dévalaient dans la boutique de Rita la voyante.

Rita sortait de ses séances désemparée. Découragée. Épuisée. Elle s'étendait sur son divan et battait l'air de son éventail chinois décoré de paons aux queues irisées. Je lui cuisinais des gratins dauphinois — elle n'aimait que ce qui était consistant —, des mousses au chocolat, des gnocchis, des poulets fermiers que j'allais chercher sur la Première Avenue et la Cinquantième Rue, chez un boucher nommé Fritz qui fournit les meilleures volailles de la ville. C'était son plat favori. Avec des petites pommes de terre rissolées dans le jus du poulet. Elle s'en léchait les doigts longtemps après. Je m'activais aux fourneaux pour ne pas entendre la démone qui n'arrêtait pas de me relancer. De me pousser à sortir de la boutique le soir pour aller traîner au Palladium ou au Bottom Line ou au Wine Bar. N'importe où pour faire des rencontres, me susurrait-elle à l'oreille. Des rencontres avec de beaux mâles qui ne demandent que ça...

Entre la démone qui me tarabustait et la guimauve qui s'échinait aux fourneaux en sanglotant, j'avais du mal à ne pas perdre de vue la fille formidable que je m'étais promis d'être.

Pourtant je tenais bon.

Je me disais que, si ce n'était pas pour Allan, je serais une fille formidable pour un autre. Si je calais au premier obstacle, je ne pourrais plus me regarder en face. « The difficult I do it right now, the impossible will take a little while. »

Rita m'encourageait en me faisant des jeux qui, tous, annonçaient l'arrivée d'un homme et le triomphe de l'amour. Je n'avais donc plus qu'à attendre.

En cuisinant. En reprenant mes dix feuillets.

La recherche du mot juste.

Mes cours à Columbia.

Nous avons passé le réveillon de Noël, Rita et moi, en tête à tête. Un poulet de Noël avec des pommes de terre rissolées façon Noël. C'était pas très gai. Et celui du nouvel an devant la télé. 6, 5, 4, 3, 2, 1... s'époumonait le présentateur : une nouvelle année commençait. HAPPY NEW YEAR ! Rita me sauta dessus et me promit une hotte de bonnes choses. Je pensais à Allan et à sa cymbaliste. A leur réveillon... Happy New Year klaxonnaient les voitures dans la rue. Les gens s'embrassaient. Se congratulaient. Une mauvaise année était passée. Vive la prochaine ! Et ils chantaient « ce n'est qu'un au revoir... » en s'attrapant le cou à travers les vitres baissées des voitures. Rita entonna aussitôt la ritournelle. Je lui répondis en français. Je ne connaissais pas les paroles en anglais. Je chantai en pensant à Papa, à son dernier réveillon avec des huîtres, du sauternes, du champagne et un gros cigare... Je me fis un petit plaisir et versai encore quelques larmes, histoire de ne pas perdre cette délicieuse habitude qui me tenait bien chaud. Je n'en finissais plus d'être triste et mal et désespérée.

Un soir, pourtant...

Joe, celui qui m'avait fait lire Ring Lardner, m'invita à aller écouter Dizzy Gillepsie dans une boîte en bas de la ville. Au Seventh Avenue South. Une boîte clean, dans le genre jazz branché. On but des vodkas-tonic toute la soirée. Il me parla littérature, grandes espérances et petits profits. Je me dis que c'était peut-être lui, l'Homme que j'attendais. A tout hasard, j'avais mis mon chemisier vert. J'en avais marre d'être seule. Tellement marre. Je voulais juste pouvoir partager avec quelqu'un. Oh ! n'importe quoi : un programme de télé niais ou un poulet fermier !

Je posai la tête sur son épaule et je fermai les yeux.

Je les rouvris chez lui. Il mit un disque de Gillepsie. Je remis ma tête sur son épaule. Lui abandonnai mes mains, ma bouche, mes seins, mes jambes. Ça m'était égal. Je voulais juste qu'on m'aime. Je pensai à Allan qui devait s'envoyer en l'air avec sa contrebassiste. Je laissai Joe m'entraîner dans sa chambre, s'allonger sur moi, me dévorer avec passion.

Je n'étais pas là.

La démone s'arrachait les tifs. Elle me rabâchait à l'oreille de me bouger un peu, d'y mettre de l'entrain. Que ce n'est pas comme ça que j'y arriverai... J'arriverai à quoi ? je lui demandai pendant que Joe attaquait le sein gauche. Je n'arrive à rien, tu vois bien... Ma vie est un gâchis épouvantable dès qu'il s'agit des hommes.

Au petit matin, je repoussai Joe qui dormait sur moi, en travers du lit. Je récupérai à tâtons mes chaussettes, ma mini-jupe et mon duffle-coat. Effaçai d'un bout de drap le rimmel qui avait coulé. Je pris un taxi et me faufilai dans mon lit avant que Rita se réveille.

J'avais tout faux. C'est le dernier truc que je me suis dit avant de plonger dans le sommeil. Et puis si... je décidai de rentrer à Paris. De retrouver mon appart, mes copains, Kid le chien, les a-na-ly-ses de Pimpin, Toto et sa verrue. Eux, au moins, ils m'aiment, je les aime, et c'est bien plus intéressant que d'errer dans cette ville de tarés où les gens ont peur de l'amour.

Le lendemain, Allan appelait. Il me cherchait partout depuis deux jours. Bonnie avait fini par lui dire d'aller faire un tour chez Rita. Il avait trouvé son numéro dans les pages jaunes de l'annuaire. Il voulait me voir de toute urgence. Qu'est-ce que je faisais dans la demi-heure qui suivait ? Rien, j'ai dit. Alors j'arrive, il a dit.

Nous nous sommes mariés un mois plus tard. Ça s'est passé tout naturellement. Un soir, Allan est rentré avec un gros bouquet de fleurs, des roses blanches avec le bord des pétales tout mordoré. Il a mis un genou à terre et il m'a demandé : « Veux-tu m'épouser ? » J'ai pas réfléchi une seconde : j'ai répondu « Oui ».

Oui pour me marier.

Oui pour épouser un crétin d'Américain.

Oui pour dire « Oui » le plus longtemps possible au même homme, au même lit.

Oui pour tout.

J'étais émerveillée.

Il a trouvé que je disais « Oui » trop vite, que je devrais réfléchir. Peut-être allais-je m'ennuyer avec lui ? Après tout, il n'était qu'un vendeur de collants et de tee-shirts, américain de surcroît, vieux garçon, un fou de base-ball... Est-ce que je connais quelque chose au base-ball ? Et puis il n'aime pas Glenn Gould et moi je l'écoute tout le temps...

— Pourquoi ? tu n'aimes pas Glenn Gould ? j'ai demandé, ébahie.

C'était certainement la première fois que je rencontrais quelqu'un qui ne se pâmait pas devant le célèbre pianiste et sa chaise trouée.

— Je n'aime pas sa façon de jouer. Trop sèche, trop

métallique, et puis il s'approprie la musique. Il m'empêche de rêver...

— Mais alors... tout le temps où je l'écoutais et que tu ne disais rien... ?

Tout le temps où je me tenais à carreau pour ne pas être trop envahissante, je l'irritais avec Glenn Gould, mais il ne disait rien parce que...

Il m'aimait. Il m'aimait mais il ne le savait pas.

Je n'en revenais pas.

C'était comme si un rêve se réalisait.

Il m'aimait et me demandait de l'épouser.

J'avais un drôle de sentiment. Comme si j'avais bouclé la boucle. C'était mystérieux mais c'était ça : j'avais bouclé la boucle.

On s'est mariés à la va-vite.

Au City Hall, tout en bas de la ville dans le quartier des affaires. On a rempli une fiche avec les noms et prénoms de nos pères et mères, notre adresse, notre profession, nos mariages et nos divorces précédents. Ça, c'était le plus facile. C'était la première fois pour nous deux. Autour de nous, il y avait d'autres couples, des Noirs, des Portoricains, des Mexicains, des Asiatiques qui n'arrivaient pas à écrire les mots anglais dans les cases des formulaires. On les a aidés en se regardant par-dessus nos Bic pendant qu'on inscrivait les noms et prénoms d'Aranjuez, d'Ho Chin ou de Baranga. On avait du trop-plein de bonheur. Il fallait qu'on partage.

Puis on a fait la queue et on est arrivés devant une dame planquée derrière un guichet avec une grille. C'était l'heure du déjeuner. D'une main elle tenait un énorme hamburger, de l'autre elle a pris nos fiches et machinalement nous a demandé de jurer que c'était la vérité :

— Levez la main et dites : « Je le jure. »

On a juré. Elle a lâché son hamburger, s'est essuyé la main

sur sa blouse et a ajouté en avalant une gorgée de Diet Coke :
— Dix dollars.
Allan a donné dix dollars et on est repartis chercher un juge.
Pour entériner notre union. Le chauffeur de taxi a dit que
c'était pas pressé, qu'on avait dix jours pour régulariser,
qu'on ferait mieux de réfléchir. « C'est tout réfléchi », on lui
a dit en se tenant la main très fort. Il a haussé les épaules et
nous a ramenés chez nous en ajoutant qu'on était bien bêtes,
que le mariage, c'était un truc à se gâcher la vie, qu'il en
savait quelque chose et qu'on ferait mieux de l'écouter.
Allan a trouvé le nom d'un juge dans l'annuaire. Le juge
Charette, d'origine française. De Vendée. Mais il y avait très
longtemps qu'il n'était plus français, quatre ou cinq généra-
tions au moins, et il prononçait son nom « Charretz ». On a
convenu de se retrouver le lendemain dans l'appartement
d'Allan. « Avec vos témoins », a spécifié le juge juste avant
de raccrocher.
Le lendemain, je portais mon chemisier vert et une mini-jupe
blanche. Allan arborait une cravate pour faire sérieux et
s'était peigné les cheveux bien soigneusement sur les côtés.
Rita était mon témoin et Bonnie Mailer celui d'Allan. Parce
que, après tout, c'est grâce à elle qu'on s'était rencontrés.
Le juge a enlevé son manteau et a demandé s'il pouvait
utiliser les toilettes. Après, il est revenu, nous a demandé de
nous tenir très droits au milieu de la pièce avec chacun notre
témoin, il a ouvert un vieux livre et s'est mis à réciter des
phrases en vieil anglais à toute allure. J'ai dit : « I do » sans
savoir à quoi au juste. Mais je m'en fichais. Je regardais
Allan, très sérieux, qui disait aussi : « I do », et je ne m'en
faisais pas. Après le juge a marqué une pause : il attendait
qu'on échange les alliances. On n'avait pas pensé aux
alliances. Le juge a haussé les épaules et a repris son petit
discours.

Dans le grand salon vide, on avait disposé du champagne de France, des sandwiches sur une table basse et Billie Holiday sur le tourne-disques. Après que le juge eut fini son baratin, on a bu le champagne, on a porté des toasts à notre bonheur et tout le toutim, on a mangé les sandwiches. On a parlé de la Vendée même si le juge ne se souvenait plus où c'était exactement. Il cherchait des mots de français à dire pour me faire plaisir mais il n'y réussissait pas et souriait bêtement en faisant des blancs dans la conversation. J'ai téléphoné à Toto, à Pimpin. Toto a dit « Bravo » et a demandé quand il verrait la tronche de mon mari. Ça m'a fait drôle d'entendre parler de mon « mari », et j'ai cherché du regard dans la pièce quelqu'un qui réponde au signalement... Pimpin a réfléchi un long moment puis elle a dit : « Attends, je vais te lire une phrase que je viens de trouver dans un livre et qui te va comme un gant. » Elle a posé le combiné et est revenue plus tard en me lisant une citation d'un dénommé Onetti qui disait que « rien de ce qui est important ne peut être pensé ». C'est tout ce que j'ai retenu. Le reste était trop compliqué. Et j'avais pas la tête à ça. Elle a ajouté qu'elle m'enverrait la phrase complète par télégramme à condition que la crétine des PTT ne déforme pas la pensée d'Onetti, écrivain argentin. Allan a appelé sa famille dans le Wyoming. Enfin, ce qu'il en restait, parce qu'elle était éparpillée un peu partout. Tout le monde nous a félicités.

Rita m'a offert un nécessaire de femme d'intérieur avec plumeau, gants ouatinés pour sortir les plats du four, une poire à jus pour arroser le poulet et des cuillères spéciales pour découper les pamplemousses, des petites cuillères dentelées au bout. Bonnie nous a demandé où on partait en voyage de noces. Allan a ri : il n'avait pas pensé au voyage de noces. Rita a maugréé : un mariage sans alliances ni voyage de noces, c'était pas un mariage sérieux. Le juge a répondu

340

qu'il était bien de son avis. Et puis il a roté, très poliment derrière sa main, a posé son verre, nous a serré la main et est sorti droit comme un homme de loi. J'ai demandé à Allan si c'était gratuit, la cérémonie. Il a répondu que oui mais il avait quand même fait un chèque pour la chorale du quartier et un autre pour les pompiers. C'était la coutume. Au bout d'un moment, nos invités sont partis et on s'est retrouvés tous les deux. J'avais envie qu'on aille se coucher tout de suite mais Allan a dit pas question. Il avait une idée derrière la tête.

On a pris un taxi. Pour pouvoir s'embrasser tout le temps du trajet. Le taxi a remonté Park Avenue, a tourné sur la Cinquième Avenue et s'est garé à l'angle de la Cinquante-Septième Rue. Juste à côté de Tiffany. J'ai aussitôt pensé à Truman Capote et à Audrey Hepburn. Pendant qu'Allan payait, le chauffeur a dit qu'il aimait bien prendre des jeunes mariés parce que chaque fois il recevait un bon pourboire.

Allan lui a donné un bon pourboire, et on est descendus. Je ne le lâchai pas d'une semelle. J'avais peur tout à coup de le perdre. Je repensais au *New York Post* et à tous ces zinzins qui traînent dans les rues, un revolver dans la poche, prêts à flinguer le premier couple irradiant de bonheur qu'ils rencontrent. On va nous descendre, je me disais, on irradie trop de bonheur.

C'est trop beau, tout ça.

C'est comme un rêve, et les rêves, c'est pas fait pour durer. On se réveille un jour et le réveil est cruel. A tous les coups, on va nous descendre, et, hop ! on se retrouve à la une du *New York Post*. « Stabbed in full honey moon. » Ou un titre comme ça.

Je me suis mise à dévisager tous les zinzins autour de nous. Et Dieu sait qu'il y en a, en liberté dans les rues de New York ! Je me suis fait une raison, je me suis dit que j'avais eu

341

au moins un mois de bonheur et que, ça, c'était pas négligeable.

Depuis le coup de fil d'Allan chez Rita, je nageais dans le bonheur. Je ne touchais plus terre. Je me pinçonnais les bras pour me prouver que je ne rêvais pas.

Il était accouru une demi-heure après avoir raccroché. M'avait serrée dans ses bras à m'étouffer, sous le regard attendri de Rita qui remerciait la Sainte Vierge, les doigts croisés, les yeux au ciel, dévidant toutes les prières qu'elle connaissait. Il me serrait, il me serrait, il me demandait de ne plus jamais repartir. Avec la pianiste, ç'avait été horrible. Dès qu'il l'avait aperçue à La Guardia, il s'était demandé ce qu'elle était venue faire là et pourquoi il avait accepté. Il ne savait plus comment lui faire comprendre qu'il fallait qu'elle décanille, qu'il ne pouvait plus la supporter dans ces murs où j'avais laissé mon odeur, mon dentifrice, une chaussette dépareillée et tous les beaux livres d'art qu'il n'arrêtait pas de feuilleter en marmonnant que j'étais une fille formidable. Priscilla avait déjà tout décidé : son divorce, leur installation, son emménagement à New York avec les trois enfants. Les trois enfants ! Son mari ne ferait aucune difficulté. Il attendrait un an avant de divorcer afin de vérifier que la romance de sa femme tenait le coup. Puis, au bout d'un an, ils se sépareraient, après avoir convenu d'une pension alimentaire décente. Il ne restait plus qu'à trouver une bonne école pour les trois enfants. Les trois enfants ! Une école ! Le mari au courant ! Allan ne savait plus où donner de la tête. Il avait prétexté une rage de dents pour dormir à côté, dans MON lit où les draps n'avaient pas été changés. Dans mon odeur.

Mon odeur... Il avait tourné et retourné dans le lit, battant les draps à la recherche de mon corps, étreignant l'oreiller, se traitant d'abruti, d'imbécile, de plus grand crétin que l'Amérique ait produit, d'aveugle bâté, de niais en pied, puis replongeait, le nez dans les oreillers, pris d'une envie furieuse de me faire l'amour. De me faire vraiment l'amour. Pas à la va-vite comme avant. Il inventait des scènes, des positions, des caresses, et se tordait de douleur à l'idée qu'il m'avait peut-être perdue. A jamais.

Je l'écoutais, enfouie contre lui, les yeux fermés, et je lui demandais : « Encore, encore de l'amour, encore... »

Il me caressait les cheveux, m'embrassait les paupières, me tapotait le crâne pour vérifier que j'étais bien là, et reprenait.

Le lendemain, ils avaient pris le petit déjeuner en silence. Priscilla avait feuilleté *New York Magazine* et établi une liste des films, des expositions qu'elle voulait voir, des concerts auxquels elle voulait assister. Il s'était retrouvé, assis, dans une salle obscure du côté du Lincoln Center devant un film français.

— C'est moi qui l'avais choisi pour entendre ta langue, me souvenir de ton accent, mais c'est tout ce que j'ai retenu... Je ne sais même plus le titre...

Le soir suivant, il avait dû s'exécuter et dormir avec elle. Il était à court d'excuses.

— Dans notre lit ? j'ai demandé, employant pour la première fois un possessif.

— Dans notre lit, il a répondu. Tu imagines...

J'avais pas vraiment envie d'imaginer.

Le lendemain, il avait inventé un marché urgent à saisir du côté de Nairobi et était parti.

— Elle n'a pas été dupe. Elle m'a regardé comme un gamin pris la main dans le sac et m'a dit « Adieu ». L'air très triste. J'aurais préféré qu'elle me fasse une scène...

Il s'était installé à l'hôtel jusqu'à ce qu'elle s'en aille.

De l'hôtel, il lui avait écrit une grande lettre où il expliquait tout. Enfin, presque tout : qu'elle allait trop vite en besogne, qu'il ne se sentait pas capable de s'occuper des trois enfants et d'elle. Des trois enfants surtout parce que, elle, à son avis, elle n'avait pas besoin de lui, elle était assez grande pour faire face à la vie. Et, lui, il avait désespérément envie d'être utile à quelqu'un.

— C'est d'ailleurs mon problème avec les femmes, m'avoua-t-il sa bouche contre mes cheveux, elles sont bien trop organisées pour moi. Je ne demande pas mieux que de les aimer, les protéger, mais leur emploi du temps est trop chargé...

Il a souri, s'est écarté un instant puis m'a reprise, en m'écrasant dans ses bras.

Priscilla avait fait ses bagages, très digne. Elle avait tout bien rangé, détartré la cafetière, disposé des anémones dans un vase et laissé un petit mot qui disait : « Too bad ! » Elle avait vraiment de la classe, cette fille, j'ai pensé. De l'humour et de la classe. Je l'aurais bien prise comme amie. J'en manquais cruellement ici...

Allan avait réveillonné, tout seul, dans sa grande pièce à moitié vide. A regarder clignoter l'enseigne Fuji. Il voulait être sûr de lui avant de partir à ma recherche. Puis il avait appelé Bonnie. Elle l'avait traité de fou, de sans-logique. Elle ne comprenait plus rien à notre histoire. Elle lui avait conseillé d'aller voir du côté de chez Rita.

On eut alors notre première nuit d'amour. Une vraie nuit où il me fit l'amour à moi spécialement. Comme s'il ne m'avait jamais renversée avant. En faisant attention à toutes les parties de mon corps, me laissant toute la place, me regardant dans les yeux tout le temps pour ne pas en perdre une miette. On fit l'amour sur le plancher du salon, dans la chambre, dans un coin de la salle de bains. Surtout dans le coin de la salle de bains. Le rideau de la douche nous tombait dessus, on respirait l'odeur de la savonnette, du shampooing, de l'Ajax en poudre. Il disait qu'il voulait me mélanger à toutes les odeurs de la maison. Il n'arrêtait pas de me parler pour rattraper le temps où il était interdit de parler de peur de s'engager trop avant. Il commença à le faire doucement, comme étonné de se laisser aller aux confidences, mais je le serrai contre moi pour l'encourager et il n'arrêta plus de se raconter. Je m'en fichais complètement des femmes avant moi. J'avais compris que j'étais la seule désormais. Mais ce que je ne voulais pas, c'était lui raconter mes amours à moi. J'avais trop peur de le blesser. Peur qu'il ne se reprenne, qu'il ne se méfie, et puis, pour être honnête, je n'étais pas sûre d'être guérie de mon syndrome d'assassine à la tronçonneuse. Je ne mentionnai pas non plus ma nuit avec Joe. Cela lui aurait donné trop d'importance. Je me disais qu'un jour, peut-être, je lui dirais tout. Je le ferais doucement, quand il aurait appris à me connaître, à savoir qui j'étais vraiment, ce qui était important et ce qui ne l'était pas. Pour le moment, j'étais heureuse de l'écouter parler et je n'avais pas l'impression de lui mentir. Comme je me sentais un peu pingre en confidences, je lui racontai l'histoire des billets d'un dollar où je lui avais griffonné un message d'amour.

— Juste au-dessus du pif de George Washington...

Le seul truc qu'il n'arrivait pas à dire, c'était des mots d'amour ou des « Je t'aime ». Ça ne passait pas. Il me prévint. Il ne voulait pas me faire de peine. Mais je m'en fichais pas mal. Alors il m'appelait « Coin de salle de bains » ou « Bicyclette ». N'importe quoi pour remplacer. Et ça marchait.

Je n'avais plus la trouille.

Je n'avais plus peur qu'il prenne la fuite.

Il était là. Il faisait attention à moi. Rien qu'à moi. Je me baladais dans la rue accrochée à son bras comme un porte-clefs triomphant et je narguais toutes les autres. Je leur jetais des regards insolents. Je ne pouvais pas m'en empêcher, cela aussi faisait partie de mon bonheur tout neuf.

Je n'en revenais pas.

Plus je le regardais, plus je l'aimais. J'étais vraiment malade d'amour. Je ne pouvais plus rien avaler tellement j'étais remplie de lui.

On se retrouvait à n'importe quelle heure de la journée pour s'embrasser dans les parkings, dans les garages, au rez-de-chaussée de Bloomingdales, dans les stations de métro entre deux rendez-vous. On laissait passer la bonne station et il était en retard.

Je lui présentai la serveuse de Forty Carrots dont je m'étais toquée, et il comprit tout de suite pourquoi. Il la vit exactement comme je la voyais. Je me suis dit alors que j'avais enfin compris ce que c'était que l'amour : voir du même œil, avec la même délectation, une quinquagénaire noire en blouse rose et aux mollets tendus, être envoûté par sa manière de lâcher « Hi ! Honey ! », lui inventer la même vie dans le métro le soir ou dans son trois pièces à Queens. Je rayonnais de bonheur en avalant mon frozen yoghourt à la banane et j'en commandais aussitôt un autre.

On partait en week-end et on ne sortait pas de la chambre. On s'apprenait par cœur du bout des doigts, du bout des lèvres. On vidait nos mémoires l'une dans l'autre.

On arrivait enfin à coïncider l'un avec l'autre.

Quelquefois, quand je reposais dans ses bras, j'ouvrais un œil et j'apercevais ses poignets, ses mains, ses longs doigts, ses ongles bombés, transparents, et j'avais le cœur qui partait à toute allure. A cause de Papa. Je me disais que ce grand amour-là n'était pas tout neuf, tout innocent, il venait d'ailleurs. C'était peut-être pour ça qu'il était si fort. Et puis je refermais les yeux et ne pensais plus à rien du tout. Qu'à lui. A nous.

J'arrêtais pas de me précipiter contre lui. De me pendre à son cou, de lui coller aux basques. Je ne m'en lassais pas.

Et il ne s'en formalisait pas.

Je ne demandais rien d'autre que de rester collée à lui, le plus longtemps possible. Qu'il ne me lâche pas. C'est tout ce que je voulais de lui, de la vie. Pas de plan. Ni de programme. Je vivais au jour le jour. Je savourais ma vie de porte-clefs.

Et puis, un jour, il est rentré et il m'a demandé : « Veux-tu m'épouser ? »

Je me rappelle très bien. J'étais assise en tailleur sur un tabouret dans le coin bar du salon, le dos appuyé contre le frigo, et je lisais une nouvelle de Flannery. Ou plutôt je la relisais pour la dixième fois tellement je la trouvais bien. Aussi bien que celle du géranium. J'étais même capable, chaque fois, d'oublier comment elle finissait tellement c'était bien écrit. Chaque fois j'y croyais, je me disais qu'ils n'allaient pas tous se faire flinguer par le tueur fou, échappé du pénitencier. J'étais comme la grand-mère : je ne voulais pas croire à la tragédie. Jusqu'au bout j'ergotais avec elle, je discutais avec le tueur fou pour ne pas entendre les coups de feu dans le bois où les deux acolytes liquidaient le reste de la famille. C'était une femme formidable, la grand-mère, et je ne voulais pas croire qu'elle mourrait à la fin.

Le tueur fou qui va nous descendre maintenant devant Tiffany...

C'est sûr.

Je me blottis encore un peu plus contre Allan, l'étreins de toutes mes forces, ferme les yeux, prête à rendre l'âme.

Il me pousse à l'intérieur de Tiffany. On entre. Il me tient par la main et me guide au milieu des vendeurs cravatés, niais et supérieurs parce qu'ils vendent du luxe. Ils me reluquent des pieds à la tête, surtout les pieds avec mes pompes plates et mes socquettes. Les clientes, ici, portent des escarpins en croco et des sacs assortis. Elles ont des diams incrustés à chaque phalange avec la peau qui boudine autour et sont harnachées de vison de l'épaule au talon. Pas besoin de balayer le soir dans le grand magasin, les ourlets des visons ont tout nettoyé.

Moi je frime dans mon duffle-coat et arbore le plus beau mec du monde à mon bras. Sûr qu'ils le matent et se demandent ce qu'il fabrique avec une gonzesse comme moi ! Je leur fais la nique et me gonfle de fierté. J'ai pas d'alliance mais on est mariés. Et pour la vie.

Au milieu du magasin, sous le grand lustre à cristal qui fait ding, ding si on tend l'oreille, il m'arrête et me dit :

— Choisis. Prends ce que tu veux.

— Ce que je veux ?

Il dit « Oui » avec les yeux et à ce moment-là ces yeux rayonnent de bonheur, clignotent de mille mots d'amour, ceux qu'il ne sait pas dire. « Je t'aime. Je suis fou de toi et je suis prêt à faire des folies pour toi. Vas-y. Dévalise le magasin et je vendrais des millions de collants et de tee-shirts pour payer la note. »

Et alors j'oublie le tueur fou. Le zinzin dans la foule, mais une autre peur surgit. Une vieille peur que je connais bien et qui me cloue sur place. Me coupe les jambes et le souffle. Me court-circuite raide, la bouche en rond, horrifiée : ce n'est pas le zinzin qui va nous tuer, c'est moi, la zinzine. Moi et ma haine du bonheur, de l'amour. Je reconnais la vague dans mon corps, la vague qui vient des talons et me révulse. Je regarde encore Allan, m'accroche à ses yeux et supplie en silence : Emmène-moi loin d'ici, arrête, arrête, reprends tes mots et tes cadeaux, ou tout est fini. Je tremble. Je transpire. Je cherche un siège des yeux pour me poser, en espérant que la vague va passer et m'épargner. Je repousse le couteau qui va poignarder mon beau mari tout neuf. Je le repousse de toutes mes forces. Fallait pas qu'il m'emmène dans ce magasin. Fallait pas qu'il me dise avec les yeux qu'il est fou de moi. Je ne peux pas. Tu sais, je ne peux pas. Ce n'est pas de ma faute. Ça m'arrangeait bien que tu ne saches pas dire les mots d'amour. Je ne les supporte pas non plus.

J'ai des rigoles de sueur qui coulent dans le cou. Qui me graissent les cheveux. Qui collent mes vêtements à ma peau. J'arrête de respirer. Je me scelle au premier comptoir, les mains moites, les genoux tremblants. Je vacille, m'agrippe à son bras. Résiste de toutes mes forces. Résiste encore. Enfonce les talons dans le sol. Supplie la vague de s'éloigner, le couteau de déraper. Puis faiblis. Sens un début de haine monter. Détourne les yeux pour ne pas voir Allan qui se rétrécit, qui devient tout blanc, ne pas le trouver ridicule avec sa grande déclaration : « Vas-y. Prends ce que tu veux. Je suis là. » Mais c'est ridicule... Et puis, on m'a déjà fait ce coup-là.

Il m'a déjà fait ce coup-là.

L'autre.

L'autre homme. Mon papa..

Pour mieux se tirer après.

C'est le même coup qui se prépare. Il va me payer le magasin et se tirer après.

J'en suis sûre.

Je tiens le comptoir à pleines mains et fais semblant de me concentrer sur les pierres qu'exhibe fièrement le vendeur larbin : pièces uniques, taille unique, dessin fait maison, modèle exceptionnel... Je me force à écouter ses mots pour oublier les miens. Pour arrêter la petite mécanique dans ma tête. La mécanique du massacre. Je noie mes yeux dans le saphir, mouille mes lèvres devant l'émeraude, lèche l'eau vert et bleu du diamant, attends, attends, retiens ma respiration et supplie l'Autre là-haut, le vieil Escroc, d'intervenir bien vite pour que je ne dégaine pas ma tronçonneuse. Je le supplie comme jamais. Suis prête à m'agenouiller en plein magasin avec mon duffle-coat et mes pompes plates pour repartir comme je suis arrivée : heureuse et amoureuse. Oh ! Arrêter cette répétition ! Apprendre à aimer pour de bon !.. S'il Vous plaît, Vous qui pouvez tout, laissez-le-moi. Laissez-le-moi et je remets mon sort entre Vos mains...

Mais soudain une autre voix surgit. « Tu as peur parce qu'on t'a déjà fait le coup, hein ? me susurre la fille formidable. C'est ça que tu redoutes ? Dis-le. Mais ce n'est plus le même, pauvre idiote. Il est mort. Il est mort. C'est fini. C'est le passé. Tu prétends que tu l'as liquidé et t'arrêtes pas de le ramener sur le devant de la scène. Accepte. Accepte qu'on t'aime. Tente le coup. Arrête d'avoir la trouille. La trouille au ventre tout le temps dès que les choses deviennent sérieuses. La trouille d'aimer, la trouille qu'on t'aime, la trouille qu'on t'abandonne. »

J'écoute la petite voix et j'attends.

J'attends.

Allan me tire par le bras, demande à voir des colliers, des bagues, des boucles d'oreilles. Me montre d'un large geste les comptoirs avec les larbins qui s'inclinent, synchronisés. Deux Nikées envisonnées discutent le coup au comptoir devant un diamant gros comme une poire. Elles n'ont pas d'homme pour le leur offrir, elles. Tandis que, moi, j'en ai un dont je ne veux pas...

Dont je ne veux plus. Tout à coup.

J'avance, cramponnée à son bras, m'arrime à une autre vitrine, au baratin d'un autre vendeur. Accroche les yeux au velours bleu des présentoirs, aux manchettes blanches qui virevoltent. Je veux encore y croire. Je veux que le couteau s'éloigne.

J'ouvre et je ferme les yeux.

Je ne veux pas assister au massacre. Je vais partir, prendre mes jambes à mon cou et me débiner. Je dégage mon bras, rajuste mon duffle-coat, repère la sortie au fond à gauche. Sortie de secours. Il faut que je m'en aille, que je sorte d'ici. Peut-être que, si je réussis à fuir, on pourra se retrouver. Après. Quand j'aurai repris mes esprits.

Peut-être que...

« Mais tu étais heureuse tout ce temps avec lui, serine la petite voix. Tu avais commencé quelque chose. Tu avais commencé à te faire confiance, à te séparer de l'autre. Alors quoi ? Tu flanches au premier obstacle. Bravo, ma fille ! Bravo. Ah ! Tu peux être fière ! Tu pignes pour qu'on t'aime et tu t'esquives au premier geste d'amour. Tu lui en veux de t'aimer, d'être tombé dans tes pièges, d'avoir mis un genou à terre et de t'avoir demandée en mariage. Mais tu en crevais d'envie. Tu trouvais que ce n'était que justice vu que tu étais une fille formidable. »

Je ne suis pas une fille formidable. C'est des histoires, tout ça. Des histoires que je me raconte pour me remonter le moral. Tout ça est bidon, on va se planter, je le sais. J'y crois pas. Je meurs d'envie d'y croire mais je n'y crois pas.

« Eh bien, tente le coup ! Rien qu'une fois. Le temps que ça dure, et tu verras. Mais au moins tu auras avancé. T'auras fait un petit pas en avant. Sinon tu finiras ta vie comme un rond-de-cuir qui tremble de prendre des risques. Prends le risque d'aimer, d'une autre manière, d'un autre amour... »

Le risque d'aimer d'une autre manière...

Les mots explosent dans ma tête.

Ce n'est pas toujours pareil, l'amour. Ce n'est pas ce qu'il m'avait dit alors...

Dans la chambre écossaise, quand il est parti...

Il disait que c'était comme ça, l'amour, on commence et on s'arrête un jour. Toujours, toujours.

Elle lui avait demandé si c'était toujours comme ça : on se lève et on part. Toujours ? Toujours ? Comme un film qui s'arrête et recommence, et si on reste plusieurs séances on peut avoir sans arrêt le début et la fin, la fin et le début, et toujours la même histoire. Sauf que, les acteurs, ils ne savent pas qu'ils jouent toujours la même histoire et que, leur film, on l'a déjà vu cent fois. Eux, ils y croient et ils le jouent comme à la première séance.

Il avait ri et il l'avait serrée très fort.

Elle était la plus forte. Elle avait tout compris, sa petite fille. Elle avait compris ce que c'était que l'amour.

Et, aujourd'hui, une autre voix, une petite voix, à l'intérieur, me disait que ce pouvait être autre chose. Qu'il fallait tenter l'aventure parce que sinon je deviendrais un vieux film à répétition.

Tenter l'aventure...

Une aventure nouvelle.

A moi.

Avec mes héros et mes héroïnes.

Je sens l'étau qui se desserre. Je respire. Rouvre les yeux. Regarde le vendeur qui sourit, qui nous observe tous les deux, ravi d'être le témoin d'une belle histoire d'amour.

Mon histoire d'amour.

Quelle qu'elle soit. Même si elle tourne court...

Je prends le risque.

Je l'abandonne encore une fois, lui, l'homme qui m'avait appris l'amour. A sa façon.

Mon papa. Je te laisse, là, sur le comptoir de Tiffany. Avec les Nikées, les vendeurs gominés et les bijoux chics.

J'arrête pas de t'abandonner ces temps-ci.

Mon papa que j'aime.

Mes yeux s'embuent de larmes. Je défais mon duffle-coat. J'ai chaud.

— Je vais tourner de l'œil, je dis à Allan. C'est trop d'émotions pour moi aujourd'hui.

Trop d'émotions...

Viens, on se tire.

Il dit :

— C'est pas grave, Coin de salle de bains. On reviendra plus tard. On va sortir prendre l'air.

On est allés au Plaza. Au salon de thé du Plaza. J'ai enfourné deux éclairs au chocolat, bu le contenu d'une théière entière. On n'a pas dit un mot. Mais s'il faut s'expliquer dans des occasions comme ça, c'est qu'on ne s'aime pas vraiment. Qu'on ne parle pas de la même chose. Et moi je savais qu'on parlait de la même chose et qu'on n'avait pas besoin des mots puisqu'au premier coup d'œil chez Forty Carrots il avait compris ma fascination muette pour la serveuse, qu'il l'avait vue dans le métro avec ses sacs en plastique aux poignets et assaillie dans son trois pièces du Queens par ses infâmes lardons... Je l'avais pas rêvé, ça. J'avais encore le goût du frozen yoghourt dans la bouche.

On est restés un bon moment assis sur les fauteuils en velours rouge du salon de thé du Plaza. Sans parler. Je gardais toujours la tête baissée de peur de la relever et de le voir tout petit, tout blanc, tout tassé. Ridicule. J'ai fini de grignoter les miettes des éclairs du bout de mes doigts mouillés et, petit à petit, j'ai senti la vague s'éloigner. J'avais gardé la tête hors de l'eau.

J'étais sauvée...

J'ai fermé les yeux et je les ai rouverts. Plusieurs fois. Pour vérifier que c'était pour de vrai. J'ai regardé le bonheur d'Allan, le bonheur qui lui sortait par les oreilles, le nez, la bouche, qui formait comme un halo autour de sa tête, et la pointe du couteau s'est écartée. L'a épargné.

J'ai soufflé. J'ai poussé un énorme soupir.

Je venais de me donner une chance de bonheur. J'avais compris une chose : ce n'était pas gagné. Le tueur fou rôdait encore. Il pouvait surgir n'importe où, n'importe quand. Il n'avait pas renoncé. Il me laissait un sursis. Mais j'étais bien déterminée à le combattre. Je ne me laisserais plus mener par le bout du nez. J'étais avertie maintenant. J'en avais compris, des choses et des choses. Ce n'était pas en vain que j'avais décidé de devenir une fille formidable et de mettre un peu d'ordre dans ma vie.

Alors j'ai pris Allan par le bras et nous sommes retournés chez Tiffany. Pas n'importe où. Vers le comptoir du fond. Tout au fond. J'ai passé les rivières, les diams, les gouttes d'émeraudes montées en boucles d'oreilles, les rubis, les saphirs, les colliers de perles pêchées au fond des mers du Sud par des petits hommes tout maigres qui crèvent la dalle, et je suis allée tout droit au fond du magasin. Vers un petit rayon qui ne payait pas de mine. Avec un vendeur qui avait l'air d'être au rabais. En punition dans ce coin en plein courant d'air.

Là j'ai reluqué attentivement le comptoir où elles reposaient toutes : les minces, les grosses, les ciselées, les toutes plates, les avec des chichis, les sans-chichis. Je les ai regardées sous toutes les coutures en observant mes doigts, en les posant à plat sur la vitre du comptoir, et j'en ai choisi une.

Une grosse alliance, bien large, sans fioritures.

Je l'ai montrée des yeux à Allan.

Il l'a examinée comme un gros caillou qui allait engloutir toutes ses économies. Il l'a retournée plusieurs fois. A cligné de l'œil. A glissé le doigt à l'intérieur, l'a explorée soigneusement, a pris un air entendu puis l'a rendue au vendeur en disant que c'était d'accord.

A une condition...

Qu'il fasse graver à l'intérieur : « Je t'aime, Bicyclette. »

Il a fallu répéter plusieurs fois parce que le vendeur ne saisissait pas très bien. Il a même fallu écrire la phrase en lettres majuscules sur une feuille de papier blanc. Et il a bien dû la lire et la relire au moins trois fois avant de nous regarder bizarrement et de déglutir que ça ne devrait pas poser de problèmes.

— Très bien, a dit Allan. Et quand pourrons-nous revenir la prendre ?

— Dans une semaine, a-t-il répondu, très professionnel.

Avant de repartir, Allan a choisi une alliance pour lui : toute fine et sans inscription. Il n'y avait pas la place.

On est retournés à la maison. On s'est couchés dans le grand lit. Je me suis serrée très fort contre Allan, j'ai mis le nez dans son cou, j'ai respiré à petits coups et je me suis endormie aussitôt. Je n'avais plus de forces.

Le lendemain matin, on a été réveillés par un coup de téléphone d'ATT. C'était une demoiselle qui venait de recevoir un télégramme de France et qui ne comprenait goutte à ce qui était écrit. Peut-être pourrions-nous reconstituer le message si elle nous l'épelait lettre par lettre ? Allan s'est redressé dans le lit, a attrapé un crayon et un morceau du *New York Times* de la veille, a répété les lettres les unes après les autres, et, par-dessus son épaule, j'ai pu lire : « Rien de ce qui est important ne peut être pensé. Tout l'important doit être traîné inconsciemment avec soi comme une ombre. Onetti. Bonne chance à tous les deux. Pimpin. »

IMPRIMERIE BUSSIÈRE À SAINT-AMAND (CHER)
DÉPÔT LÉGAL : FÉVRIER 1990. N° 11539 (10080-2327).